JN305857

新潮文庫

最後の花束

乃南アサ短編傑作選

乃南アサ著

新潮社版

10335

乃南アサ短編傑作選

最後の花束◎目次

乃南アサ短編傑作選

最後の花束

くらわんか

1

意識しなければそのまま聞き流してしまう程度の音量で、ジャズが流れる店だった。全体に仄暗《ほのぐら》い店内は深い色合いのカウンターの上にだけ点々とダウンライトの光が届くように出来ていて、その下におかれた飲み物や料理が浮かび上がって見える。カウンターの内側は、立ち働く職人たちの手元だけ明るく照らされる工夫がしてある様子だし、客席側はさらに薄暗い。しかも、U字型になっているカウンターには、厨房《ちゆうぼう》側の一段高い部分に活《い》け花や大鉢が飾られていたり、ところどころに「すだれ」みたいなものが掛かっていたりするものだから、一つのカウンターに向かっていながら、客同士はお互いの視線を感じる必要もなかった。要するに個室でもない空間なのに、注意深くプライバシーが守られる工夫がされている。店に着いてすぐに、季莉《きり》は「ははあ」と思った。まだ時刻が早いせいもあってか、今のところ男性客ばかりだが、こういう店は特別な関係の男女におあつらえ向きだ。

「びっくりしたわ、ほんま」

軽い乾杯の後、それはそれは薄いガラスで出来ているビアグラスを口元に運びながら、まずぷぅさんが口を開いた。季莉は、グラスが移動するのを目で追いかけるようにして、ぷぅさんの横顔を見た。すぐ隣にいながら何となく現実感がない。どこか夢を見てるみたいな気がするのは、三カ月ぶりの再会というだけでなく、多分この照明のせいだ。だが、心持ち身体《からだ》を傾けて肘《ひじ》を張り気味にグラスを持つ姿勢も、わずかに小指だけ浮かす癖も、間違いなくぷぅさんだった。

「こっちだって」

季莉は自分もビールを一口飲んで、ふう、と大きく息を吐き出した。ため息というよりは深呼吸だ。

「何となくLINEしたら、いきなり『飯食うか』だもんね。まさか、ぷぅさんが大阪にいるなんて、私、ちーっとも知らなかったからさあ、『えっ、何それ。何言っちゃってるわけ?』とか、思ったし」

べつに嫌みのつもりじゃないけどさ、とつけ加えてから、もう一度、隣を見る。ぷぅさんは、ちょうど箸《はし》に手を伸ばしているところだった。中央部分を薄い和紙でくるん、とまとめてある高級割り箸だ。多分、単価でいったら十五、六円、もしかすると二十円近くするかも知れない。

「びっくりしたって言うんやったら、そんなん、おあいこや。まさか『今、大阪なんだけど』なんていうLINEが飛び込んでくるとは、俺だって思わへんやん」

ぷぅさんが続けて何か言いかけたとき、目の前から「ようこそいらっしゃいませ」という声が聞こえた。やはり、東京で聞くのとはイントネーションが違っている。胸元に店の屋号と本人の苗字《みょうじ》が刺繡《ししゅう》された、いかにも清潔そうな白衣を着た板前は、ぷぅさんよりも若く、まだ四十歳の手前くらいに見えた。これだけ照明を落とした店内でも、料理人特有の、日に何度も水をくぐっていると分かる白い手を身体の前で行儀良く合わせて、控えめな笑顔をぷぅさんに向けている。

「今日はまた、お早いお越しで」

「そんな日もあるて。あんな、いつもの感じで適当に頼むわ。魚は何がある?」

板前は今日入っている新鮮な魚を指折り数えるようにして呼び上げる。高砂《たかさご》のアナゴ、八幡浜《やわたはま》で揚がったアジ、吉野川のアユ、和歌山のイサキ、呼子《よぶこ》のヤリイカ、宍道《しんじ》湖《こ》のスズキ、他にもホヤ、トビウオなどなど。

「そしたら、造りから、適当に見繕ったって」

「かしこまりました。お連れさまは、何か召し上がれないものは」

季莉が首を横に振るのを確認してから、板前は再びぷぅさんを見た。

「風間《かざま》さまは、エビカニでしたですね」

「やっと覚えてくれたか。そうなんや、甲殻類は、あかんねん」

「何言うてはるんです、とっくに承知しておりますて。そんでも、お連れ様には、お出ししても？　いい車エビが入ってますが」

「ああ、この子が食べたい言うんやったら、出してやって。そんときは、器は分けてな」

はいと頷《うなず》いて、軽く会釈《えしやく》してから離れていった後、ぷぅさんが「面白い店なんや」と言った。

「寿司《すし》屋なんやけど、何でも出てくんねん。店の感じからして、ちょっと違ってるやろう？　見ててみ、これから結構、色んな凝ったもん出てきよるから」

ふうん、と頷きながら、季莉は改めて店内を見回した。今の板前はあの年齢で、もうこれだけの店の主《あるじ》なのだろうか、それとも雇われ板長なのだろうか。ちょっと考え始めたとき、隣から「ほんまになあ」というつぶやきが聞こえた。季莉は、すっと表情を変えて「ぷぅさんこそ」と、わざと口をとがらせた。

「大阪に転勤になったんなら、そう言ってくれればよかったじゃん？　そんなこと、まるっきり、これっぽっちも匂《にお》わさないで、急に来なくなるんだもんなあ」

「そうやったか？　何回か連絡くらい、したやろう」

「スタンプだけじゃん！　あれじゃ、わけ分かんないって。もともと、ぷぅさんのスタンプの使い方って、変なんだし」

ぷぅさんは「完璧《かんぺき》に使いこなしてるゆうねん」と笑う。本当に久しぶりに見る、これぞぷぅさんと思う人なつこい笑顔。

「まあ、しゃあないやん。ものすごい急やったんや。何ていうか、今度のんは転勤ちゅうよりは、無理くり呼び戻されたみたいな格好でな」

「そんな急だったの？　いつ？」

「四月一日や。それで辞令が下りたのが三月二十五日や。普通、ありえへんやろう？」

「分からないけど、そうなの？」

「当たり前や。隣の机に移るのとわけがちがう。引越もせなあかんのに。何や、他の部署か上の方かでちょっと面倒なことがあったらしいてな、ある意味で玉突き人事いうか、今度に限っては内示も何もなしやった。一週間たらずで挨拶《あいさつ》回りから引き継ぎから何からやって、引越して、ほんま、バタバタやったわ」

へえ、と、わざとらしいくらいに口をとがらせて、季莉はつん、と上を向いた。

「だから、あたしのことなんか忘れてたわけだ。異動の後になっても。ずっと」

「せやから——」

「だって、そうじゃない？　それにこっちはさあ、急にぴたりと来なくなれば、心配だってするもんだよ。もしかしたら病気になっちゃったのかな、それとも事故にでも遭ったかな、とかさあ」

ぷぅさんは意外そうな表情で八の字眉《まゆ》を大きく動かしながら、「へえ」と笑う。

「心配してくれたんか」

「そりゃ、そうだよ」

季莉が少しだけ身体を傾けて、「ただのお客様じゃないんだからさ」と囁《ささや》くと、ぷぅさんはすっと背をひくようにして「せやけど」とそっぽを向く。

たとえ転勤になったところで、年がら年中東京に出張しているのだし、そのときに逢《あ》えばいいのだから、特に何も変わらないと思った。第一、お互いの私生活には一切立ち入らず、どちらかが終わりにしたいと思ったら、そのときはアッサリ切れようというのが、最初からの、二人の約束だったはずだ。心配してくれたのはありがたいが、そういう湿っぽいのは一番の苦手だ。

ぷぅさんは、静かではあるが実になめらかな大阪弁で、それだけのことをひと息に言ってのけた。その間、季莉は、相づちを打つどころか口を閉じるのも忘れて、ぽかんとしたまま、ぷぅさんを見ていた。何より、この人の口から大阪弁が聞かれること自体、不思議な感じがしてならない。たしかに大阪出身とは聞いていたけれど、東京にいる間、ぷぅさんはただの一度として大阪弁で話すことなどなかったからだ。たとえ、季莉と二人きりになったときでさえ。それなりに酔ったように見えたときも。ベッドの中でも。

――まるで。

まるで、別人みたい。

「せやろ？　俺らの関係の、それがええとこやったやんか」

季莉は「まあ、そう、かな」と、首を傾《かし》げてみせるしかなかった。たしかに最初から、追っかけっこなしの後腐れなし、自然消滅アリという約束でつきあってきた。完全に「セフレ」として楽しくやろう、割り切った関係にしようねと。ぷぅさんにしてみれば、季莉はちょっと連れて歩くにも満更でもない気分になれるキャバ嬢に過ぎず、季莉にとってはかなりの確率で同伴にも応じてくれ、お店でもけちけちしたところを見せたことのない太客《ふときやく》だ。その上、普通のサラリーマンの割には意外と自由になるお金を持っていて、それなりに季莉が欲しいというものを買ってくれたりもする。そして、何だかんだ言って彼とのセックスは楽しかった。ムードはほとんどないけれど、陽気で、よく汗をかいて、まるでスポーツみたいだと思うことがよくあった。

「だけどさ、だけどさ」

せっかくＬＩＮＥでつながっているのだから、やはり何かひと言くらい言ってくれたって損はなかったのではないかと、季莉はぷぅさんを見た。

「それにさ、それにさ、出張で来るとか何とか言ったって、実際この春から一回も、店にも来てくれてなかったわけじゃん？　まあ、結局は――」

キャバクラなんてそんなもんなんだろうけどさ、と言いかけたとき、ぷぅさんが、初めてまともにこっちを見た。その顔つきが「おや」というように変わるのを、季莉は唇をとがらせたままで見ていた。

「季莉、おまえ――何か、雰囲気変わったんとちゃう？」

「――え？　どうして？」

「ああ、ちゃうわ。分かった分かった。メイクや。メイクが違《ちご》うてるんや。つい同伴するつもりになってたわ」

せやせや、と一人で納得したように頷いて、ぷぅさんは空になったグラスに自分でビールを注ぎ、ついでに季莉のグラスにも注ぎ足す。ぷぅさんは、この大阪でも相変わらずキャバクラ通いをしている。そして、同伴やアフターで、この店を利用しているのに違いないと季莉は確信した。

「それで、新しいセフレは？」

ぷぅさんは、こちらをちらりとも見ずに「今んとこ、まだや」と悪びれる様子もない。

「こっちのキャバクラって、どう？」

「どうって。まあ、一緒や。そんなん、どこも」

「それじゃ、私は？」

「季莉が？　何や？」

「どっちがいい？　キャバ嬢メイクのときと」

再び身体を傾けて囁きかける。すると今度は、ぷぅさんはちらりとこっちを見て、にっこり笑った。いかにも嬉《うれ》しそうに。楽しそうに。

「どっちもええわ。やっぱり季莉は、可愛《かわい》いヤッちゃなあ」

季莉は、もう、と、袖《そで》まくりしたワイシャツから出ているぷぅさんの腕に軽く触れた。

「よく言うよねえ。ホントは季莉のことなんか、とっくに忘れちゃってたくせに」

「忘れてへんて。まあ、とりあえず、またこうして会えたわけやし。そんで、ええやんか」

ぷぅさんは「そんで」と言いながら、まずは目の前に並べられた前菜をつまみ始めている。アジの刺身を細巻き風に巻いてあるが、使っているのは海苔《のり》ではなく、生春巻の皮だ。細めのグリーンアスパラを軽くあぶった上にオランデーズソースをかけたもの、フルーツトマトとバジルを細かく刻み合わせたものがトッピングされた一口大のブルスケッタ、チキンレバーのゼリー寄せ。厚めにスライスした鰹《かつお》たたきの上には、ニンニクとタマネギ、それに大葉のみじん切りがどっさりのっている。それらのどれもが、とても小ぶりで、しかもそれぞれに季節を感じさせる可愛らしい器に盛られていた。

「な、面白いやろ。そのときによっては、こんな小さいコロッケとかも、出しよるんや」

ぷぅさんはむくむくとした太い親指と人差し指で輪っかを作ってみせる。

「東京には、寿司屋の暖簾《のれん》出しといて、こんな料理まで出す店なんか、まずないもんなあ」

味も悪くなかった。店の造りといい、料理を出す演出やタイミングといい、なかなかのセンスだ。こういうのが、いつも父さんが言っていた付加価値が高い店というヤツなのだろう。そう、ぷぅさんと一緒にいて楽しいのは、彼が食い道楽で、こういう店をよく知っているせいもあった。

2

「そんで話を戻すと、どうして大阪くんだりまで来たんやて？　それも、アレやろう？　旅行とかとはちがうって、ＬＩＮＥで書いてたやろう？」

「うん、旅行じゃないよ」

小さな器を手に取っては、次々に箸を伸ばすぷぅさんの横顔を眺めていると、それにしても一体どこの誰が、この人に「ぷぅさん」というあだ名をつけたのだろうかと改めて感心する。

本当は「風間」という苗字から「ふうさん」と呼ばれていたのだそうだ。それが、いつの間にか「ぷぅさん」になった。学生時代は「シュッとしていた」と本人は言うが、サラリーマンになってから少しずつ太って、その外見が「クマのプーさん」にそっくりになっていたからだ。とはいえ、まだプーさんほどの体型まではいかないが、とにかく顔が似ている。

秀《ひい》でた額にちょっと頼りない八の字眉。小さくて丸い目、目と眉の間は離れているし、笑うと頬がこんもりと盛り上がるところまで、プーさんそっくり。つまり、ぷぅさんは決して二枚目というわけではなかった。だが、製薬会社の営業マンとしては相当に優秀らしいと、以前、ぷぅさんと一緒に来たお客様から聞いたことがある。

「旅行と違うんやったら、何しに来たん？」

「それがさあ、実はさあ」

季莉は割り箸の先を軽く唇に押し当てるようにして、小さく「うふふ」と笑ってみせた。

「何や、気色悪いな。実は、何やねん。まさか、俺に逢いに来たわけでもないねんやろう？」

「ばーか。当たり前じゃん。ぷぅさんが大阪にいるなんて、思いもしなかったんだから」

「そんなら、なんでなん」

「あのねえ」

季莉は、小さく身体を揺らしながら「引っ越してきたんだ」と、横目でぷぅさんを見た。

「彼氏と」

ぷぅさんは一瞬、意表を突かれた顔をしてこちらを見ていたが、すぐに普段と変わらない表情に戻って「彼氏とか」と八の字眉を大きく動かした。

「彼氏が、出来たんか」

「まあね。で、その彼氏がね、『俺と一緒に大阪でやっていこう』って言ってくれたんだよね。で、来ちゃった」

「へえ。何や、何してるヤツ。いくつ」

「ミュージシャンの卵でね、あたしとタメ。中学んときの同級生」

「季莉と同い年いうたら――」

「二十四。今年で」

「――まあ、若いと言えば若いんか――そんで、ミュージシャンの卵なあ」

「彼にはね、どうしても季莉が必要なんだって。そばにいるだけで、どんどん、曲のイメージが湧《わ》いてきちゃうって」

「ふうん――いつからつきあってるん?」

「ぷぅさんが来なくなってすぐだから——二カ月半、くらい前かな」

それから季莉は、彼氏とのなれそめを簡単に話して聞かせた。たまたま実家近くのコンビニに寄ったときに、そこで偶然、再会したこと。彼はコンビニのアルバイト店員だった。レジに立っても、季莉の方はまるで気づかなかったのに、彼の方が季莉を本名で呼んだこと。中学生の頃の彼はすごくモテていて、季莉など近づくことも出来ないくらいだったから、まさか覚えてくれていたとは思いもしなかったこと。

「何やそれ。そんなら、俺がいなくなってグッドタイミングやったんやないか。さっきみたいにブツブツ言われる筋合い、まるっきりあらへんがな」

「まあ、そうなんだけどさ。ホント、偶然にね、そういうことになっちゃったんだ」

「ふうん——そういえば季莉の本名て、教えてもらってないわ。何ていうん？」

「なんで？」

「何でて。ええやん。教えてくれたかて」

「ぷぅさんといるときは、一条《いちじょう》季莉なんだから、そんでいいじゃん」

まあ、そうやけどな、と呟《つぶや》くぷぅさんの横顔に、明らかに不満げな色が見て取れて、季莉は少しおかしくなった。

「そんなら、その彼氏とこっちに来て、今は二人で一緒に住んでんのか。大阪の、どの辺？」

「大阪市内よりちょっと外れるんだけどね、枚方《ひらかた》っていうとこ」

枚方？　と、今度はぷぅさんの小さな目が精一杯に見開かれた。

「枚方の、どこ。駅でいったら？」

「京阪《けいはん》電車のねえ、枚方公園っていう小さい駅。だけどね、近くに『ひらパー』っていう結構おっきな遊園地があって、その遊園地でイベントとか何かあるときは、すごく人が増えるんだって」

まじかよ、と小さな目をシバシバさせているぷぅさんを、季莉は「知ってる？」と覗《のぞ》き込む。今日のピアスは、ちょっと長めの細いチェーンが何本か束ねられているデザインのものだから、少し顔を動かしただけでも耳元で密《ひそ》かな音がする。しゃらん、しゃらん。

「知ってるも何も。俺ん家《ち》の、わりと傍や」

季莉は「うっそー」と背をそらせながら、口元に手をやった。ちょっと驚いたときや自分の本心を悟られたくないときなどは、そうして口元を手で隠すようにするのがいい。女の子らしく見えるし、上品な印象も与える上に、相手の目が手元にいくから、瞳《ひとみ》に出てしまう気持ちを悟られずに済むと、初めて勤めたキャバクラで教わった。最初は意識していないとすぐに忘れたが、今はもうちゃんと身についている。今日は、ぷぅさんが言うようにメイクもキャバ嬢バージョンではないし髪だって盛っていない。服装も地味目におさえてきた。ジェルネイルにはラインストーンなどつけていない単色使いだ。余分なアクセサリーもつけていないから、こういう仕草は、それなりに清《せい》楚《そ》に見えるはずだった。

「何や、おけいはんかいな。ふうん――こういう偶然も、あるもんかなあ」

「おけいはん?」

大阪の人間は京阪電車やそれを利用する人のことを親しみを込めて「おけいはん」と呼んでいるのだと、ぷぅさんが言った。季莉が本気で「へえ!」と感心していると、カウンターの向こうで働いている職人の一人が、笑いをかみ殺すような表情で、ちらりとこちらを振り向いた。季莉は、自分が急に「よそ者」として見られていることを感じた。しょうがないじゃん、知らないもん、そんなこと、と思わず口の中で呟きたくなる。

「おけいはんか。ふうん。で、ぷぅさん家って、おけいはんの、何ていう駅?」

だが、その質問には、ぷぅさんは「ええやないか」と素っ気ない。

「そんなん言うてもしゃあないしな。東京時代と違うて今は家族と一緒やねんから、まさか遊びに来いとも言えへんし」

「あ——まあ、そうか。ふうん、でも、同じ『おけいはん』なんだ」

それなら、これからもよろしくねと笑いかけると、ぷぅさんは半分困ったように「よろしくて」と一つため息をつく。

「何をどう、よろしくすればええねん。彼氏と一緒に来たんやろう？　そんなら、これまでみたいな関係はナシっちゅうことや」

「そりゃ、そうだよ。彼氏に悪いもん」

「そんなら、俺は何をよろしくされるんや？」

「いいじゃん、年の離れたお友だちってことで。『おけいはん』ともだち」

「——お友だち、なあ」

季莉はまた、ぷぅさんの二の腕に軽く触れて身体を傾けた。

「だって、こっちにしてみれば初めての土地なんだしさ。言葉だって違うし、やっぱ何となく心細いじゃない？　第一、ここで！　この大阪でまさか、ぷぅさんと会えるなんて思ってもみなかったんだから、すごい偶然だと思わない？　こういうのが本当に縁があるって言うか、運命なんだと思っちゃった」

ぷぅさんは「大げさな」と口元だけで笑っている。それでも、満更でもないらしいことは季莉には分かる。

「ね、だから、お友だち」

「友だちなあ——まあ、ええか。しゃあないわ」

これがぷぅさんだった。グズグズと面倒なことは言わない。あっさりしていて、何事も決めるときは早い。だからこそ、季莉ともいい関係を続けてこられたのだと思っている。「そやけど、あんまりアテにしたらあかんでえ。特に、財布を」

「あ、何でそんなこと言うの」

「そらそうや。ただの友だちにようけ金使うヤツが、どこにおるん」

ぷぅさんは、素知らぬふりをするように言って、グラスのビールをあけた。季莉も「それもそっか」と笑った。

3

店のドアが開く度に、カランカランとカウベルの音が響く。何度目かのカランカランを聞いてスマホから顔を上げると、ぷぅさんが汗を拭《ふ》き拭《ふ》き店内を見回しているところだった。

「また、えらい庶民的なとこに呼び出してくれたもんやな」

窓際《まどぎわ》の席にいる季莉に気がついて大股《おおまた》で歩み寄ってきたぷぅさんは、季莉が「ひさしぶり」と言う間に重たそうなビジネスバッグをどかりと木製の椅子《いす》に置いて、その隣に自分も腰を下ろす。

「たまに連絡寄越したと思ったら」

「だって、大阪の人はみんな、お好み焼きが好きなんだと思って」

「そら、俺はな。せやけど季莉は、そんなに食べへんやろう」

「嫌いっていうわけじゃないよ。食べ慣れてないっていうだけで」

運ばれてきた冷たいおしぼりで顔から首筋までをぐりぐりと拭《ぬぐ》いながら、メニューもろくに開かず、まるで迷う素振りも見せずに「生ビールと豚玉」を注文したぷぅさんは、まずは氷の浮かんでいるお冷やを一気に飲み干し、それからポケットから取り出したスマホを確認して、何かいじっている。そこまでの動きがまた、ずい分と慌《あわ》ただしい。

「忙しかった?」

「そうでもないけどな――そんでも、おまえがＬＩＮＥで『急用が出来た』やら『どうしても相談したい』やら書いてくるし、あんな泣いてる顔のスタンプまで送ってくるから、これでも結構、慌てて来てん。約束一つ、キャンセルしたんやぞ」

「そっか――ごめんね」

「まあ、ええけど。お客さんとアポがあったとか、そういうのとは、ちゃうから。そんで、どないしたって？」

「実はさ――ぷぅさんに、どっか紹介してもらえないかと思って」

「紹介って」

「私が働けるような場所」

「働く？　何して」

「だから、また、お店に出られないかなあって」

季莉は神妙な面持ちを崩さないまま、汗をかいているお冷やのグラスを指先で撫《な》でていた。顔を見なくても、ぷぅさんが表情を変えているらしいのが分かる。ちょっと面倒だったり小難しい話をしなければならないときの、「プーさん」らしからぬ顔だ。口をへの字に曲げて。

「つまり、キャバクラいうことか？　そんなん、おまえの彼氏が許さへんのとちゃうん」

季莉が先に注文していたオムそばと、ぷぅさんの生ビールが運ばれてきた。オムライスの中身がケチャップライスではなくてソース焼きそばなのだと説明されたが、じかに目にするのも食べるのも、これが初めてだ。しげしげと観察している間に、ぷぅさんが「熱いうちに食わんと」と言ったから、季莉は迷わずスプーンに手を伸ばした。大皿に、でん、と横たわっているオムそばの真ん中あたりにスプーンをあてて割ってみる。なるほど中から香ばしい香りのソース焼きそばが顔を出した。同時にぽわりと、いかにも熱そうな湯気が立った。

「お箸の方が食べやすいかな」

スプーンを割り箸に持ち替えて、数本のオムそばを口に運びながら、ぷぅさんに「一緒に食べない？」とすすめると、片手にビアジョッキを持ったまま、ぷぅさんはちらりとオムそばを覗き込んで「やめとくわ」と口をへの字に曲げた。

「中身、五目焼きそばやろう」

「そう、かな？　そうみたい」

「エビが入っとるかも分からん」

「ちょっとでも駄目？」

「駄目どころか、前より敏感になったみたいなんや。ほんのちょっとでも、出汁《だし》に使《つこ》うたようなもんでも気づかんで食べて、後で下手に運動とかしたら、もうアウトやねんから。こないだもう、懲りたわ」

「アウトって？」

「呼吸困難になってな。あれはほんま、洒落《しゃれ》にならへん。ああ、ほら、そんなことより彼氏の話や」

「そんなことって」

「大丈夫やて。とにかく食わんといたら何ともないねんから。要するに、またキャバ嬢になって、『俺のこと食わしてくれ』とでも言われたんか、彼氏に」

季莉は「全然」と首を振った。

「そんなことだったら、まだいいんだけどさ――もう、いいの。関係ないんだ、あいつのことは」

「何や、それ」

実は、ちょっとしたことから口喧嘩《げんか》になったと、季莉は半分投げやりに話し始めた。始まりは本当に些細《ささい》なことだったのに、途中から彼はどんどん激高し始め、最後には「もうイヤだ！」と叫んで、そのまま部屋を出ていってしまった。そして数時間後には、ＬＩＮＥで「ごめん、幸せにしてやれなくて」とか「元気で」と書いてきて、挙げ句の果てに「バイバイ」と別れを告げてきたのだった。

「何や、それ。LINEで？『バイバイ』ってか。人を大阪くんだりまで連れてきておいて、そんなんで終わりかよ。ええ？　まじで？」

ぷぅさんは心の底から呆《あき》れかえった顔をしている。初めて食べるオムそばは美味《おい》しかった。ただし、この焼きそばソースでは、後から喉《のど》が渇《かわ》きそうだ。関西が薄味だなんて、そんなの嘘《うそ》ではないかと思うくらいにこってりしている上、塩分も相当なものに違いない。

「そんでさ、そんでさ、聞いて」

「聞いてる」

「次の日の――それって昨日のことなんだけどね。あいつが出てったのが一昨日《おととい》だから。昨日の朝んなったらね、彼氏と私の共通の友だちから、それも中学んときの同級生なんだけど。そいつからLINEが入ってきてさ、何と、彼氏が明け方、そいつのマンションに来たんだって。急に『しばらく置いてくれないか』って言って。分かる？　その友だちって、東京の子だからね。しかも、女！」

「つまり、東京に帰ったんか」

「そ。夜行バスで。ギターだけ持って」

ぷぅさんは腕組みをしたまま、珍しいくらいに難しい顔つきになって季莉を見ている。

「アホか。ガキ」

季莉は、焼きそばを突っつきながら「ホントだよね」とため息をついた。

「まさか、そこまでガキだとは思わなかったもん」

ミュージシャン志望だった彼は、東京でもまったく芽が出ないままアルバイトで食いつないでいた男だ。本当に才能があるのかどうかは、季莉には分からない。

「だけどさ、夢があるのはいいことだからと思って、あたしなりに応援したかったんだよなあ」

大阪でメンバーを募っているバンドがあるがどうかという話は、実は季莉とつきあう前から聞かされていたらしい。しかも、バンド活動をしながら働けるスタジオがあるとも言われていたのだが、彼は一人きりでは踏ん切りがつかなかった。それが、季莉と一緒ならやっていかれそうだと大阪行きを決めたのだと説明すると、ぷぅさんは「まったく」とさらにうんざりした顔になった。

「普通、アレやぞ。まずは一人で必死に頑張って、何とか目鼻がついたところで、惚《ほ》れた女を呼び寄せるとか、そういうもんやぞ、男いうもんは。おまえもおまえや。そんな男の口車ん乗っかって」

「ホント、今度という今度は、マジでバカだと思った、あたしも。だけどさあ、ほら、中学んときから憧《あこが》れてたわけじゃん？　カッコイイしさあ、彼なら出来るんじゃないかって思っちゃったんだよね、何となく。運さえ向いてきたらって」

ところが彼は、就職する予定だったスタジオを訪ねた結果、職場環境も労働条件も、聞いていたのとまるで違っていたと、まずはあっさり就職を断ってきてしまった。さらに、メンバーとして加わるはずだったバンドの音楽性や方向性なども、彼が望むものとは違っていたと、メンバー加入もなかったことにした。それらの話を持ってきてくれたりして親しくつきあい、これまで何かとアテにしていた知人とは仲違《なかたが》いし、結局は「大阪は肌に合わないことに気づいた」と言い出した。このところはずっと不機嫌な顔をして、季莉ともまともに口をきこうとせず、日がな一日ゲームなどして過ごしていた。

「もう呆れちゃってさあ。だから今日、あいつの服とか持ち物全部、その友だちん家に送ってやった。もちろん着払いで。そうしたら何か力が抜けちゃって。もういいよ、おまえなんか戻ってくんなって」

ぷぅさんは「おまえもハッキリしてるな」と少しばかり愉快そうな顔になっている。

「そんで、これからどうするん」

「だから、しばらくは、こっちにいる」

「なんで」

「だって、アパートを借りるお金から引越の費用まで、全部私が出したんだよ。それで、二カ月もたたないで出ていくなんて、出来っこないじゃん」

季莉は「ビール頼んでいい？」と、小首を傾げて見せた。ぷぅさんは返事をする代わりに、すぐに身体を捻《ひね》って店の奥に「生ビール二つ！」と声をかけている。運ばれてきたビールで軽く乾杯の仕草をした後、季莉は「だからさ」と、また少し改まった表情になってみせた。

「また、働かなきゃ。ねえ、ぷぅさん。どこか心当たりの店、紹介してくれない？」

ぷぅさんは「どっかってなあ」とジョッキを片手に考える顔になっている。

「心当たり、ないわけないよね？」

「そら、ないことないけど――アレやぞ、今回、こっちに戻って改めて感じたけどなあ、大阪のキャバクラいうたら、やっぱし東京とは違うと思うぞ。季莉には、厳しいんとちがうかなあ」

「どうして？　東京と、どう違うの？」

「なんぼ女の子が綺麗《きれい》で可愛くてもな、喋《しゃべ》りがおもろなかったら、こっちではあんまり売れへんかも知れん」

「私じゃ、無理？」

ぷぅさんの「豚玉」が、熱々の鉄板の皿で運ばれてきた。へらでザクザク切れ込みを入れると、ぷぅさんはその上に、呆れるほど大量のマヨネーズとおかか、そして青のりをかけた。おかかは「豚玉」の上で踊り、青のりは宙を舞う勢いだ。こってりしていていかにも熱そうなお好み焼きに、ぷぅさんは勢いよくかぶりついてハフハフ言っている。

「ああ、いや。無理なこともない、か」

見事な食べっぷりでハフハフを続けながらも、ぷぅさんは何かしら考える顔つきになっていたが、三切れ目の豚玉を呑《の》み込んだ時点で、紹介出来るキャバクラの二、三軒くらい、ないこともないと言った。

「けどな、どこに行くにせよ、そこそこ売れっ子になって稼ぎたいと思うんやったら、や。やっぱり、これまでとは違う努力もせえへんとあかんと思うぞ。それに、店ではともかく、同伴にまで持ち込むのは結構、厄介かも知れん」

季莉は「どして？」と、真剣に顔を突き出した。同伴率が上がらなければ、キャバクラ嬢などやっている意味がない。それで収入が大きく変わるのだ。

正直なところ、季莉は自分がもともと水商売に向いていると思ったことなど、ただの一度もない。第一、季莉の名前は本当は「島本智絵美《しまもとちえみ》」だ。それでも高校を二年で中退して以来、本名で呼ばれることなどほとんどなくなり、かれこれ六年も一條季莉としてキャバ嬢を続けていれば、それなりのノウハウも身につけているつもりだし、店を変わっても常にある程度の成績を上げる自信もある。

もちろん今だって、思うことはある。

もしも父さんが人にだまされて店をつぶしたりしなかったら。その後、首を吊《つ》って死んだりしなかったら。そうしたらきっと今頃、季莉は父さんと並んで店の厨房に立っていた。毎日のように厳しく怒鳴られたり、叱《しか》り飛ばされたりしながらも、一生懸命に一流の調理人を目指して修業を積んでいたと思う。ミシュランの星なんかは期待出来ないかも知れないが、それでも、舌も腕も精一杯に磨いて、きっと町一番の店を目指していた。「季莉」という名は、本当は、父さんの店の屋号だった『狭霧《さぎり》』からとったものだ。

父さんの跡を継ぐ未来予想図も、いつも賑《にぎ》やかだった家族も、島本智絵美という本名までもが、今となってはまるで夢のようだ。確かに母さんにしてみれば、父さんにも腹が立っていただろうし、だまされて背負わされた借金なんか肩代わりするのも嫌きり母さんと会っていない。妹とLINEすることはあっても。ずっと一人。いつも。だから。だからあたしは――。

ぷぅさんの「それはやっぱりな」という声に、我に返った。顔を上げると、ぷぅさんは「大阪の男にしてみれば」と相変わらず何か考えている様子だ。

「キャバクラいうとこは、俺らみたいなサラリーマンが、日頃のストレスを発散させて、ついでにちょっとぐらいモテてる気分を味わいたいと思うとこやろう？　その相手が東京弁やとなあ」

「駄目なの？」

「何や、気ぃ張ると思うわ。大概のもんが」

ぷぅさんは、ふん、というように鼻から大きく息を吐いて、問題はそこにあるだろうと言った。

「せやけどな、俺は、季莉は大阪のキャバ嬢の真似《まね》はせえへんことが肝心やと思う」

「真似って？」

「いの一番は、何ていうても話し方や。ことば。分かるか？　東京人はなあ、大阪人と話してると、すぐに自分も大阪弁を使いたがる。これが、見ててコソバイいうか、ごっつぅ気色悪いねん。相手によってはマジで腹立つくらいや」

「そうなの？　一生懸命に喋ったら、可愛く見えたりしない？」

　ぷぅさんは「見えへん、見えへん」と大きくかぶりを振る。

「せやから俺は東京にいる間、人前では絶対に大阪弁は使わんかった。まあ、上司に大阪弁をむっちゃ嫌ってるヤツがいて、『キミのその言葉さあ、こっちのお得意様には、どうなのかねえ』みたいな嫌みったらしい言い方された、いうせいもあるけど。そんなことで査定にでも響いたらアホらしいし。それより何より、俺の大阪弁が周りにうつって、あっちからもこっちからも気色悪い大阪弁を聞かされるのが、もう辛抱ならんかったからや。せやから、肝に銘じた。もう、飛行機なら伊丹に着くまで、新幹線なら新大阪で下りるまで、何が何でも大阪弁は使わんてな」

　そういう理由だったのか。季莉は、またもぷぅさんの知らない面を垣間《かいま》見《み》たと思った。この人は、外見のおっとりした印象とは裏腹に、実はかなり神経質で、意外なほど用心深い。それに意志の強さも相当なものだろう。何しろ、かなり酔っ払っているようなときでさえ、本当に大阪弁は出なかった。

「せやから季莉も、絶対に真似したらあかん。あくまでも『あら、私は東京から来たんですもの』いう感じを貫くんや」

「でもでも、一人だけ東京弁だったら、周りから浮いちゃわない？」

「そこやがな。目立ってなんぼ、浮いてなんぼや。大阪の人間はなあ、『東京やてー』とか『東京がなんぼのもんや』とか口ではアレコレ言いつつも、実は案外、案外いうか結構な、東京のことは意識してるんや。やれお高いやら、冷たいやら悪口言いつつもな、ほんまは好きなヤツも少なくないんやから。そういうタイプの中でも、特に征服欲いうんかな、支配欲の強いタイプの男がいたら、まずそういう男から同伴に誘ういう手も、あるかも知れへん」

だから、むしろ東京にいた頃よりも上品な、育ちの良さを感じさせるくらいの標準語で話すことを心がける方が良い、その上で、実際に話してみれば気さくで可愛い子だと分かれば、それだけで目立つだろう、とぷぅさんは言い、そこでハタと気づいたように「待てよ」とまた表情を変えた。

「そうなったらキャバクラより、クラブの方がええかも分からんわ。北新地辺りの」

「クラブ？　そんなとこ無理だよ。第一、収入が減るじゃん」

「アホ、クラブの方が安定するやんか。ノルマやら歩合やらであくせくせんでも、それなりの給料を払ってくれる店に入ればええだけの話や」

せっかく季莉がアヒル口でふくれっ面を作っているのに、ぷぅさんはもうすっかり真剣な顔つきになって、一人であぁでもないこうでもないと考えを巡らし始めている。季莉は、オムそばとビールを交互に口に運びながら、そんなぷぅさんを黙って眺めていた。知り合った当時からそうだ。何か考えごとを始めたら、下手に口出しをすると意外なほど苛立《いらだ》った顔つきになる。そういう場面に何度か接するうち、季莉は、この人は見た目の印象と中身とが違うのだろうと思うようになっていた。

「いや、待てよ待てよ。それより、や」

季莉よりもずっと早くお好み焼きを食べ終えてしまい、ぷぅさんは腕組みをしたまま、しきりにあれこれと考えを巡らしている。窓から見える小さなロータリーは、とうに夜の闇《やみ》に沈んでいた。何分かおきに「おけいはん」が通過するときだけ光の列が走り、それがゆっくりと速度を落として電車が駅に止まった後には、静かなロータリーにぱらぱらと人が出てきて四方に散っていく。

元々は、線路の反対側の方だけが開けていたのかも知れない。開けているといったって、わずかな商店街が広がっている程度の小さな町だ。線路のこちら側は日中でも割合に閑散としていて、日曜祝日以外は、ひらかたパークに遠足で行く幼稚園児や小学生の団体が駅前に列を作っているときにだけ、わずかに賑わうくらいのものだ。ようやくオムそばを食べ終えて、季莉はしばらくの間、そのひっそりと静かな駅前を眺めていた。どれくらいそうしていたか、頃合いを見計らって、ようやく「ねえ」と前を見る。

「ねえ、ぷぅさん」

「あ、うん」

「うち、来ない？」

考えを中断された上に、あまりにも意外な提案をされたらしく、小さな目をぱちぱちさせているぷぅさんに、季莉は、目元だけで微笑《ほほえ》んで見せた。

「どうせ、もう一人だしさ。うちで呑みながら話す方がいいかなあって。ここから、そんなに遠くないんだよ。てか、本当に、すぐそこだから」

今日の季莉は、デニムのショートパンツにレースのチュニックという、かつてぷぅさんになど見せたことがないカジュアルな服装だ。髪は地味なココアブラウンに染め直したし、もちろんキャバ嬢だったときのように盛ってもいない。化粧も、あくまでもナチュラル。それでも実はまつげエクステは昼間リペアしてきたし、カラーコンタクトも、こちらに来てから色を変えている。つまり、東京時代とはずい分、雰囲気を変えているつもりだった。

ぷぅさんの小さな瞳の奥で、何かが微《かす》かに揺れている。

「ね？　もうね、オムそばで喉が渇いちゃったんだ」

「ああ、ソースがな、確かに渇くわな」

「あたしはビール、そんなに呑めないし。そうはいってもこの辺ってさ、あたしが気軽に呑みにいきたいと思う店、見つからないんだよね」

ぷぅさんは汗っかきだ。本当は窮屈なワイシャツなんか今すぐにでも脱ぎ捨てて、下着一枚でくつろぎたいはずなのを、季莉はよく知っている。

「まあ、そんなら――じゃあ、コンビニかどっかで、ちょっとしたもんでも買ってくか。豚玉一枚じゃあ、すぐに腹減るし」

「それなら大丈夫。冷蔵庫に何かあるから、適当に作るよ」

ぷぅさんの表情が、はっきり変わった。

「せやった。季莉は料理、得意なんやもんなあ」

そんならそうするか、とスマホの画面を一度見てから、ぷぅさんは「よし」と顔を上げた。

踏切を渡って十分ほど歩いたところにあるマンションは、この辺りでは珍しい四階建てだ。引っ越してきて、周囲を歩いてみて初めて分かったのだが、この界隈《かいわい》はかなり古い住宅地らしく、軽自動車一台通るのがやっとという路地も少なくない上に、集合住宅だったとしても大半が二階建てか、せいぜい三階建ての建物ばかりだった。古くから残っているらしい木造家屋も多く、それらは東京では見たことのない独特のラインを持つ瓦屋根《かわら》だった。町のところどころには土地の歴史などを説明している看板や石碑も見受けられる。全体に落ち着いて静かな雰囲気の町は、季莉が想像していた「大阪」とはずい分と違って感じられた。

最上階の部屋に着くとまず、ぷぅさんは手を洗いたいと言った。季莉は前に立って洗面所のドアを開けるなり、「あ」と立ち止まってしまった。

「――ごめん」

洗面台の脇《わき》に、彼と二人分の歯ブラシが並んでいる。それどころかひげ剃《そ》りや整髪ジェルなども、そのままだ。

「何や、間男でもしてる気ぃになるわな」

苦笑気味のぷぅさんの横をすり抜けるようにして、慌ててそれらを片付ける。

「ほんま、ええんかな。彼氏、帰ってくるかも知れんのやろう」

「帰ってきたとしても、もう中に入れるつもりないもん。だって、そう思わない？きっとまた同じことの繰り返しになる」

鷲《わし》づかみにした水色の歯ブラシや整髪ジェルなどを、そのままキッチンのゴミ箱に勢いよく放り込む頃、洗面所からは、ざあざあと水を流す音が聞こえてきた。

１ＬＤＫという間取りは決して満足のいくものではなかったけれど、新築に近い分だけ気持ちがよかった。第一、東京の都心に比べれば家賃が格段に安い。そして、窓を開けるとエアコンなど必要ないくらいに心地良い風が吹き抜けた。すぐ近くを淀川《よどがわ》が流れているせいだろうか。ベランダに出ても川の流れそのものは見えないが、その向こうに広がる町はよく見える。

「なかなかええ景色やんか」

「ねえ、あっちも大阪？」

ついでに顔も洗ってきたというぷぅさんと並んでベランダに立つと、ちかちかと光をちりばめたように見える川の対岸を眺めながら季莉は尋ねた。

「あっちは高槻《たかつき》。この淀川をな、あっちに上っていくと京都に行くんや、でもって、こっちに下ると、大阪市内な」

「あっちが京都になるんだ、へえ。ねえねえ、淀川って、京都に流れてるの？」

「アホ、逆や、逆。大阪湾に向かって流れてんの。上っていくて言うたやろ。昔はこの辺はなあ、東海道五十六次の宿場町やってん。で、この淀川に船を浮かべて、荷物運んだり、人運んだり」

「東海道って五十三次までしかないんじゃないの？」

室内の明かりを背後から受けて、ぷぅさんは、ぬいぐるみみたいな顔をにんまりさせながら季莉のおでこを軽く突く。そして、江戸から京都までが五十三次で、さらに大阪までの宿場を数えると、東海道は五十七次になるのだと教えてくれた。つまり枚方は、大阪の二つ隣の宿場町ということだ。

「この辺りは、淀川を行ったり来たりする三十石船に、食べ物やら飲み物やらを売りにいく『くらわんか舟』いうので有名だったところや」

「くらわんかぶね？」

「『餅《もち》くらわんかぁ』『酒くらわんかぁ』いうてな、小さい舟で、食いもんやら飲みもんやら、売りつけに来るんやて。今でいうなら、新幹線のワゴンサービスみたいなもんやな」

闇の向こうの、淀川の流れる辺りに目をやりながら、季莉はその様子を思い浮かべてみた。昔の船といったら、帆掛け船だろうか。浮世絵で見るような船だったのか。

「そういうのが来てくれたら、いちいち船から下りんでもええから、便利やしな。今でもこの辺の川をさらうと、そのときに使うた茶碗やら何やらが出てくるいう話や。

多分、回転寿司みたいにひと皿なんぼいうて計算したから、空になった皿を川に投げ捨てて、皿の数をごまかすヤツやら、いたんやろうていう話、聞いたな」

ぷぅさんは何でもよく知っている。最初にお店に来たときから話題は豊富だったし、季莉が「それなあに」と聞くと、いつも分かりやすく教えてくれる人だった。

「くらわんかって、『食べませんか』みたいな意味？」

「そんな丁寧なんと違う。『食わねえか』とか、そんな感じの言葉やな」

「乱暴なんだ」

「その方が勢いがあって、何や元気出る感じするやろう？　土地の特色にもなってるから、その商売に限っては、どんな偉いお侍さん相手にでも『くらわんか』言うて構いませんて、許可をもらってたらしいわ」

「今も、そういうのがあればいいのに」

「船で荷物運ぶ時代とちゃうからなあ。今やったら逆に、よっぽど贅沢《ぜいたく》な話やろうな」

もしも今も「くらわんか舟」があったら、是非とも一度は利用してみたかった。いや、自分が売る方だったら、どんなものを作りたいと思うだろうか。おむすびや海苔巻きなんて当たり前過ぎる。サンドイッチだってつまらない。そんな、コンビニに売られているようなものとは違う、「くらわんか舟」でなければ食べられないものを考えてみたいと頭を捻ったに違いない。

「で、あっち側に向かってちょっと行くと、俺ん家や」

ふいに、ぷぅさんが言った。薄暗がりの中で、季莉はぷぅさんを見上げた。

「ちょっと？　近いの？」

「まあ——歩いても帰れんこともないくらいの距離かな」

何だ、そうだったんだ、と頷《うなず》いたとき、季莉の腰にぷぅさんの手が回されてきた。そっと抱き寄せられて、頭上からくぐもった声が降ってきた。

「今日、ショートパンツなんやな」

「へん？」

「そんなわけ、ないやろう」

「だって暑いんだもん」

「可愛いで。よう似合《にお》うてる」

ぷぅさんの手に力がこもる。

「それにしても、ほんまにしゃあないヤッちゃなあ。たかだか二カ月かそこらで男に棄《す》てられて」

「ほんまやなあ」

「ほら、それや。大阪弁は使うたらあかん」

「だって、うつるよ」

「うつっても、あかんねん。本気で仕事するつもりやったら」

　ぷぅさんの声がささやきに近くなり、腰に回された手に力がこもったと思ったら、もう唇をふさがれていた。

4

　関西の夏は、東京よりも早く始まって、遅くまで続く気がした。東京では聞いたことのないセミの声がした。まるで粘り着くような息苦しい暑さが続いた。それでも、ある日気がつくと、空がからん、としていて風向きが変わり、夏は去っていた。

　季莉の生活は一定のリズムを刻んでいる。月曜日は午前は和食、午後はイタリア料理の教室に通い始めた。火曜日から木曜までは、ぷぅさんが「募集がかかっているのを見つけた」と教えてくれて、季莉が自分で面接を受けにいった北新地のクラブでホステスとして働いている。二人の関係が戻ったときに、ぷぅさんは言った。やはり、キャバクラ勤めはやめておけと。ノルマに縛られて、毎日のように他の男と同伴するような生活には戻るなと。季莉は、それに従った。

ぷぅさんとは東京にいた頃と同じように、一週間か十日に一度、外で逢《あ》う。また、それとはべつに月に一、二度、奥さんと子どもが揃《そろ》って出かけたという週末に、スポーツウエア姿で昼間から季莉のマンションにやって来ることがあった。

「ちょうどいい距離なんや。土手沿いにジョギングしてな、気持ちええわ」

そういう日が気まぐれのようにあることを知ってからは、季莉は、ぷぅさんに手作りの料理を出すようになった。教室で新しいことを次々に教わるし、習ったことはすぐに試してみたいと思うからだ。それに、二つの教室の授業料を出してくれたのも、実はぷぅさんだった。季莉がキャバ嬢だった頃のように、店の売り上げや季莉自身の収入に協力してやることは出来ないからというのが、その理由だ。「途中でやめたらあかんからな」と、一年分まとめて前納してくれたし、季莉が家で色々と作る料理の食材分くらいのものも出してくれている。家賃まで払ってくれるとは言わないけれど。

「どう、どう？」

「うん、旨《うま》い」

「いっぱい食べてね」

ぷぅさんはぷぅさんで、季莉が習ってくる成果を自分の舌で確かめられるのが嬉《うれ》しい様子だった。その食べっぷりが、また気持ちがいい。だから季莉は、ぷぅさんがいつ、前触れもなくやって来ても、すぐに何かしら作って出せるように、準備を怠らなくなった。生活のリズムが整うにつれて「おけいはん」で京都にも足を伸ばし、錦《にしき》市場で買い物をすることも覚えたし、逆に大阪市内の黒門市場にも行くようになった。

「おまえ、ほんまに才能あるわ」

「そうかな」

「新しい男が出来たら、この腕前でイチコロやな」

「やった！」

「そんときは、いつでも言うんやで。俺は、未練は残すタイプとちゃうねんから、そうなったら綺麗さっぱり手を引いたるからな。いくら胃袋つかまえられててもな」

二人の約束は変わっていない。追っかけっこなしの後腐れなし、自然消滅アリ。だから季莉は、たとえぷぅさんが季莉の部屋で過ごしたときでも、決して彼を引き留めない。

「どうや最近、店の方は」

「そういえば一昨日、ぷぅさんの会社の浜島《はましま》専務さんがみえたわ、飯田《いいだ》部長さんと」

「浜島専務と飯田部長が？　他に、誰か一緒やったか」

「医師会の理事さんていう方。何だっけ、ええと、浅川《あさかわ》さん」

「ふうん——どんな話してた」

「枚方の歴史について、教えていただいた」

ぷぅさんの瞳に不満げな色が宿る。口では「そらよかったな」などと応《こた》えているが、本当のところはもっとべつの情報が欲しいのだと、季莉は知っている。ぷぅさんが「募集広告を見つけてきた」と言って季莉に面接を受けさせた店は、北新地でも指折りの老舗《しにせ》クラブということだった。だが、その店の主な客層の一つが医療関係や病院関連の人たちであることに、勤め始めてすぐに気がついた。ぷぅさんの勤める製薬会社の偉い人たちもよく来ている。要するにぷぅさんは季莉を通して、そういう人々の間で交わされている会話を知り、何かしらの情報を得たがっていたのだ。ぷぅさんという人は、季莉が思っている以上の野心家らしいことも、これで分かった。

「ねえねえ、ぷぅさん、知ってた？　枚方って、日本書紀にも出てくるんだって」

「そうかも分からんなあ。何せ関西は古いのが当たり前や。逆に俺は東京に行って驚いたわ。昔の話いうても、せいぜいが江戸時代からこっちやろう？　何や底の浅い話ばっかりやねんなあって」

「そうしたらね、浜島専務さんは九州の、タカチホ？　とかいうところのお生まれなんですって。『うちの田舎はもっと古いですよ』って自慢してらした。日本書紀より古い時代っていったら、縄文時代？」

「アホやなあ、そら飛びすぎや」

ぷぅさんは「浜島専務は高千穂か」と、また何か考える様子になっていた。そんなひと言でも、場合によってはそれなりに貴重な情報らしかった。だから季莉も、出来るだけぷぅさんの勤め先の人たちが来たときには、さりげなくその席につくように心がけた。そうして夏から秋への日々を過ごしてきた。

「おまえ、ええ女になったな」

その日、ぷぅさんが季莉の肩を抱いたままで言った。季莉はぷぅさんの方を向くために一度、枕《まくら》から頭を持ち上げて長い髪をかき上げ、改めてぷぅさんを見た。

「ほんま、東京にいた頃より全然、ええ女になったわ」

「俺のお蔭《かげ》って言いたい？」

焦点が合わないくらい近い場所で、ぷぅさんの口元が微かにほころぶ。

「そう言いたいとこやけどな。これがキャバクラ勤めとクラブホステスの違いなんかも知れんし、もしかすると大阪の水が合うのかも分からん」

季莉は「そうかな」と言いながら、ぷぅさんの丸い顎《あご》を撫でてみた。しょり、と微かな音がする。土曜日と日曜日はヒゲを剃りたくないのだという。そういう姿を見るのも、東京ではないことだった。


「今度は、アレやな」

「なあに」

「新しい男が出来るとしたら、アレや」

「だから、なあに。アレって」

「前より全然、上等な男やろな」

「だと、いいな」


言ってから、ベッドの中で小さく伸びをする。いつの間にか秋がすっかり深まって、少し前までは暑がりのぷぅさんと長くくっついていたくなかったのが、今はこうして二人で肌を合わせているのが心地良い。


「さて、ご飯でも作ろうかな」

「今日は何、食わせてくれるん」

「今日はイタリアン系。最初にスープでしょう？　それから、これまでとひと味違ったトマトソースのパスタとねえ、ラム肉を使ったソテーと、サラダと」

ベッドに身体《からだ》を起こしながら、頭の中で段取りを考える。大丈夫。どれも丁寧に下ごしらえしてある。下着をつけている季莉の背中から「今日は少し早めに帰らないかん」というつぶやきが聞こえた。

「そうなの？　じゃあ、簡単にね。先に何か呑んでる？」

振り向きざまに微笑みかけると、ベッドの上で肘枕をしたまま、ぷぅさんは大きくあくびをしていた。

「それより少し寝るわ。出来たら呼んで」

いかにも満ち足りた様子で、枕に顔を埋めるぷぅさんの頬に軽くキスをして、季莉は立ち上がった。

「腕によりをかけるからね。ぺろりと食べてもらえるように」

「ああ——楽しみにしてるわ」

キッチンは対面式だ。寝室のスライドドアを一杯に開けていれば、リビングを挟んで眠っているぷぅさんの姿を視野に入れながら料理することが出来る。下ごしらえした材料を冷蔵庫から取り出し、鍋《なべ》を火にかける間も、季莉は、ちらり、ちらりとぷぅさんの方を見ては手を動かしていた。煮立った鍋に出汁を取るための材料を入れる間も、フライパンで具材を炒《いた》める間も。ぷぅさんは寝返り一つ打たずに眠っていた。やがて、炒めたニンニクの香ばしい香りが広がってきても、まるで起きる様子がなかった。

くらわんか。くらわんか。

餅くらわんか、酒くらわんか。

くらわんか。くらわんか。

ここで山ほど、くらわんか。

いつの頃からか、ぷぅさんのために料理をしていると、いつも同じフレーズが頭に浮かぶようになっている。頭の中で同じ台詞《せりふ》を繰り返しながら、季莉はいそいそと、小さなテーブルに洒落たランチョンマットを敷き、グラスとワインクーラーを用意して、二人分の食器を順番に並べていった。

あとは溶き卵を流し込むだけの状態になったスープの火をいったん止めて、パスタを茹《ゆ》でる湯がそろそろ沸いてきた頃、ぷぅさんを起こす。

「ぷぅさん、ぷぅさん」

普段から寝起きのいいぷぅさんは、ちょっと肩を揺する程度でも、見事なほどにぱっと目覚める。

「おお、ええ匂《にお》いや」

むくっと起き出すなり手早く下着を身につけ、シャツとジャージを着込んで、ぷぅさんはもう手ぐしで髪を整えながら、のしのしと食卓に向かっていく。まずはスパークリングワインのグラスで乾杯した後、季莉はすぐに席を立ち、鍋を再び火にかけて溶き卵を流し込み、スープを完成させた。

「はい、熱いうちに」

「これは？」

「イタリア風の、かき卵スープ」

ぷぅさんは、ふうん、とスープを覗き込んだ後で、早速スプーンに手を伸ばす。まずはひと口すすり、試すように目をきょろきょろさせながらの味見。季莉は、固唾を呑んでその表情を見つめていた。

「この風味、何やったかな」

「分かる？　チーズをね、何種類か入れてあるんだ」

ぷぅさんは「チーズか」と少し不思議そうな表情になって、それだけのことでずいぶん分と複雑な風味が出るものだなと言った。

「でしょう、でしょう？　ハーブとか野菜で出汁《だし》をとって、それでもチーズ一種類だけだとね、意外とシンプルな味になっちゃうから」

「なるほどな、手間がかかっとるわけや——ええわ。旨い」

感心したように、うん、うん、と頷きながら何口かスープを飲んで、今度は軽くトーストしたバゲットに手を伸ばすのを合図に、季莉はサラダを出し、パスタに取りかかった。茹で上がりに合わせてトマトベースのソースをもう一度温める。

「おまちどおさま」

ちょっとの間にも、ぷぅさんはモリモリとサラダを平らげつつあった。もともとトマトソースの大好きなぷぅさんは、いいタイミングだとばかり、今度はものも言わずにパスタに向かう。

「今日のトマトソースは、ちょっと違うんだけどな」

「うん、旨い」

「ワインは？」

「いや、今日はこれでやめとくわ。帰ってから、ちょっとした宴会があってな。そっちでまたモリモリ食わな、あかんねん」

「そうなの？」

「子どもが入ってる野球チームのな、まあ、親の会っていうか、親睦会みたいの」

その子のことなら知っている。五年生で、ぷぅさんにはあまり似ていない、どちらかといえばキツネ顔の少年だ。上の女の子は、どこから見てもぷぅさんによく似ていて、可愛《かわい》いというのか愛嬌《あいきょう》があるというのか、言い方を変えれば決して美人になるタイプではないが、それでももう中学生だから、やはり年相応の洒落っ気が出てきている。その他にもう一人、三年生の末っ子もいる。これは、どっちつかずの中途半端《はんぱ》な顔立ちだが、もしかすると大人になったら案外、いい男になるかも知れない。

「じゃあ、どうしようかな、これからラムをオーブンに入れようと思ってたんだけど」

「ちょっとヘビーかも知れんな。悪いけど、今日はこんだけでええわ」

それでもパスタはゆうに二人前はある盛りつけだ。ぷぅさんは、季莉が時間をかけて下ごしらえしておいた料理を、呆気《あっけ》ないほどの勢いで平らげていく。これでいい。残されるより、ずっといいのだ。季莉は、自分の方はゆっくりと二杯目のスパークリングワインを味わいながら、せっせと口を動かすぷぅさんを見守っていた。

「おまえは、食べへんのか」

「私はべつに急がないから。ゆっくり飲みながらね」

「俺が帰った後、どうしてる、いつも」

「普通にしてるよ。お料理のレシピをメモしたり、インターネットとか。それより、ねえねえ、そのスープの名前、知ってる？」

スープの最後のひとさじを口に運ぼうとしていたぷぅさんは、さほどの興味もない様子で首を振った。

「ストラッチャテッラ。ストラッチャテッラっていうんだよ」

ぷぅさんは「ふうん」と言いながら、パスタの最後の一筋までも平らげて、ふう、と大きく息を吐き出したと思ったら、もう立ち上がろうとしていた。

「最初、私の耳にはね、違って聞こえたんだ」

「何て。あ、分かった。スチャダラパー」

季莉は「違うってば」と、思わず声を出して笑ってしまった。笑っている間に、ぷぅさんは「ごっそさん」と立ち上がり、もう寝室に戻ってベッドの足もとに丸まって落ちていた靴下を拾い上げている。

「棄てられちゃってら」

ベッドに片足をかけて、靴下を履こうとしていたぷぅさんの動きが、ふと止まった。

「そう聞こえない？　ストラッチャテッラ。棄てられちゃってら」

ぷぅさんは一瞬、何か言いたげな顔つきになってこちらを見た。だがそのまま何も言わずに再び手を動かし始める。スーツの時とは違うから、身支度なんかあっという間だ。最後にウエアのジッパーを半分くらい引き上げて、自分のおなかをぽんぽんと軽く叩《たた》き、ぷぅさんは「旨かったわ」と笑った。季莉も「よかった」と微笑み返した。

「走って帰るの?」

「もちろん」

「食べてすぐで、大丈夫?」

「あんまり時間がないからな。これくらい、どうってことあらへん」

何事も形から入りたいタイプらしいぷぅさんは、ウエアもブランド物だし、ジョギングシューズもニューバランスだ。知っている。これは奥さんとおそろい。ぷぅさんの影響もあって、奥さんも最近ジョギングを始めた。

「ほな、な」

シューズを履き終えたところでもう一度、忘れ物はないかポケットを確かめ、そしてぷぅさんは、季莉を振り返った。

「ごめんな、ラムまで食べられへんで」

「気にしないで。スープとパスタは平らげてくれたから、それで満足」

「けどほんま、季莉は腕を上げたわ。特にあの、スチャダラパーは最高やった。パスタもやけど。何や、ちょっとした甘みみたいなもんも感じたしなあ、ええ風味してたわ」

「ホント? ありがとっ」

最後に小さく弾むようにして見せると、ぷぅさんはにっこり笑って出ていった。かちゃ、とドアに鍵《かぎ》をかけたとき、ようやく心臓が早鐘のように打ち始めた気がした。

小走りにベランダに出て、もうすっかり冬の気配を感じる風に吹かれながら、建物の下を眺める。やがて、ぷぅさんが姿を現した。早くもウォーミングアップらしく手をぶんぶん回したりしながら、その姿は路地の向こうに消えていった。

それからずい分長い間、季莉はベランダに立っていた。風が冷たくなり、身体がどんどん冷えていく。やがて陽が傾いて、周囲に黄昏《たそがれ》が迫ってきても、それでも容易に引っ込む気になれなかった。普段から、このマンションにいると、日に何回か救急車のサイレンが聞こえてくる。その音が、また聞こえるのではないかと思うからだ。だが、こうして待っているときには、不思議と聞こえてこないものだった。

5

「いやはや、怖ろしいもんやでえ、食物アレルギーいうのは」

お客様から、可愛がっていた部下が急死したと聞いたのは、それから二週間ほどたってからのことだ。

「君も知ってるやろう。風間っていう。前に何度か、ここへも連れてきたこと、あったなあ？」

仰天したらしいママが「あらまあ」と和服姿には似合わず口をぽかんとさせている。その横で、季莉も精一杯に目を見開いて、口元に手をやった。

「亡《な》くなったんですか、あの風間さんが？　どうしてまた」

「せやから、食物アレルギーやて。あいつ、アレルギーやってんなあ。そう言われてみれば何かのときに『エビカニは食べれません』とか言うてたかなあ」

「自分でよく分かってたって、彼の周りの連中も言うてるんですがね。普段から相当に注意していたはずやって」

専務の言葉を引きつぐ格好で話し始めた飯田部長も、いかにも沈痛な面持ちで眉根《まゆね》を寄せている。この二人は、ぷぅさんがもっとも意識している上司たちだった。彼らが交わす会話でも交友関係でも趣味でも、どんなことでも知りたがっていた。それなのに彼らは、ぷぅさんが甲殻類アレルギーだったことも知らなかったようだ。

「それなのに、食べはったんですか。エビやらカニやら」

ママは呆気にとられたようにお客様たちを見ている。

「いや、発見されたときはまだ意識はあったらしいんやけどな、そんなことはひと言も言うてへんかったんやそうや。第一、ああ見えて神経質なとこのある男やったし、えらい食い道楽らしいことも言うとったから、エビやらカニやらが入ってたら、味や匂いで分かるやろう」

「そうですわねえ」

「しかも、あいつのはややこしいアレルギーでな、運動誘発アナフィラキシー、いうの、起こすんやて」

「運動誘発──？」

「たまに、いるそうなんや。甲殻類でも小麦でも、自分がアレルギーが出るものを食べてからすぐに運動すると、途端にショックが起きるんやて」

「週末でしたからね、淀川べりを走ってる最中に突然、倒れたいう話やから、その前に何か食べたんやろうというんですが」

季莉は、自分の瞳《ひとみ》がどんどん潤《うる》んでいくのをどうすることも出来なかった。ついに、ぽろりと涙が落ちて、口元に添えたままになっていた指先が濡《ぬ》れたとき、ママが初めて気がついたようにこちらを見た。

「ちょっと、どないしたの」

「すみません、私——びっくりして。そんなアレルギーがあるんですか」

仕立てのいいスーツを着て、いかにも重役然とした風貌《ふうぼう》の浜島専務が、うん、うん、と頷く。

「そりゃあ、ビックリするわなあ。僕も知らんかった」

「それで、その方はそのまま亡くなったんですか——お気の毒に」

慌《あわ》ててレースのハンカチを取り出して、その畳んである端っこに涙を吸い込ませながら、季莉は改めて二人の紳士を見た。彼らは揃って大きなため息をついていた。

「殺しても死なんような男やったのになあ」

「ほんま、呆気ないですわ。たとえすぐに病院に運んでも、助からん場合が少なくないとは聞きましたが」

「そんでも、それだけ注意してはったのに、一体何を食べはったんやろうか」

ママが思案顔で呟《つぶや》くと、飯田部長が「それやねん」と頷いた。

「そういう最期《さいご》やったからな、やっぱり解剖しましょうっていうことになったんや。そうしたら——」

ママが「そしたら？」と和服の膝《ひざ》をわずかに前にせり出させた。浜島専務と飯田部長とは、互いに譲り合うように顔を見合わせた後で「蝦蛄《しゃこ》やて」と言った。

「蝦蛄？」

「あれかて立派な甲殻類やからなあ。何で気がつかんかったかなあ」

「せやけど、そう普通には、食べへんでしょう。胃の中身見たら、他のもんもようけ出てきたらしいですわ。蝦蛄なんて淡泊な味ですから、分からんかったんかも、知れませんなあ」

彼らが揃って「蝦蛄ねえ」と思案顔になっている横で、季莉はひたすら口元をハンカチで押さえていた。そうしていないと、どうしても笑い出しそうだったからだ。そして、一度笑い始めてしまったら、もう当分は止まらないような気がした。胃がひくひくする。ああ、苦しい。

それからしばらくの間、甲殻類アレルギーで死んでしまった部下の思い出話を続けた後、製薬会社のお偉方二人は「気分転換せなな」と言って、カラオケマイクを握った。浜島専務が好きなのは石原裕次郎。飯田部長は英語の歌だ。デュエットなど望むタイプでもなく、交互に歌って満足している。流れてきたイントロに、わざわざ立ち上がって専務から歌い始めたとき、季莉は席を立った。店から出てビルの非常階段を上り、屋上まで上がったところで、ようやく喉《のど》の奥から「くっ」と息が漏れた。

死んだ。本当に。

そのことは、実は翌日には分かっていた。ＬＩＮＥを送っても既読がつかないし、自宅の様子を見に行ったときに喪服姿の人々が出入りするのが見えたからだ。あのときも一応の確信はしたのだが、事件というわけでもないからテレビのニュースでも流れないいし、実感というものが今ひとつ、摑《つか》めなかった。

どんなにこらえようと思っても、もう無理だった。だが、誰に見られるか分からない。万に一つも疑われては困る。季莉は懸命にハンカチで口元を押さえ、けいれんでも起こしたように身を屈《かが》めて笑いを押し殺し続けた。

それにしても大したものだ。蝦蛄を食べたことまで分かるなんて。

そう、あの日のパスタには、ミンチした肉と一緒に、蝦蛄の身もたくさん入れた。エビカニの風味には敏感なぷぅさんでも、トマトソースに他の肉やハーブと一緒に入れてしまった蝦蛄には、まず気づかないだろうと思ったからだ。そして、ストラッチャテッラの方は、ハーブと共に蝦蛄の殻をじっくりと煮込んで取ったスープで作った。ぷぅさんのために、それこそ何日も何日も考え抜いて作った、それが最後のご馳走《ちそう》だった。

「当たり前じゃないよ。誰が遊びでいいなんて言った？」

最初から、季莉はずっと本気だった。ただ、ぷぅさんが勝手に『俺らはセフレだ』と言ったから、つい頷いてしまっただけのことだ。離れるよりマシだと思ったし、最初はそのつもりでも、やがて変わっていくと思ったから。

「人をバカにするからよ。ただの頭の弱いキャバ嬢くらいにしか思わないで」

囁くように呟く言葉が夜の風にとけていく。北新地の夜も赤坂や六本木と同様、様々なネオンの光が広がって、暗いはずの空さえ異様な色に照らし出されている。時折、カラスかハトが飛ぶくらいに明るい闇の中では、何もかもが作り物めいて見える。それでも、たとえこんな街で生きていたって、人にはそれぞれ、内に秘めた真実がある。何もかもが作り物とは限らないのだ。

それを、ぷぅさんなら分かってくれると季莉は信じたかった。季莉の、というより、島本智絵美の背負ってきた孤独や淋《さび》しさや、真心、愛情、求めるものが何なのか、きっと分かってくれると思っていた。それなのに、ぷぅさんはそんな季莉に、ただのLINEの一つも寄越さずに、大阪へ引っ越した。転勤したと教えてくれたのは、ぷぅさんがキャバクラによく連れてきていた、ある病院の事務員だ。

——知らなかったの？　彼はもう大阪に戻ったよ。栄転だよね。本社勤務になったんだってさ。

それを聞いたときのショック。こんな棄てられ方もあるのかという衝撃。いや、棄てられる以前に、挨拶《あいさつ》もしてもらえない程度にしか思われていなかったのかと思った。もしかすると、人間扱いさえされていなかったのではないかと気がついた。

怒りと衝撃は、何日たってもおさまらなかった。最初の大きな波が遠ざかると、次には悲しみと憎しみばかりが毎日のように降り積もっていった。本当に、頭がおかしくなりそうだった。だから、大阪までやってきた。ひと言でも何か言ってやらなければ、気がすまなかったからだ。

東京に置きっ放しにしてきたキャバクラ嬢のことなど頭の片隅にも残っていないらしいぷぅさんの私生活を探ることなど、拍子抜けするくらいにたやすいことだった。勤め先は誰でも知っている有名製薬会社だし、その前を張って二日目には、もう彼を見つけるのに成功し、あとは会社を出たところから、後をつけただけのことだ。

ぷぅさんの自宅は、枚方でも寝屋川市との境に近い閑静な住宅街にある一戸建てだった。門の脇にはめ込まれた陶製の凝った表札には、家族全員の名前が、しかもご丁寧に漢字とアルファベットで書き込まれていた。それで簡単に分かった。子どもが三人いることも、奥さんの名前は彩と書いて「あかり」と読むことも。一時期、季莉は毎日のようにぷぅさんの家に行っては、ぷぅさんの家族がどんな日々を送っているかを探り続けた。そうするうちに少しずつ、気持ちが変わっていった。

ただ文句を言うだけでは済まされない。

これだけの家族がいながら、東京でキャバクラ通いを続け、季莉を単身赴任の自宅マンションに連れ込んで、好き放題やっていた男。今だって「接待」と言いながら、年がら年中、キタやミナミのキャバクラ通いをやめない男。

家族も家族だ。

鈍感で。不細工で。

ことに彩という女は、ほとんど毎日のように出かけては、エステに通い、ジャズダンスを習い、ホテルでアフタヌーンティーセットか何かを注文してはお喋《しゃべ》りに興じているタイプの女だった。相当な時間までそうしてお喋りをして、夕食はデパ地下辺りで買って帰るのだ。

冗談じゃない。料理もろくにしない、あんな女が普通に幸せを摑んでるなんて。それも、ぷぅさんと。

ミュージシャン志望の彼氏など、すべて架空の存在だ。以前の勤め先で同僚だったキャバクラ嬢の経験を、そのままパクらせてもらった。ぷぅさんを家に呼び寄せて、警戒心を抱かせずによりを戻すために、わざと男性用の整髪料や歯ブラシ、衣類などを買い、食器も二人分ずつ揃えて、いかにも彼氏がいるように装《よそお》った。そこまでの準備を終えた段階で、ぷぅさんにＬＩＮＥのメッセージを送ったのだ。「やっほー、お元気してますかぁ？」と。可愛いスタンプと共に。

さて、と。

これからどうしよう。

「帰るかなあ、東京に」

でも、まだ料理教室のカリキュラムが残っている。授業料は一年分を前納してあるのだし、今やめてしまうのは、いかにももったいなかった。

本当は、いっそ真剣にこの街で生きていくことを考えるのもいいかも知れないと思い始めている。どうせ帰る家があるわけでもなければ、待っている家族がいるわけでもない。それに、枚方は嫌いではなかった。あの古い商店街の片隅に、小洒落《こじゃれ》た店でも出すことが出来たら、意外に楽しいかも知れない。

「霧子ちゃんてば、こんなとこにいたの。お客様、お帰りよ！」

ふいに姉さん格のホステスの声がテナントビルの屋上に響いた。季莉は「はあい」と振り向いて、シルバーの、ヒールの高い靴で駆け出した。

祝辞

1

親よりも、姉妹よりも大切な存在なのだと言われて、彼女がいなければ今の自分は違う人間になっていたかも知れないとまで説明され、二人の過去にあった色々な話を、それこそ嫌というほど聞かされていたから、敦行《あつゆき》は、長坂朋子《ながさかともこ》という女性に対して、既にそれなりのイメージを抱いていた。

「あれ、あっくん、緊張してるでしょう」

待ち合わせの場所に駆けてくるなり、摩美《まみ》は敦行にしがみついてきて、遅刻の詫《わ》びよりも前に、悪戯《いたずら》っぽい顔で笑った。

「お昼休みにね、朋子に電話して確認しておいた。ちゃんと来るって」

甘えん坊の摩美は、敦行と一緒にいる時には必ず手をつなぐか腕を組みたがる。今日も、彼女はすぐに敦行の腕に白い手を回してきた。その途端に、敦行は約束の時間から三十分近く待たされたことも忘れてしまった。十日ぶりに会う彼女は、本人のお気に入りで、以前に敦行も褒めたことのある、サーモン・ピンクのチェックのパンツに、白いふわふわとしたニットを着ていた。輝くばかりの笑顔で、スキップさえしそうなほどにはしゃいで、彼女は敦行に「朋子もね、何だか緊張してるみたいだった」と言った。敦行は、自分も目を細めながら、遠からず自分の妻になる日の摩美のことを想像していた。白の似合う彼女は、ウエディング・ドレスを着たら、まさしく白雪姫みたいに見えるに違いない。

「俺の方が緊張してるさ。何ていったって、摩美のお目付け役と会うんだもんな、嫌われたら困る」

腕を取られたまま歩き始め、敦行が正直に答えると、摩美はピンク色に塗られた小さな口元にわずかに力を入れ、内緒話をする子どものような顔で笑った。ちょっと下がり気味の摩美の目は、こんな笑顔になると、本当にとろけそうに見えた。

「朋子はねえ、恐《こわ》いよぉ。人を見る目は確かだし、頭の回転は速いし。彼女の眼鏡にかなわなかったら、次の難関なんか、絶対に突破出来ないから」

「嫌だなあ、結局、俺を値踏みするんだろう？　君にふさわしいか、君の両親に会いに行くのにふさわしい男か」

敦行は、未《いま》だに童話の中のお姫さまに憧《あこが》れているような部分のある摩美に、艱難辛《かんなんしん》苦《く》を乗り越えて愛を打ち明けようとする王子さまになったような気分になっていた。お姫さまというものは、男が自分のために苦労しているのを案外澄ました顔で見守り、彼が何とか自分の元へたどりつくと、ようやくにっこり笑うものだ。

「もしも、俺じゃ失格だって彼女に言われたら、どうする？」

日毎《ひごと》に秋が深まり、つい一カ月前までは汗をかきながらふうふう言って歩いたはずの道を、乾いた風が吹き抜けていく。敦行はふと、一年前の今ごろのことを思い出していた。昨年の今ごろ、摩美は既に今と同じように敦行の隣を歩いていた。けれど、お互いにまだぎこちなくて、腕を組むどころか互いを名字で呼びあっていたはずだ。敦行にしても、あの頃はまだどうやって彼女に近付いたら良いものか、迷っていたと思う。摩美は、敦行と同じ会社に勤めていたが、いつもぱたぱたと走り回っているという印象の、不思議な感じの子だった。あまりに無防備ですれたところがなく、それが芝居なのか、本物なのかも判別出来なかった。

「あの人は駄目だから、別れた方がいいとか、言われたらさ」

「え――そんなこと、言わないよ」

「分からないぞ。そうしたら、あっさり、彼女の言うことを聞いて諦《あきら》めるか？」

「ああん、もうっ。意地悪。そんなこと、ないったら」

摩美はわずかに唇を噛《か》んで、拗《す》ねたような顔で敦行を見る。敦行よりも四歳年下の、二十四歳の摩美は、こうして見ると去年とどこも変わらないどころか、まだ幼い少女のままに見える。だが、たった一年の間に、摩美は確実に変わったはずだった。現に、敦行との結婚に踏み切ろうとしているのだから、その変化の大きさといったら、大変なものだ。

「でも、そんなになったら、どうしよう。私、どうなっちゃうだろうな」

敦行にとっても、この一年間というものは本当に貴重だったと思う。すべての季節が新鮮に見え、すべての風が心に染《し》み渡る一年だった。大きな喧嘩《けんか》が二回と、小さな喧嘩がたくさん、笑ってばかりいた季節の所々にちりばめられて、それすらも輝いていたと思える一年だった。そして、その喧嘩の度に摩美の愚痴を聞き、力になってくれていたのが、これから会う朋子だというのだ。

「朋子はね、はっきりした性格だから、第一印象で決めちゃったら、多分顔に出すと思うんだ」

「余計に憂鬱《ゆううつ》になるよな。俺の悪口なんかも、たっぷり聞かされてるんだろう？」

「そんなこと、ないってば」

摩美は、くすくすと笑いながら「あっくんらしくない」と言った。

「私はね、二人は案外気が合うんじゃないかと思ってるの。仲良くなってくれると嬉《うれ》しいんだけどな」

敦行は、果たしてそうなれるものだろうかと思いながら、「俺の方は、そのつもりだけどね」と答えておいた。本当は、朋子という娘と自分とは、摩美を挟んでのライバルみたいな関係になりはしないか、という気がしている。女の友情というのがどんなものだか知らないけれど、朋子という女性にとっては、自分は親友を奪ってしまう憎い男になるのではないか、ちょっとした恋敵に近い存在になるのではないだろうかという心配があった。

「まだ、来てないみたい」

待ち合わせをした店の中をくまなく見回した後で、摩美は、少しほっとした顔でこちらを見た。やはり彼女も多少は緊張しているらしい。敦行は、本音を言えばこのまま二人だけでずっと過ごしたいのにと思いながらビールを注文し、まずは二人だけで乾杯をした。

「時間には正確な子なんだけど」

摩美だけは、時計を見ながらそわそわしているけれど、敦行は彼女が先に到着していなかったことに感謝していた。これで、こっちの緊張は多少なりともほぐれることになる。後から来た方が分が悪いに決まっているのだ、などと、取引相手と会う時みたいなことを考えた。さすがに料理まで注文してしまうのははばかられたから、ビールだけをちびちびと飲んでいると、やがて摩美が、「あ、来た来た」と言って店の入り口の方を見た。その瞬間、敦行はようやくリラックスした気持ちがいっぺんに引き締まってしまうのを感じた。

「すみません、遅くなっちゃって」

紺色のシンプルなスーツに、淡い色調のスカーフをあしらい、大きな黒いバッグを持った娘が、緊張した笑顔で近付いてきた。敦行は慌《あわ》てて席から立ち上がって、その娘を迎えた。

ショートカットに、よく日焼けした引き締まった顔つきの彼女は「長坂朋子です」と言って、きっちりと頭を下げる。敦行も習慣的に手が背広の内ポケットに伸びてしまって、つい名刺を出しながら挨拶《あいさつ》をすることになった。「近藤《こんどう》です」と挨拶をすると、朋子は恭《うやうや》しい手つきで名刺を受け取り、丁寧にそれを見つめた。一人で席に座ったままの摩美は、目をきょろきょろさせて敦行と朋子を見比べていたが「とにかく、座ろうよ」と、手をひらひらとさせる。

「仕事じゃないんだから。そんなに堅苦しい挨拶すること、ないのに」

くすくすと笑いながら摩美が言う。敦行もぎこちなく笑いながら、やはり硬い笑みを浮かべている朋子が座るのを待って自分も腰をおろした。

改めて乾杯をし、テーブルに料理が並び始める頃には、ようやく落ち着きを取り戻すことが出来た。会話の大半は摩美と朋子の間で交わされていたから、敦行は時折は相づちを打ったり、適当なところで口を挟むくらいで、その間に朋子を観察することにした。

いかにもキャリア・ウーマンらしく見える朋子は、確かに摩美の姉さん格だというのも納得出来る雰囲気を持っていた。同級生だったのだから年齢は同じはずなのだが、朋子と比べてしまうと、摩美はずっと幼く、頼りなく見える。物腰も口調も表情も、少女の雰囲気が抜けきっていない摩美に比べて、朋子は既にすっかり落ち着いた大人の女という感じだった。敦行は、朋子を摩美と同じような雰囲気の娘とばかり想像していたから、この組み合わせは意外にも新鮮にも感じられた。

「ところで、どう？」

やがて、料理の大半が平らげられた頃に、摩美は悪戯っぽい表情でちらりと敦行を見たあと、視線を朋子に移した。敦行は、再び緊張がぶり返してきて、グラスを持つ手を宙に浮かせたまま、摩美と朋子とを見比べた。

それまでは時折声を出して笑いながら、くつろいだ表情を見せていた朋子が、摩美に「判定は」と促された途端にすっと真顔に戻った。

「近藤さん」

薄い唇をきりっと結び、ビールにもまったく酔っていない様子で正面から見据えられて、敦行は慌てて自分もグラスをテーブルに戻した。

「摩美のこと、よろしくお願いします」

次の瞬間、朋子は、深々と頭を下げた。敦行は、胸の奥が熱くなるのを感じないわけにいかなかった。

「この子、甘えん坊で我儘《わがまま》で、手がかかって大変だと思いますけれど、本当に可愛《かわい》い子ですから」

「――はい」

「幸せにしてあげて下さい」

一人だけビールで顔を赤くしていた摩美が、涙ぐみそうになっている。敦行も、何だか本当の身内に挨拶されているような気分になった。

「ああ、よかった。これで、私は肩の荷が下りたわ」

一瞬、周囲を支配した、神妙で湿っぽい雰囲気を、朋子自身が壊してくれた。敦行は、感動と呼んでさしつかえのない熱いものを感じたまま、恥ずかしそうに笑っている摩美と朋子とを眺めていた。彼女たちは、敦行よりもずっと長い歴史を共有している。本当に強い絆《きずな》で結ばれてきたのだろう。そう思うと、敦行は摩美のためにも、朋子とは親しくならなければと思った。

「何しろ、摩美は昔から、小さなことにも大騒ぎして、弱虫のくせに短気と来てるから、本当に手がかかって大変だったんです。今度からは、その面倒を見るのは近藤さんの役目ですからね。ポメラニアンみたいに、きゃんきゃん、言われますよ」

ポメラニアンという表現が的を射ていて、敦行は声を出して笑った。摩美は「ひどおい」と言いながら、半分膨《ふく》れっ面《つら》で自分も笑っている。

「さすが、親友だな。よく分かってるじゃないか」

とん、と指先で摩美の額を押すと、摩美は「もう」と言って、それでも嬉しそうな顔をしている。

「あんまり吠《ほ》えられたら、たまには掩護《えんご》射撃をして下さいよ」

「あ、駄目よ。朋子は私の味方なんだからね」

「駄目だよ。公平に見てもらわなきゃ」

敦行と摩美がかわるがわるに言うと、朋子はくすくすと笑いながら「犬も食わない喧嘩に巻き込まれるのなんか、真っ平よ」と澄ましている。摩美が、はしゃいだ声を上げて明るく笑う。このところ仕事の疲れがたまっていた上に、ようやく緊張が解けて、敦行は急にアルコールが体内を駆け巡り始めるのを感じた。

「第一関門、突破ね」

摩美は嬉しそうに敦行と朋子を見比べ、この上なく幸せそうに、満足して見えた。敦行も、賑《にぎ》やかな女性の笑い声に包まれて、いつになくうまい酒を飲んだ。

朋子は理知的な雰囲気を身にまとい、話術が巧みで、摩美とはまた違った魅力を持った娘だった。敦行は、グラスを重ねるうちに、まるで男同士で酒を酌《く》み交わしているような爽快感《そうかいかん》を覚え始めた。

「そういうこと、摩美にももっと教えてやって下さいよ」

朋子が意外なほど幅広いらしい知識の一端を垣間見《かいまみ》せる度に、敦行は内心で驚きながら何回か同じことを言った。すると、朋子は柔らかい笑顔で摩美を見て、摩美は拗ねた表情になる。確かに、これは良いコンビに違いない、と敦行は思った。彼女なら、摩美と所帯を持った後も、いつでも歓迎出来るだろう。さして努力する必要もなく、自然に親しくなれるに違いない。

「しっかりした子だなあ」

朋子と手を振って別れた後、二人きりになるとすぐ腕に絡《から》み付いてきた摩美に、敦行はさっそく感想を言った。摩美は嬉しそうに「そうでしょう」と言って、「私の自慢なの」とつけ加えた。

「朋子ちゃん、彼氏は？」

「今は、いないんじゃないかなあ。夏にね、別れちゃったの」

「まあ、あの子にかなう男は、あんまりいないかも知れないよな」

人気《ひとけ》のない街を、夜風に吹かれてのんびりと歩きながら、敦行はふうっとため息をついた。心地良い酔いが多少のだるさをともなって、全身をぼんやりと包んでいる。

「でも、心配してないのよ。あの子、モテるんだから」

「そうだろう。分かる気がするよ」

「あっくん――」

ふいに摩美の手に力がこもって、敦行は腕を引かれた格好で立ち止まった。外苑《がいえん》前の道は、今夜は珍しいほど人影が少なく、赤い空車のランプを点《とも》したタクシーが、猛スピードで流れていく。

「朋子みたいなタイプの方が好き？」

街灯の明かりに瞳《ひとみ》を輝かせて、摩美は心配そうな顔で敦行を見上げてくる。敦行は、思わず笑いながら、摩美の肩を抱き寄せた。

「俺はね、この子がいいんだ。この子の友達だから、あの子もいいっていうだけ」

「この子がいなかったら？　あの子と付き合いたい？」

「この子はね、いなくならないの。俺の嫁さんになるんだから」

敦行が囁《ささや》くと、摩美はわずかに体重を預けてきて、小さく「よかった」と呟《つぶや》いた。

敦行は、何気なく周囲を見回して、人通りが絶えていることを確認すると、素早く摩美にキスをした。いつの間に口に放り込んでいたのか、摩美はミント・キャンディーの味がした。

2

次のデートの時に、敦行は摩美から意外な話を聞かされた。つい数日前に会ったばかりの朋子が身体《からだ》の具合を悪くしているらしいというのだ。

「どこが悪いんだって？」

その日は休日だったから、敦行は車に摩美を乗せ、久しぶりに少し遠出をするつもりだった。助手席の摩美は、口を尖《とが》らせて「さあ」と小さくため息をつく。

「他の友達から連絡をもらったの。急に『朋子、どうしちゃったの』って言われて、びっくりしちゃった」

「摩美には連絡くれなかったの」

「その友達もね、偶然電話して分かったんだって」

敦行は、ハンドルを握りながら、先日の朋子の表情を思い起こしていた。それほど病弱という雰囲気でもなかったし、むしろ丈夫で健康そうな娘だったという印象が強いのに、持病でもあるのだろうかと思った。

「だから、私も電話してみたの――そしたらねえ」

摩美は憂鬱そうな声で、膝《ひざ》の上に抱いている小さな縫いぐるみを弄《もてあそ》びながら首を傾《かし》げている。

「具合は悪くないって、言うのよね」

「何なんだよ、それ」

「その、言葉がね――」

隣から、小さなため息が聞こえてきた。前方の信号が赤に変わり、敦行はゆっくりとブレーキペダルを踏みながら摩美を見た。

「――何となく上手に喋《しゃべ》れなくなってるみたいなんだよね。言葉がつかえて、発音もおかしい感じで」

車を停止させると、敦行は改めて隣りを見た。摩美は、わけが分からないという表情で、困ったように敦行を見つめている。

「『いつから、そんなになったの？』って聞いたんだけど、説明もままならない感じでね、私のことを呼ぶのに、すごい時間がかかったわ。こっちが『私、摩美よ』って言うと『ら、いじょ、ぶ。ひって、る』っていう感じ。とにかく、急に喋れなくなっちゃったんだって」

敦行は思わず眉《まゆ》をひそめて小さく舌打ちをした。どういうことなのだろう。あの朋子に、そんな言葉遣いはまるで似合わない。

「脳の疾患かな。でも、急に倒れたっていうわけでもないんだろう？」

信号が青に変わった。敦行はアクセルを踏み込んだ。摩美は浮かない表情のままで「どうしちゃったのかなあ」「本当に、もう」などと連発している。敦行にしてみれば、本当なら「心配だね」で済むことではあったけれど、つい数日前に会ったばかりの摩美の親友がそんなことになったと聞けば、心配しないわけにもいかなかった。遠出のドライブも、急につまらないものに思えてきた。

「見舞いに行ってやったら。何だったら、これからでも」

敦行は、高速道路の入り口を示す緑色の標識を見ながら、車線を変えずに言った。

「心配なんだろう？　すぐに行ってあげろよ」

摩美は不安そうな顔でこちらを見ていたが、少し考えるような表情の後で「ありがとう」と言った。いつも笑顔でいて欲しいと思う摩美に、そんな顔をされていたのでは、とてもドライブなどする気分ではなかった。

「とにかく、どんな状態なのか分からないから、余計に心配なんだ。この間はあんなに元気そうだったのに」

敦行は小さくため息をつきながら摩美に頷《うなず》いて見せ、それから朋子の家があるという方向に向かって、さて、どういう道順をたどろうかと考え始めた。自分と会った直後に具合が悪くなったと聞けば、敦行自身もあまり寝ざめの良い感じはしない。

たどり着いた朋子の家の近所で摩美を下ろすと、敦行はそれから一人でカー用品の店やオーディオの専門店などを回り、予想外にのんびりとした休日を過ごすことになった。夕方になって、約束した通りに朋子の家の近くにある郊外レストランに再び戻る。店には、摩美がもう来ていて、おまけにあと二人の女の子と同席していた。敦行を認めると、摩美は急いで手を振り、二人の友人を紹介した。

「実はね、あれから三十分くらいで、すぐにお暇《いとま》しちゃったの。それから一人でいられなくて、電話して、来てもらっちゃった」

敦行は、名前だけは聞いたことのある摩美の友人に簡単に挨拶をすると、自分も箱型の椅子《いす》に滑り込んだ。女子大時代に、朋子も含めてグループで仲良しだったという二人の娘は、敦行を紹介されて、少しだけ興味深げな、何か聞きたそうな顔をしたが、すぐに思い直したように神妙な表情に戻った。

「——ひどいの、朋子じゃないみたいだったの」

摩美が、ぽつりと呟いた。敦行は、摩美の横顔を見て、それから正面の二人も見た。三人が三人とも、憂鬱そうな重苦しい表情になっている。

「見た目はね、変わらないのよ。案外元気そうにも見えたし、少しは笑ったりもするの。でも、口も舌も、痺《しび》れたみたいに動かないらしくて、とにかくまともに喋れないの——私たちと会った次の日から、急にそんなになっちゃったんだって」

摩美は涙ぐみそうになって言った。二人の友人も暗い表情でうつむいてしまっている。あのきりっとした顔立ちの朋子が、口元を痺れさせ、話すことすら出来ない姿など、容易に想像がつかなかった。それだけに、直接会ってきた摩美にしてみれば、衝撃も大きかったのに違いない。

「そんな状態だったら食事も出来ないの？　こっちの言うことは？」

「食事は大丈夫なんだって。お家《うち》の人もね、最初は冗談かと思ったらしいの。黙ってたら、いつもの朋子とどこも変わらないんだもの。それに、耳の方だって何ともないから、こっちの言うことは、よく分かってるし。ただ、返事しようとしても、言葉がつかえたり、発音がおかしくなったりで――昨日辺りからはほとんど話せなくなっちゃったんだって。お母さん、泣いてたわ」

「脳には、異常はみられないみたいですって」

運ばれてきたコーヒーをすすっていると、林《はやし》と紹介された娘が初めて口を開いた。

敦行は眉を上下させるだけで応《こた》えてから、深々とため息をついてカップを戻した。つまりは、精神的なものが原因ということだ。ついこの間、披露宴では是非とも彼女にスピーチを頼みたいという摩美の申し出に、笑顔で承諾してくれていたのに、そんな状態ではスピーチどころではないに違いない。

「あの――」

今度は摩美の前に座っていた、竹内《たけうち》という娘が、思いきったように口を開いた。

「朋子、よっぽどショックだったんじゃないかしら――つまり、失語症っていうことでしょう？　ヒステリーみたいなもの、なんでしょう？」

彼女は、ちらりと敦行を見た後で、少し気まずそうに視線をそらした。

「ショックって？」

「だから——摩美が結婚するっていうことが」

「そんなぁ。すごく喜んでくれたんだから、朋子。にこにこ笑って、三人で楽しくお喋りして——」

摩美は頰を紅潮させて、今にも泣き出しそうな声を出している。けれど敦行は、竹内の言うことは、当たっているのかも知れないと、ふと思った。敦行たちと会った翌朝からそんな症状が出たというのなら、しかも、器質的な異常ではないというのならば、それは偶然にしては出来すぎだ。敦行たちに原因があると考えるのが自然だという気もする。

「朋子って、いっつも摩美のお姉さんみたいな感じでいたじゃない？　自分が傍にいなきゃ摩美は何も出来ない子だって、そう思ってたところ、あると思うのよ。その摩美に先を越されちゃうっていうことが、ショックだったんじゃない？」

「——そうかも知れない。世話を焼く相手がいなくなって、おまけに自分より先にさっさと結婚しちゃうっていうのが」

林という娘もしきりに頷きながら身を乗り出してきた。

「だって——じゃあ、私がいけないの？　私が、朋子をあんなふうにしちゃったっていうこと？」

摩美は、打ちのめされたような表情になって、語尾が微《かす》かに震えていた。敦行は黙って腕組みをしたまま、あの日の朋子のことを改めて思い出していた。あの日、朋子は「肩の荷が下りる」と言っていた。夫婦喧嘩の仲裁など真っ平だとも言っていた。彼女は、心から摩美の幸福を祝ってくれているように見えた。いかにも姉さん格らしく、親友らしく――。

「だとすると、無意識なんだろうな――心の底の、彼女自身にも意識されてない部分で、ショックだったのかも知れない」

ゆっくりと呟くと、摩美が噛みつきそうな顔で敦行を睨《にら》んだ。その目にみるみる涙が盛り上がっていく。敦行は内心で慌てながら、前の二人の目をはばかって、テーブルの下で摩美の手を握った。

「何も、摩美の責任っていうわけじゃないよ。誰が悪いとかっていう問題じゃないんだ。とにかく、あんまり刺激しちゃまずいんだろうけど、出来るだけ今まで通りに、普通に接してあげる方がいいんだろうと思うよ。気持ちの整理がつけば、自然に治るかも知れないんだから」

きっと大丈夫さ、と根拠のない気休めを口にしながら、だが敦行は、摩美の気持ちを思うと自分も憂鬱にならざるを得なかった。あの日、笑顔で祝福しておきながら、翌日には口がきけなくなるという症状で、まさしく無言で摩美の幸福を妬《ねた》む朋子が、哀れにも、そら恐ろしくも思えてならなかった。

「結婚したって、私たちはずっと親友なのに——可哀想《かわいそう》な朋子」

摩美は、ハンカチで目元を押さえながら、何度も繰り返した。自分を嫉妬《しっと》するあまりに口がきけなくなってしまったらしいというのに、摩美はそれでも朋子を親友と思っているらしかった。敦行は、朋子と摩美の気持ちが逆でなかったことを感謝しながら、摩美の華奢《きゃしゃ》な手を握りしめていた。

3

朋子の症状は、敦行たちが想像した通り、やはり心理的な要因から生まれたものと診断されたということだった。いつ治るとも分からないことから、結局、彼女は会社を辞め、自宅で静養することになった。最初は、自分が原因で朋子が話せなくなってしまったのではないかと、ひどいショックを受けて情緒不安定になっていた摩美も、時の経過と共に少しずつ落ち着いて、やがて、彼女の精神状態と、そんな症状のために仕事まで失うことになった哀れな現実を、摩美なりに前向きに受け入れようとし始めたらしかった。支えられる部分は支えてやりたい、孤独にさせず、変わらない友情を与え続けたい、ということだ。そうこうする間にも、敦行の方は摩美の両親に挨拶に行き、逆に週末を利用して摩美を自分の故郷に連れて行き、仲人《なこうど》も決めて、着々と挙式に向かって動いていた。

「朋子ね、笑う時には、時々声を出すの」

摩美は、敦行と会う度に朋子のことを報告した。一日中家にこもりっ放しで、他にすることもないし、話せないのでは電話でのやりとりすら出来ないからと、摩美は出来る限り時間を作って朋子の家に通っているらしかった。

「お母さんの話では、彼女がどういうことにショックを受けたにしろ、朋子自身も意識していない部分でのことだから、心の底の強迫観念みたいなものを取り除けないと、駄目だろうって、お医者さんに言われたんですって」

「ちゃんと病院には通ってるの」

「すごく嫌がるらしいんだけどね。筆談で『放っておいて』って言うんですって」

摩美は、時には心配そうに、時には淡々と朋子のことを話した。敦行は、自分たちが遊びに行く時には、出来るだけ朋子も誘ってやることにしようと提案した。朋子のためというのではなく、摩美の気持ちを少しでも軽くしてやりたくて、言い出したことだった。

「でも、「僕らのことが原因だとすると、あんまりよくないことかな」

そんなこと、ないと思う。朋子自身の無意識の世界でのことなんだもの。誘ってあげたら、きっと喜ぶわ」

摩美は嬉しそうに言った。街にはクリスマスのイルミネーションが溢《あふ》れる季節になっていた。

それ以来、敦行と摩美は、デートの半分くらいは朋子を誘うようになった。初めて会って以来、久しぶりで再会した時には、前回とは違う意味で緊張したものだが、朋子は見た感じは以前とちっとも変わらなくて、むしろ前よりも柔らかい雰囲気になっていた。会話には直接加われなくても、彼女は豊かな表情で敦行たちの会話に反応を示し、必要な時には筆談で何か訴えてきた。敦行は、彼女はそのうち手話を習い始めなければならないのではないかなどと考えながら、何かと朋子の世話を焼こうとしている摩美を好ましく見ていた。そうなれば、きっと摩美も一緒に手話を勉強し始めることだろう。

「正月休みにさ、皆で旅行しないか」

暮れも近づいたある日、敦行は摩美と朋子に向かって提案した。摩美は「うん！」とすぐに瞳を輝かせたが、朋子は少し淋《さび》しそうな顔になった。

「うちの常務が別荘を貸してくれるそうなんだ。もちろん朋子ちゃんも、それから林さんたちも誘って、俺も友達に声かけるから、大勢で行こうよ」

朋子は、少し考える顔になったが、摩美からも「行こうよ、気分転換になるよ」と言われて、やがてこっくりと頷いた。敦行は、これで朋子が敦行の友人の誰かと付き合うようなことにでもなってくれれば、それで摩美の気持ちも軽くなるし、朋子自身の症状も良くなるのではないかと考えていた。

「スキーも出来るし、温泉もあるらしい。暖炉が使えるらしいよ」

敦行の説明に摩美はますます表情を輝かせ、その別荘とは何人くらいまで泊まれる大きさなのか、誰と誰を誘うか、などということで話題は弾んだ。すると途中で、朋子は最近手放せなくなったメモ帳を取り出し、読みやすい綺麗《きれい》な文字でさらさらと自分の意見を書いた。

――でも敦行さんのお友達は、私のことは知らないんでしょう？　迷惑になりませんか？

差し出されたメモを読んで、敦行は急いで「まさか！」と大げさなくらいに手を振って見せた。

「関係ないよ。友達には俺から説明しておくし、誰も、たとえば朋子ちゃんにカラオケさせようなんて無理なことを言う奴《やつ》はいないから。リラックスして、のんびりすればいいんだよ」

敦行は一生懸命に説明した。朋子は、唇をきつく結んで、真《ま》っ直《す》ぐに敦行を見ていたが、やがて深々と頭を下げた。

——ありがとう。

ひらがなの五文字を読みとると、朋子の隣にいた摩美は、「変なこと、気にしないの。親友じゃない」と言って、朋子にもたれて笑いかけている。朋子もはにかんだようにに笑っている。寄り添って笑いあっている二人の姿は、見ていて微笑《ほほえ》ましいものがあった。敦行はふと、朋子はどんな声をしていたのだろうかと考えた。たった一度しか聞いていないから、もう忘れてしまっている。

年の瀬には、摩美との挙式の日取りが決まった。来年の三月末の吉日に向かって、敦行は仕事と同時に披露宴や引き出物のことまで考えなければならなくなり、いよいよ忙しくなっていった。

「春までに、もっとお料理の腕を上げなきゃ」

「腹を壊さない程度のものなら、俺は我慢出来るよ」

「ひどぉい。そんなもの、作らないわよ」

いつしか朋子が一緒にいることにも慣れてしまって、敦行と摩美は三人でいる時にも、そんな会話を交わすようになっていた。その度に、朋子はおかしそうに笑った。摩美は彼女の家に行く度に、料理が得意らしい朋子からあれこれと教わっている様子だった。

「朋子ちゃんに教わってるんなら、確かだろうとは思うけどね。問題は料理のセンスだよな」

「あ、私のセンスを信じてないのね」

――摩美のお料理のセンスはびっくりするくらい、斬新《ざんしん》よ。

すると朋子は、実に良いタイミングでそんなメモを寄越す。敦行たちは声を揃《そろ》えて笑った。朋子の洗練された話術は、今もまったく衰えていなかった。

「その斬新さが、恐いんだ」

敦行の言葉に、朋子は肩をすくめて笑っている。そうして何度も三人で過ごすうち、敦行は朋子の声が出なくなった原因とは、自分や摩美とは無関係のことなのではないかと思い始めるようになった。朋子の表情はいつも自然だったし、摩美に対しても、敦行に対しても、心の底から打ち解けて見えるからだ。何も、自分たちが妙な責任を感じることではないかも知れない。もしかすると摩美さえ知らされていない他の要因が、彼女を苦しめているのかも知れない、そう考えると、罪ほろぼしにも似た意識はやがて薄らぎ、代わりに、自分たちが友情にあつい、善意の人のような気分になっていった。

「春までに、きっと治るから。そうしたら、絶対にスピーチしてね」

摩美は、時々普段以上に明るい笑顔で、朋子にそんなことも言った。朋子はその度に少し淋しそうな顔になって、小さくため息をついた。

いちばん辛《つら》いのは朋子自身に違いない。口がきけないという他は、知能の点でも、何の問題もないのだ。表情は静かなままだが、もしもこのまま、二度と言葉を発することが出来なかったらどうしようかと、彼女は毎日おびえているに違いない。そう考えると、声を出さずに笑っている朋子が痛々しく見えて仕方がなかった。

「私、朋子が治るためだったら、どんな協力だってするからね」

摩美は必死で朋子に話しかける。不思議なもので、相手の聴力には何の問題もないはずなのに、何も話してくれないとなると、なぜだかこちらの口調はゆっくりになるものらしかった。

――普通に話してていいのよ。全部、ちゃんと分かってるから。朋子に筆談で言われる時、敦行は逆に気遣われている気分にさえなった。摩美のためにも、早く治ってもらいたいものだと祈らずにいられなかった。

瞬《また》く間にクリスマスを迎え、仕事納めが済んで、暮れの三十日に、敦行たちは男女四人ずつの総勢八人で三台の車に分乗して、長野へ向かった。敦行は、あらかじめ三人の友人には朋子のことをよく説明しておいた。彼らは一様に細かいことにはこだわらないタイプだったから、「静かな方がいいくらいだ」と言って、さっぱりとしたものだった。摩美をはじめ四人の娘たちは、信じられないくらいに沢山の荷物を持って、学生みたいにきゃあきゃあとはしゃいでいた。朋子も、声こそは出なかったけれど晴れやかな顔をしていた。

その別荘は、敦行と摩美の仲人を引き受けてくれた常務の持ち物だった。家は使わないと傷《いた》むからと、快く別荘の鍵《かぎ》を敦行に預けてくれた。夏は頻繁に使うらしいが、子どもたちがそれぞれ大きくなったり家庭を持ったりして、おまけに奥さんが神経痛を病んでから、冬場に使うことはほとんどなくなってしまったという話だった。

「着いたら、すぐに滑ろうね。もう、ずっと滑りっ放しでいようよ」

「そう遊んでばかりもいられないよ。ちゃんと点検をして、空気の入れ換えもしなきゃいけないんだから」

　敦行は、隣でいつにも増してはしゃいでいる摩美を見ては、笑っていた。まるで、初めて車に乗った子どもみたいに、彼女は人一倍はしゃぎ、山を見ても川を見ても歓声を上げた。

　ふと、来年の今ごろは、どうしているだろうと思う。隣の摩美のことを、照れもせずに「うちのカミサン」などと呼べるようになっているだろうか。摩美は、結婚してからも敦行のことを「あっくん」と呼び続けるつもりだろうか。来年の今ごろ、自分たちはどこで年の瀬を過ごしているだろう。ひょっとしたら、その時には、家族が増えているかも知れない。

　ハンドルを握りながら、敦行は上機嫌で色々なことに思いを馳《は》せた。もしも、快適な別荘だったら、これからだって貸してもらえるようにしたいものだ。何しろ相手は仲人だ。そう出来たら、子どもが生まれた後でも、さぞかし楽しい思い出を作れるだろう。次から次へと想像が膨らんで、敦行は時折バック・ミラーで後からついてくる友達の車を確認することさえ忘れそうだった。

「わあ、素敵じゃない！」

「何だか日本じゃないみたい」

途中で食材をたっぷり買い込み、夕方になって別荘に着くと、友人の間からは歓声が上がった。それは、想像していた以上に立派な、西洋風の造りの別荘で、食料さえ用意すれば、何日でも暮らせるだけのものが完璧《かんぺき》に揃っていた。二階には部屋数も多く、夏の日の賑わいを思い起こさせるだけの寝具も揃っている。

「お金持ちになった気分ね」

摩美は、何を見ても歓声を上げ、荷物運びなどはほとんど手伝わずに、朋子の手を取るとまずは家中の探検に行ってしまった。寝室の部屋割りをすることになったのは、荷物の整理も済んで、二人が探検から戻ってのことだ。

「おまえ、摩美さんと一緒じゃなくていいのかよ」

「何、言ってるんだよ。いいんだよ」

「あ、敦行さん、赤くなってる」

周囲に散々からかわれながら、だが、今回はあらかじめ、なるべくべたべたしないようにしようと摩美と相談してあったから、敦行は他の友達と二人で一つの部屋を使うことにした。摩美は、朋子と同じ部屋に寝起きすることになった。

女の子たちがベッドに寝具を分配し、夕食の支度にとりかかる間に、男たちは暖炉に火をおこし、風呂《ふろ》を沸かして、薪《まき》割りと周囲の点検を行った。

「独身最後の旅行に乾杯！」

「常務に感謝、感謝！」

周囲がすっかり暗くなった頃、雪が降り始めた。燃え盛る暖炉の炎で暖まった居間で、敦行たちは乾杯をした。よく冷えたワインは、心地よく喉《のど》を滑り降りていった。

それからの五日間、敦行たちは朝からゲレンデに向かい、昼過ぎからは温泉に行ったり買い物をしたりして、贅沢《ぜいたく》な新年を迎えた。夜は必ずパーティーになり、話題は尽きることがなく、笑い声が絶えず八人を包んでいた。朋子も、すべての行動を皆と共にし、特にスキーの腕前がすばらしいことで皆の称讃の的となり、敦行の友人の間にもすぐにとけ込んでいった。

敦行と摩美は、時折二人だけになると、残り六人の男女の、誰と誰が引き合いそうか、などと話し合って笑った。

「島田《しまだ》さんって、朋子に関心があるみたい」

「ああ、何となくそんな感じだな」

「恋愛が、一番の治療法かも知れないものね。うまくいくといいわ」

摩美は、敦行に寄り添って、嬉しそうにそんなことも言った。敦行も、朋子には出来るだけ注意を払うようにしていたから、彼女が楽しそうにしているのを見て安心した。摩美の言葉通り、敦行の友人の中でも、特に島田という男が朋子にさりげなく近付こうとしていることは、すぐに分かった。

「あっくん、島田さんに聞いてみれば？」

「いいよ、子どもじゃないんだから」

「でも、今の朋子は、あんなだし――」

「それは島田だって分かってることなんだから。摩美、少し過保護だぞ」

　すると摩美は「そうかなあ」と、小さく頰を膨らませる。敦行は、そんな摩美を誇らしくさえ感じ、その一方では不安にもなった。摩美は、あくまでも自分一人で朋子を守ろうとしているように見えた。確かに以前までは、摩美の方が朋子に頼るという構図で、二人の関係は続いていたのかも知れない。だが今、敦行が見た限りでは、そのバランスは逆転しているように思われる。何くれとなく世話を焼いているのは摩美の方で、朋子はいつもおとなしくそれを受け入れるばかりだ。その、力関係の逆転が、果たして喜ぶべきことなのかどうか分からない。何しろ、朋子はプライドの高い女性に違いない。そんな彼女が、精神のバランスを崩した上、自分よりも幼く、頼りなく見えていたはずの摩美に世話になることを、本心から潔《いさぎよ》しとしているかどうか、疑問だという気がした。

「私、朋子に聞いてみようかな」

「やめろって。自然にさせてあげろよ」

わざと眉をしかめてみせると、摩美は慌てて「あ、自然にね、そうそう」と答え、わずかに媚《こ》びるように、そっと敦行に寄りかかってくる。雪の降らない晩には、頭上には満天の星空が広がり、その数の多さと澄んだ輝きには、息を凍らせながらも目をみはらせるものがあった。

「私はね、早く、元気になって欲しいだけ」

「それは分かっているけど、押しつけがましいことはしない方がいいって」

「分かってる。分かってるから」

えへへ、と笑う摩美は、やはりこの上もなく愛《いと》おしい。世界で一番可愛い存在に違いなかった。敦行は、彼女の肩を抱きながら、こうして並んで星空を眺められる幸福を噛《か》みしめていた。

八人という大人数にもかかわらず、どこかで気まずい雰囲気が生まれるということも、トラブルが生じるということもなく、瞬く間に三が日が過ぎて、明日は東京に戻るという晩になった。

買い込み過ぎた食料をすべて使って打ち上げをしようということになって、暖炉の火が燃える広々とした居間で、八人は残っていたワインを抜き、女の子たちが作った料理を並べて騒いだ。次々に話題が飛び、あちこちで笑いが起きて、気が付いたときには、敦行はだいぶワインを飲んでしまったらしかった。

「何だか、眠くなっちゃったな」

頭が重くなって、目もとろとろと焦点が合いにくくなり、敦行はソファーにもたれて呟いた。摩美が少し心配そうな顔で「休んでくる？」とこちらを見ているのが、半分、夢を見ているように感じられる。

「情けない奴だな、酔ったのか？」

「摩美さんは置いていけよ」

「また起きてこいよ。まだノルマが残ってるんだからな」

「そうよ。これ、全部食べるんだからね」

口々に声をかけられ、敦行は笑って手を振りながら、ゆっくりと起き上がり「少しだけ、休むよ」と言い残して、二階への階段を上がった。適度な肉体の疲労と、今回の旅が成功に終わりそうだという満足感で、確かにいつもより飲み過ぎたようだ。階下からは賑やかな笑い声が波のように上ってくる。敦行は、多少おぼつかなくなってきた足どりで寝室に戻ると、そのままベッドに倒れ込んでしまった。

どのくらい時間が過ぎたのか、ふいに息苦しさを覚えて、ぼんやりと意識を取り戻した。階下からは、まだ人の話し声と笑い声が聞こえている。目を閉じたまま、意識をはっきりさせようとしているうち、どうやら誰かが自分の上に乗っているらしいのが分かった。

「こら、駄目だよ」

敦行はうっとりとした声で囁いた。手が、敦行のセーターの裾《すそ》から入ってきて、敦行の胸をさすり、シャツのボタンを外そうとしている。敦行は腰の下に重みを感じながら、鼻を鳴らして笑った。

「駄目だって。悪戯《いたずら》っ子だな」

この部屋は男同士で使っている。彼らにこんなところを見られたら格好悪いではないかと思いながら、だるくて重い手を伸ばし、彼女の頭を抱き寄せようとして、敦行は初めて、ぎょっとなった。摩美の長い髪が手に触れるはずなのに、そこにはまるで感触の異なる、短い髪の頭があったからだ。

「――どうして」

耳元に熱い息がかかった。ようやく意識がはっきりとしてきた。頭が目まぐるしく働き出そうとする。目を開けると、窓から入る雪明かりの中に人影がある。

「どうして、あの子なの。私じゃないのよ」

それは、明らかに摩美の声とは違っていた。

慌ててベッドに跳ね起きようとした瞬間、反対に肩を押さえられて、敦行は身動きが出来なくなった。全体重をかけて、誰かが敦行に馬乗りになっているのだ。はあはあと荒い息づかいが聞こえ、足元の方で衣擦《きぬず》れの音がする。

敦行は、夢中で相手の二の腕を摑《つか》み、自分から引き離そうとした。

「──朋子ちゃん！」

突き放すように遠ざけて、雪明かりの中に浮かび上がった顔は、異様なほどに瞳を輝かせた、朋子の青白い顔だった。彼女は、二の腕を摑まれたまま、既にボタンの外されているネルシャツの前をはだけさせ、口元に奇妙な笑みを浮かべて、冷たい手で敦行の首筋を撫《な》で始めた。

「あんな子より、私を選んで。私の方が、ずっとあなたにふさわしい」

朋子の口は、囁くようにゆっくりと動いた。敦行は背筋を冷たいものが駆け上がるのを感じ、思わず朋子の顔を見つめてしまった。そう、朋子に間違いない。ここしばらく、ひと言も声を発することが出来ず、知的な瞳だけで何かを訴えようとしていた朋子が、今、確かに口を動かして何事か囁いている。

「──朋子ちゃん。よせよ」

　さらに強く二の腕を摑むと、朋子は一瞬目を細め、逆に恐ろしいほどの力で敦行の肩に手を置き、前髪を垂らした顔を近付けてくる。

「どうしたの。酔っぱらったのか？」

　敦行は喘《あえ》ぐような声を出した。だが、朋子は何か答える代わりに、敦行の唇に自分の口を押しつけてくる。冷たい唇を感じながら、敦行は、まだ寝ぼけているのだろうかと思った。自分だって何とか力を入れているつもりなのに、とてもかないそうにない。背筋ばかりがぞくぞくと冷たく、全身を震えが駆け上っていく。

「ねえ、私の方がいいでしょう？　いいわよ。セックスだって、あの子よりも上手よ。試してみてよ、ねえ」

　完全に酔いの覚めていない頭の中がぐるぐるとまわり、敦行は思わず手の力を抜きそうになった。朋子の熱い舌が、敦行の唇を割ろうとしている。

「私を選んで、私を──」

　その時、階下から大きな笑い声が起きた。敦行はこれが夢などではないことを悟った。冗談ではない。何ということなのだ。

「忘れられなくしてあげるから。私の方が、絶対にいいんだから」

朋子が熱い息と共に耳元で囁いた瞬間、敦行は思わず全身の力を込めて朋子を突き飛ばし、その勢いで自分も跳ね起きた。朋子はベッドから落ち、尻《しり》もちをついたままの姿勢で敦行を睨みつけている。敦行は息を切らしながら、雪明かりの中で瞳ばかりを光らせている朋子を見下ろした。

「やめろよ、なに、やってんだよ」

敦行は囁き声のまま鋭く言うと、急いでベッドから降り、いつの間にか下ろされていたズボンのファスナーを上げ、引き出されていたシャツの裾をベルトの下にねじ込んだ。

「冗談にしたって、たちが悪いよ」

「——どうして、私じゃないの。どうして、あの子の方がいいの？　あんな、べたべたと甘えるだけの子の、どこがいいっていうの？」

朋子はあられもない姿のまま、目に涙を浮かべて敦行を見上げている。

「しっかりしろよ。皆が下にいるんだぞ」

「関係ないわ！　そんなこと、関係ないわよ！」

急に朋子が大声を上げた。そして次には、床に手をつき、身体を震わせながら、絶叫に近い声を上げて泣き始めた。その途端、階下のざわめきが止《や》み、続いて階段を駆け上がる音が聞こえてきた。敦行は急いでベッド・カバーを引きはがすと、胸元をはだけている朋子をくるんだ。

「朋子――声、出たの」

扉を開く音がして、最初に顔を出したのは摩美だった。続いて壁ぎわのスイッチが押され、室内に人工の明かりが広がった。敦行は眼球の奥に鈍い痛みを感じながら、片手で朋子をくるんだまま、摩美を見上げた。

「今、喋《しゃべ》ってたでしょう？　朋子の声だったでしょう？　ね、話したのね？」

敦行は、何をどう説明して良いものかも分からないまま、ただ頷いて見せた。頭の中が混乱している。そう、確かに朋子は話した。初めて、そのことに考えがいった。

「ねえ、朋子――」

「苦しかった――苦しかったよ！」

朋子が再び叫んだ。摩美が走り寄ってきて、敦行の反対側から朋子を抱きしめる。

「話せたわ！　朋子、話せたじゃない。治ったのよ！」

階下から次々に足音が響いてきて、気が付けば狭い寝室に八人全員が揃ってしまっていた。敦行は、ふらつく頭で朋子から離れ、やっとの思いでベッドに腰を下ろした。言い様のない恐怖とも、驚きともつかない感覚で頭が混乱している。心臓だって未《いま》だに、早鐘のように打っていた。摩美に抱きしめられて、朋子は、ひたすら声を上げて泣いているばかりだ。

「あっくん――どうやって、声を出させたの」

摩美は感激のあまり自分まで涙を浮かべている。敦行は、ただ首を傾《かし》げて見せ、それから思わず頭を抱えてしまった。気の利《き》いたことを言ってやりたいのに、嘘《うそ》がつけない。動揺が激し過ぎる。

「目が覚めたら、朋子ちゃんが、いたんだ――何が、何だか――」

「寝室を、まちがえたの。それで、私、びっくりしちゃって」

だが、敦行が事実を暴露するよりも早く、朋子が盛んにしゃくりあげながら、声をつまらせて説明をした。すると何を思ったのか、敦行の友人の島田がぱちぱちと手を叩《たた》いた。やがて、一人、二人と手を叩き始めて、室内には拍手の音が満ち、朋子は摩美と他の女の子に支えられてやっと立ち上がった。敦行は、ぞくぞくとした悪寒《おかん》を感じながら、抱き合って泣いている朋子と摩美を見ているより他になかった。混乱していた頭が少しずつ落ち着いてくる。

――あの女。あの女。

夢ではなかった。あの、いつも知的で落ち着いている朋子が、こともあろうに親友の婚約者に乗りかかってきたのだ。摩美でなく、自分を選べと言って。目の前が真っ暗になる思いだった。耳元で、「どうして」と囁かれた時の感触が生々しく残っていて、思わず何度も耳をこすってしまった。朋子の肩を抱いて行く摩美の後ろ姿が、あまりにも哀れに見える。けれど、果たして本当のことを摩美に言って良いものかどうかが、敦行には分からなかった。

何しろ二人は親友だ。自分に嫉妬して言葉を失ったかも知れないと分かっていながら、摩美は朋子のすべてを受け入れようとしている。そんな健気《けなげ》な彼女に、本当のことなど言えるはずがなかった。それに、今夜は朋子も飲んでいた。そう、酔った勢いとは考えられないか。あれこれと考えた挙げ句、結局悪い夢を見たことにしようと思った。そうするより仕方がなかった。

4

「摩美さん、敦行さん、本日は本当におめでとうございます。お二人が今日この場で結ばれたことを、心からお祝い申し上げます。私は、摩美さんとは大学時代からいつも一緒でした。私たちのグループの中でもいちばん子どもっぽくて、甘えん坊だった摩美が、誰よりも先にお嫁さんになっちゃうなんて、何だか不思議な気がします。それも、こんなに素敵な旦那《だんな》さまを、一体いつの間に見つけたのかと思うくらいです。

今日は、この場をお借りして、皆さまに是非ともお聞きいただきたいことがあります。何しろ、摩美と敦行さんは私の生命《いのち》の恩人といってもいいくらいの方々なんです。

これは、本当に私の個人的なことになってしまうんですが、実は私は昨年からちょっとした病気になりまして、言葉が出なくなってしまったんです。お医者さまに行っても治りませんし、原因もよく分かりませんでした。そのため、私は勤めておりました会社を辞めて、自宅療養しなければならないことになりました。

それが、今年のお正月に突然治ったんです。ええ、本当に、突然に。

まるで奇跡でした。それまで、どんなに話したいと思っても、声も出ないし、唇も舌も、まるで思うように動かなかったのに、それまでの三カ月間が嘘のように、私はこれまでと変わらず話せるようになったのです——ありがとうございます——こうして今、皆さまの前で、祝辞を述べさせていただけるのは、あの時、私を旅行に誘ってくださった摩美と敦行さんのお陰です。本当にありがとう。この場をお借りしまして、お二人に心から感謝したいと思います。

話せない、という状態から救われた私は、これからはもう二度と無理をせず、正直に自分の心を訴えていこうと心に誓いました。それが、私の恩人であるお二人への一番の恩返しであると思いましたし、私自身も、もう二度とあんな思いはしたくないと思いますから。

ああ、今日は敦行さんと摩美のお祝いの席なのに、自分のことばかり話してしまって、すみませんでした。さて、では、大親友である上に、私の生命の恩人でもある摩美さんのお話を、少しさせていただきたいと思います。

摩美と知り合ったのは、私たちが大学に入って間もなくの頃でした。最初は、顔見知り程度だったのですが、五月頃でしたか、友達と数人でディスコに行って、見知らぬ大学生にナンパされた彼女が、その後で妊娠したことが分かって、カンパを頼まれたのが、親しくなったきっかけでした。病院を探したり、相手の男の子を探したりと、私は方々を駆け回ったのを覚えています。

何しろ、摩美という子は、無防備というかあっけらかんとしているところがありますから、ディスコに通っているという話を聞いた時に、いつかはそんなことになるのではないかと私は思っていたんです。でも、本当は彼女は、そのディスコの店員の男の子に憧《あこが》れていたらしいんですが、そっちの方も二、三回遊ばれて、終わってしまったみたいですね。

それ以来、彼女はもう数えきれないほど、わけの分からない男にひっかかっては、だまされたり捨てられたりして、その度に私に泣きついてきました。私は、その都度摩美の愚痴を聞き、そんな馬鹿《ばか》な真似《まね》はそろそろおやめなさいと、何度となく言ったものです——あ、待って。まだ話したいことがあるんですから！

大体、彼女は男関係だけでなく、勉強でもお金のことでも、すべてにおいてだらしないところがあって、私はいつでも尻拭《しりぬぐ》いをさせられてきたんです。でも、彼女は自分のことをモテると信じて、かなりおめでたく自惚《うぬぼ》れてるところがありますから——話させてったら！　何するのよ！

いいですか、皆さん。この子にだまされた敦行さんは、本当に大馬鹿だと思います。最初の頃こそ、私は敦行さんも、また適当なところで摩美のことを見抜いて、ぽいと捨てるに違いないと思っていたのに——やめて！　私に触らないでっ！——この子の、頼りなさそうな、ほら、今みたいに震えてる、そういう雰囲気にだまされて、そうよ、私だってだまされてたみたいなものなんだから。都合のいい時ばっかり人に泣きついてきて、いざとなったら『余計なことは言わないでよ』ですって。このスピーチを頼まれた時に、摩美は私にそう言ったんだからっ！

はははは、敦行さんは大馬鹿よ、私を選んでおけば、あの時、考え直すことだって出来たのに、私は、チャンスを与えてあげたのよ。二人揃って、大馬鹿だわ！――痛いってば、放して――馬鹿野郎っ、あんたたちなんか、大っ嫌い！」

留守番電話

1

おふくろを東京駅で見送り、寮に戻ると、管理人の親父《おやじ》が小さな窓から顔を出した。

「荷物が届いてるよ。ドアの脇《わき》に置いといてもらったけど、一人で運ぶのが大変なようだったら、手伝うからね」

おふくろの付け届けが効いたのか、だいぶ頭が禿《は》げてきている管理人の親父は、目《め》尻《じり》に深い皺《しわ》を何本も寄せて、やたらと愛想の良い笑顔で言う。康裕《やすひろ》は「大丈夫です」と答えると、親父の丸い頭に軽く会釈《えしゃく》をして、エレベーターのボタンを押した。

会社の寮とはいっても、そこは普通のマンションと変わりがなかった。建物に入るのには暗証番号が必要だったし、全《すべ》て個室の部屋にはカード・キーで入るようになっている。

マンションと違うところといえば、電磁調理器と冷蔵庫、エアコン、それに収納タイプのベッドが、あらかじめ完備されていることだった。洗濯機は、各部屋には置かれていない代わりに、屋上にランドリー・ルームが用意されている。

「へえっ、大したもんだ。料理も電気でするなんて、ねえ」

引越しを手伝う為《ため》に一緒に上京したおふくろは、その設備に目をみはり、何度も同じ言葉を繰り返していた。息子が大学に行かれないことを、親の責任と感じていたらしいおふくろだったが、この寮を見て、少しは安心した様子だった。

「社員を大切に思ってくれてる証拠だよ。いい会社に就職できて、良かったねえ」

母は、そんなことも言っていた。康裕にしても、実家の自分の部屋よりも、よほど立派な寮で都会暮らしを始められることは、大きな励みになることだった。

エレベーターを三階で降りると、長い通路の途中に、段ボールの箱が山積みになっているのが見えた。昨日、おふくろに買い揃《そろ》えてもらった電気製品が届いたのだ。

かなり重い荷物もあったけれど、それから康裕は一人でそれらの段ボールを部屋に運び込んだ。全てを運び終える頃にはすっかり汗ばんでいた。それでも休まずに、今度は箱を順番に開けていく。テレビデオにCDラジカセ、ドライヤー、アイロンとズボン・プレッサー、スタンドにデジタル時計と、次々と真新しい品が顔を出した。寮には食堂もあったから、平日は朝食も夕食も用意してもらえるのだが、おふくろは休日や夜食の為に、オーブン・トースターと炊飯器も買ってくれた。

みるみるうちに、段ボール以外にも、ビニール袋や発泡スチロール、粘着テープなどのゴミが溢《あふ》れていく。新製品とゴミの山に埋もれ、とりあえず、買った物は全て届いていることを確認したところで、康裕は、まだ開けられていない箱が一つ残っているのに気付いた。康裕はあれ、と思った。パッケージには、梱包《こんぽう》されているはずの電話機の絵が描かれている。それは、留守番機能付きの電話だった。

「何だよ、よその荷物もうちに置いてっちゃったのかな」

康裕は、小さく舌打ちをしながら、あまり大きくはない箱を持ち上げた。

もちろん、康裕だって個人の電話を引きたかった。だが、そこまでは親に頼る気になれず、我慢したのだ。公衆電話は設置されているのだし、管理人が呼び出しにも応じてくれるから、さしあたって急ぐ必要はない。だから、初めてのボーナスをもらったら、自力で電話は引くつもりになっていた。

確か、配達用の伝票が何かの段ボールに貼《は》り付けてあったことを思い出し、康裕はゴミの山をひっくり返し始めた。

ようやくテレビデオの箱に貼りつけてあった伝票を見つけ出し、複写式伝票の、水色の文字でずらずらと列記されている品物の名前を改めて見てみる。一番下に、確かに電話機と書き込まれているのを発見して、康裕は、少しの間口を尖《とが》らせて、伝票を見つめていたが、やがて、その一番下に「代済み」という赤いスタンプが押されているのに気が付いた。

――つまり、もう金は払ってあるっていうことか？

伝票にそう記されているのなら、文句のつけようはない。この電話機は、間違いなく康裕が買ったことになっているのだ。

康裕はゴミの中にひっくり返ってしばらく伝票を眺めていたが、やがて、勢いをつけて起き上がると、電話機の箱をどかして、他の段ボールや発泡スチロールをまとめ始めた。動きながら、頭の中を整理した。「代済み」になっているということは、改めて請求される心配はないということだ。つまり、康裕さえ黙っていれば、この電話は康裕の物になってしまうということだ。

――いいよな。ラッキーだと思おう。

結局、そう結論を下すことにした。欲しくてたまらなかった物が向こうから飛び込んできたのに、それをむざむざ返す必要など、ないではないかと思った。

「部屋に電話を引く時は、どうしたらいいんですか」

山のように出たゴミを出しに行き、ついでに管理人に聞くと、親父は相変わらず愛想の良い顔で康裕を見る。

「線は引けてるから、工事の必要はないからね。電話局に申し込むだけで大丈夫だよ。何だったら、私が明日にでも電話して、申し込んで——」

「あ、まだ、まだ、いいです。ボーナスもらったら、引こうと思って」

思わず「電話機だけは買ったンすけどね」という言葉が出た。言いながら、一瞬顔が赤くなったのが分かった。多少、気がとがめる気もする。「気が早いことだね」と言われて、康裕は曖昧《あいまい》に笑いながら部屋に戻った。他の荷物は全て片づいて、床の上には、電話だけが箱に入ったままで置かれている。

「いいんだ。もう、俺の物なんだから」

康裕は、埃《ほこり》だらけになった手を丁寧に洗ってから床にあぐらをかき、そっと箱を開け始めた。中には、電話機本体、受話器、コード類などが全て分解されて入っている。説明書を見ながら、その一つ一つをつなげ、付属されていたマイクロカセットテープと単4乾電池をセットすると、すぐに使用可能な状態の電話が出来上がった。ダーク・グレーのボディに、大きめのドロップみたいなプッシュ・ボタンの並んだ、おしゃれなデザインの電話だ。

——すぐに使えたらなあ。

せめて、体裁だけでも整えたいと思って、康裕はコードも電話機にセットして、玄関の脇に見つけた電話用のジャックにも、コードの反対側をかちり、とセットした。

その途端、電話が鳴った。

心臓が飛び上がる程驚いた。康裕は全身を強張《こわば》らせてるる、という軽快な音で鳴る電話機を見つめていた。

五回、十回、とベルは鳴り続ける。思わず受話器を取ろうかと思うが、自分に向けてかかってきている電話ではないことだけは確かだと考えると、手が出せない。やがて、二十回も鳴ったところで、今度は急に「ピンポーン」というチャイムが鳴った。

「ただいま、留守にしております。また後でおかけなおし下さい」

女の人のきれいな声が勝手に流れて、電話はそのまま切れた。

——すっげえ。

康裕の実家の電話は、昔ながらの「ジーコン、ジーコン」の電話だった。その音に慣れてしまっていたが、新しい電話はベルの音からして、まるで違う。まだどきどきしながら、改めて静かになった電話の受話器をそっと外してみる。ツーという音が聞こえていた。

——使えるんじゃないか。

康裕は、軽くて華奢《きやしや》な受話器を眺め、微《かす》かに息を吐いた。

この回線は生きている。

つまり、以前にこの部屋を使っていた人が、まだ電話番号をそのままにしてある、ということだ。普通は転居と同時に電話も移動するはずだから、何かの理由があるのかもしれない。のんきな話だとは思うが、どっちみち、康裕はすぐに電話を引けないのだから、急に困るということでもなかった。初めてのボーナスをもらって、康裕がいよいよ電話を申し込もうという時になって、それでも状況が変わらなかったら、その時に管理人に言えば良いだろう、と康裕は考えた。

それに、康裕自身は電話番号も分からないのに、勝手に真新しい電話が鳴るなんて、何だか面白いことだった。康裕の方からどこかにかければ、料金は回線の持ち主である誰かに請求されてしまうが、勝手にかかってくるだけならば、誰も困らない。

康裕は、それから電話機の説明書を丁寧に読んだ。その結果、留守番機能をセットする時、自分の声ではなく、電話機本体にあらかじめ仕込まれているテープを流すようにも出来ることが分かった。それならば、電話をかけてきた相手は、康裕の元にかけているとも分からずに、何かを吹き込んでくれるかも知れない。

「電話番号が分かったら、おふくろにも教えておいてやるんだけどな――」

思わずそんなことを考えて、康裕は慌《あわ》ててその考えを打ち消した。誰のものとも分からない番号を、たとえ受信専用にしても無断で拝借しているなどとおふくろが知ったら、急いで電話を引けと言うに決まっている。そうなれば、突っ張って母親の申し出を断わった康裕のめんつが丸つぶれだった。

「少しの間だけ、なんだから」

そう思った時、再び電話が鳴った。

康裕は、緊張しながら電話を見つめていた。今度は四回鳴ったところで「ピンポーン」とチャイムが聞こえた。

「ただ今留守にしております。ピーッという発信音の後にメッセージをお入れください」

女の人の声が流れ、勝手にテープが回り出す。康裕は、固唾《かたず》を呑《の》みながら、全神経を耳に集中させた。

消え入るような小さな声が「やっぱり……」と囁《ささや》いた。それだけで、すぐにがちゃり、と受話器を置く音がした。

「――いろんなことがあるなあ、東京の夜」

康裕は、半ば呆気《あっけ》に取られながら、電話機を見つめていた。

取りあえず、自分の電話が引けるまでは、ずっと留守番電話にしておくことに決め、康裕は、今度は他の製品の接続に取り掛かった。

2

翌週の月曜日は入社式だった。康裕の、新社会人としての日々が始まった。どこへ行っても米つきバッタのように頭を下げ、右も左も分からない状態で、康裕は、ひたすら緊張しまくって毎日を過ごし始めた。

ことり、ともいわないままの電話にメッセージが入っていたのは、入社して十日も過ぎた日の夜のことだ。康裕は、特別に何の期待も抱かずに電話に目をやり、メッセージが入っていることを知らせるランプが点灯していることに気付くと、どきどきしながら「再生」のボタンを押した。

「私です。帰ってたんですね。電話、して。待ってます」

たったそれだけのメッセージだった。まだまだ締め慣れないネクタイを緩めながら、康裕はその声を聞いた。誰が誰に向けている伝言かも分からない。けれど、一人で暮らし始めた部屋で、初めて聞く自分以外の声は、不思議なくらいに柔らかく心に染《し》み込んでいった。

「だけど、待ってますって言われたってなあ」

放っておくより仕方がないことは分かっている。けれど、一人で帰宅して、自分に向けてではないにしても、誰かの、しかも女性からのメッセージが入っているのは、秘《ひそ》かな楽しみになった。

――悪く思わないでください。

見知らぬ声の主に心の中で手をあわせながら、康裕は、その声を何度も繰り返して聞いた。若い女の人らしい声だ。頼りない感じの、不安そうな声だった。

――俺にかかってきたんだったらなぁ。

寝るまでに、五回も六回も同じテープを聞いて、声の主のことをあれこれと想像しながら、康裕は眠りに落ちていった。

毎日が飛ぶように過ぎて行く。

康裕は、隣の席の中根《なかね》という女子社員から「のんちゃん」というあだ名をつけられた。野村《のむら》という名字からつけたらしいが、元々小柄で色の白い康裕を、先輩の女子社員は「可愛《かわい》い」と笑った。すっかり大人の女性に見える彼女達に「可愛い」などと言われるのは、少しくすぐったくて、そう嫌な気分のものではなかった。だが、名付け親でもある、隣の中根さんに「のんちゃん」と呼ばれる時だけは、実はあまり嬉《うれ》しくなかった。彼女は康裕よりも一年先輩ではあったけれど、まん丸い顔をした、いかにも田舎臭い雰囲気の人だった。世話好きなところがあるらしく、必要以上に細々と、康裕に仕事を教えてくれる。

「あらあら、のんちゃん。駄目ねえ、もう」

「どれ、貸してごらんなさい、のんちゃん」

「あ、違うのよ、そこは。いい？　よく見ててね、のんちゃん」

彼女は、ことあるごとにそんな言い方をし、康裕をまるで小さな子どものように扱った。もう少し年をとったら、完全に漫画に出て来るような太ったおばさんになりそうな彼女の横顔を眺めながら、康裕はどうせならもう少しきれいな人の隣に座りたかったと思った。

「中根さんって、お母さんみたいだな」

ある日、半分皮肉のつもりもあって、思わず言うと、中根さんは、奥歯が見えるくらいに思いきり口を開いて豪快に笑った。

「のんちゃんって、マザコンなの？」

「ち、ちがいますよっ」

康裕は、中根さんの豪快な笑い声を浴びながら、耳まで赤くなってしまった。悪い人ではないのだろうが、デリカシーのかけらも感じられない、こういうタイプの女は嫌いだ。

「のんちゃん、掃除とか洗濯とか、ちゃんと出来てるの？」

中根さんは、かすかに鼻を鳴らしながら、愉快そうな顔で康裕を見る。その、小さく奥まった瞳《ひとみ》が、ちらりと光るのを見て、康裕は、一瞬中根さんが自分に特別な思いでも抱いているのではないかと思った。下手なことを答えて「じゃあ、私が行ってあげようか」などと言われてはたまらない。

「俺、きれい好きだし、洗濯は寮のランドリーで、せっせとやってますからね」

多少早口になりながら康裕が応《こた》えると、中根さんの小さな目は一瞬精いっぱい見開かれる。

「ランドリーって、のんちゃんの寮――」

「世田谷寮ですよ。あそこ、そういう設備がちゃんとしてるから」

「ああ、世田谷寮なの」

中根さんは、そこでようやく納得した顔になり、机に視線を戻した。康裕は、ほっとしながら、自分も書類に目を戻した。

「あそこの寮って、最新設備が整ってるんですってね。関係者以外は、絶対に入れないようになってるんでしょう?」

けれど、中根さんは手は休めないままでも、口だけは動かし続ける。康裕は、これで必要以上におせっかいを焼かれることはなくなっただろうと思ったから、安心して頷《うなず》いた。

「絶対っていうことはないんじゃないかな」

「あら、どうして?」

「非常階段があるじゃないですか。屋上に洗濯もの干せるところがあるんですけどね、夜中に洗濯して屋上に干す人とか、結構いるみたいだから、屋上から中に入るドアは、ほとんど戸締まりしないんですよ」

書類に目を落としながら何気なく答えて、ふと顔を上げれば、中根さんは目を丸くして康裕を見つめていた。

「じゃあ、案外簡単に入れちゃうの?」

康裕は思わず苦笑した。

「男ばっかりの寮に忍び込む奴《やつ》なんか、そういませんよ。建物には入れても、部屋には簡単に入れないんだし」

中根さんは、そこでため息をついた。

「それで、のんちゃんは、そのルートでそのうち彼女でも連れ込もうとしてるのかな？」

「ち、ちがいますってばっ！」

康裕が再び赤面すると、中根さんはさも愉快そうにころころと笑った。

電話のメッセージは、週に一、二度の割合で入っていた。

「まだ帰ってないとばかり思ってたのよ。急に留守番電話に変わったから、それで分かったわ」

ある夜、そういうテープが流れた時には、さすがに胸が痛んだ。

「とにかく、電話をください。お願い」

メッセージは常に短かかった。時には後ろから何かの雑音が聞こえることもある。けれど、康裕が彼女を探す手がかりになるようなことは、一つもない。夜、康裕がいる時に電話をくれれば、本当のことを話してやることも出来るのにと思うと、康裕は彼女が哀れに思えてならなくなった。細面で色の白い、ふわりとした髪の女性が、受話器に向かってため息をついている様が思い浮かぶ。

「しつこくするつもりはないの、でも、一度だけでいいから、電話を下さい」

いつしか、康裕は彼女の空想を楽しむようになった。何とかして、彼女と会ってみたいとさえ考えるようになった。どのみち、彼女の恋は既に破れているのだ。

管理人からそれとなく聞き出したところでは、康裕の前に、この部屋を使っていた人物は、結婚するので、この寮を出たという話だった。康裕のいる本社ではなく、支社勤務の人だったが、三カ月程海外に出張しており、帰国したと思ったらすぐに挙式して、今は品川の工場勤務になっているはずだという。

——つまり、彼女は捨てられたんだ。何も知らないままで。

数え切れない程の人間がひしめく大都会で、一つの愛が一方的に断ち切られてしまっている。都会の人は、皆が無表情に見えるけれど、実際は、どんな人生を背負っているか分からないのだ。そう考えると、つくづく自分が大人の世界に入ったのだという気になる。

「ため息なんかついて。五月病かな?」

その日、仕事中にも彼女のことを考えてしまい、ついぼんやりとしていると、中根さんが「にたり」とした感じの笑顔を向けて来た。顎《あご》の下の肉にくっきりと線が入って、小さな丸い鼻の頭はぴかぴかと光っている。

「田舎に帰りたいなあ、なんて、思ってるんでしょう。あ、それとも、高校生に戻りたいとか、彼女は、どうしてるかなとか」

「違いますってば」

話し好きらしい中根さんにつかまると、康裕など、とても口ではかなわない。

「彼女が東京に来たら、屋上から部屋に連れて入っちゃおうかな、とか」

「だから、違いますって」

「大丈夫よ、内緒にしといてあげるから」

「あのねえ、中根さん」

中根さんは、仕事の手だけは休めずに、「にたり」と笑いながら横目で康裕を見ている。

「中根さん、俺――僕は」

「はあい？　ボクは、何なのかな？」

「言っときますけど、中根さん、僕だって、怒るときもあるんですからね」

「あれまあ、のんちゃんが怒るの？」

思わず中根さんのデスクの方に身を乗り出した時、課内全部に響きわたるような大きな声が聞こえた。

「おい、野村！　何度呼ばせるんだっ！」

「はっ、はいっ！」

康裕は、驚いて飛び上がった。つい夢中になっていて、係長に呼ばれているのも気付かなかったのだ。

「ちょっと来い！」

「あ、はいっ！　すいません！」

康裕は慌てて椅子《いす》を蹴飛《けと》ばし、係長の前に走った。顔から火が出るほど恥ずかしかった。

「ここは、学校じゃないんだぞ」

入社直後に、高卒だからと卑屈になるなと激励してくれた係長は、声とは裏腹に穏やかな表情で康裕を見上げている。

「中根くんのお喋《しゃべ》り程度に巻き込まれてどうする」

「──すみません」

康裕は消え入りそうな声で、それだけ言うのがやっとだった。係長は、そこでぐいと身を乗り出し、声をひそめた。

「適当に仕事して、何年かしたら、さっさと嫁にいくような女子社員とおまえとじゃあ、まるでちがうんだっていうことを、忘れるな。うん？」

そこで、係長はわずかに身体《からだ》を傾けて康裕の後ろを見やる。

「まあ、中根くんの場合は、ちょっとは時間がかかるかも知れんがな」

その言葉に、康裕はようやく息を吐き出すことが出来た。本当は、あんな女の隣の席など嫌なのだ。好きで喋っているわけではないのだと、思いきりぶつけたい言葉が喉元《のどもと》までせり上がってきた。

「ここから見てれば、分かるさ。だが、おまえの方が大人になればいいんだ」

係長は小声で言うと、おもむろに立ち上がって机を回り込み、がっちりと康裕の肩を摑《つか》んで「分かるな」と康裕の顔を覗《のぞ》き込んできた。肩から、係長の手の力強さが伝わってくる。康裕は、救われた気分で頷きながら、そのまま係長に肩を摑まれて、自分の席に戻った。隣りに、中根さんの丸い背中がある。

——ちきしょう、馬鹿《ばか》野郎。

思わず、その背中をどついてやりたい気分に駆られていると、康裕を追いかけるようにして来た係長の方が先に「ようっ」というかけ声とともに中根さんの背中を叩《たた》いた。どん、という鈍い音がして、どこかに電話をしていた中根さんは、一瞬「ぎゃっ」というような声を出した。

「何するのよ、のんちゃん！」

「俺——僕じゃないですってば」

「ほらほら、電話中だろう？」

そのときになって、ようやく中根さんの視界に係長が入ったようだった。中根さんは、ぎょっとした顔になって、急いで受話器を戻してしまった。それから、いつもの笑顔に戻る。

「もう、痛いじゃないですかあ、係長ってば」

「優しく触ってセクハラ扱いはされたくないんでね。なあ、中根くん、野村が可愛いのは分かるけど、あんまり純情な後輩をからかうなよ」

係長の言葉に、中根さんはぷうっとふくれて「私はべつに」と言い返している。康裕は、ざまあみろと思いながら、それから黙々と仕事をした。さすがに、その日は中根さんもそれ以上には康裕をからかってこなかった。

3

「中根くんも、悪い子じゃないんだよ」

「でも、たまらないですよ。あんな女のせいで、俺が係長に叱《しか》られるなんて、馬鹿みたいじゃないですか」

「そう怒るなって。係長は分かってくれてるし、あんな女からでも、見向きもされないっていうのは、また寂しいもんだぞ」

その夜は、同じ課の先輩に慰められながら、康裕は東京に来て初めて、落ち込んだ気分で寮に戻った。彼は康裕と同じ寮だったから、誘われるままに、彼の部屋でビールを飲み、やがて、どうにか「明日は頑張ろう」と思えるようになった頃には、既に十二時を回っていた。

「あーあ、ただいま」

一人の部屋に戻ると、安堵《あんど》感《かん》と寂しさの両方に包まれる。こんな時、電話できる彼女でもいればと、心の底から思う。

「つまんねえの――」

思わず独り言をもらしながらネクタイをゆるめ、何気なく電話を見ると、メッセージが入っていることを示すランプが点滅していた。三日、いや、四日ぶりに「彼女」が電話をよこしたのだ。康裕は急いで「再生」ボタンを押した。

「私です。どうして何もいってきてくれないの。あなた、そんなに私のこと――ようっ――ぎゃっ、何するのよ、のんちゃん！」

康裕は、そのおかしなテープに耳を澄まし、奇妙な気分にとらわれた。一瞬、頭がくらくらとした。

――何するのよ、のんちゃん！

彼女の声が、はっきりとそう言った。いつもの声が、その瞬間だけ違う人の声になったと思った。

「まさか――」

思わず目を何度もしばたたき、もう一度最初から聞き直してみる。心臓が異様に鼓動を速めていた。

「あなた、そんなに私のこと――ようっ――ぎゃっ、何するのよ、のんちゃん！――俺――僕じゃないですってば」

喉の奥がからからになってきた。最後の小さな声は、康裕の声に違いない。まだ心臓が高鳴っている。狐《きつね》につままれたような気分で、康裕は混乱した頭を必死で整理しようとした。今日の午後の出来事が、こんなテープで再現されているなんて、どうしてそんなことがあり得るのだろうか。

あの時、確かに中根さんは電話に向かって丸い背中を屈《かが》めていた――。

急にビールの酔いが回ってきたようだった。自分の部屋の他人の留守番電話に、康裕の不愉快な記憶が入っている。

急に膝《ひざ》の力が抜けて、康裕はスーツのままで、電話の前に座りこんでしまった。色白、細面、髪の長い彼女のイメージが大きく崩れ、もはや思い浮かべようとしても思い浮かばない。頭の中では中根さんの豪快な笑い声ばかりが響いている。

ひょっとしたら、中根さん以外の女子社員だったのではないかと思う。いや、そう思いたい。けれど、何度思い返しても、あの時、女子社員でデスクに残っていたのは、確かに中根さんだけだった。

「マジかよ――」

思わず、深いため息が出た。普段あれだけ元気に見える彼女に、そんな隠された部分があったのかと思うと、毎日見ている中根さんが、実はまったくの別人なのではないかという気がしてきた。それとも、ああしていつも明るく振る舞っているのは、心の中の様々な不安をごまかそうとする為のものだったのだろうか。そう考えると、丸い背中の中根さんが、急にいじらしくも思えてくる。確か、中根さんも寮に入っていると言っていた。だから、周囲のことも考えて、彼女はいつも昼間に電話をしていたのかもしれない。

「明日から、どんな顔で彼女に会えばいいいんだ」

けれど、か細い声で、すがるように電話をかけ続けていた相手が康裕だったとは、彼女だって知っているはずはないのだ。

「言うわけにいかないもんなあ。言ったら、プライド傷つくし——もう、仕事中ににやってんだよ、あの女は」

カーペットの床に寝ころび、思わず大きなため息を吐《つ》いた時、電話のベルが鳴り出した。康裕は、慌てて起き上がって電話を見つめた。電話は四回鳴った後で、勝手に留守番電話のテープが流れ出す。

「——だましたのね」

康裕は、心臓が締めつけられそうな気分で、息を殺してその声を聞いていた。

「何もかも、嘘《うそ》だったのね。どういうからくりか知らないけど、あなた、そこまでして私をだます理由があったの?」

喉はからからに渇いて、はり付きそうになっている。必死で唾《つば》を飲み下す音が、耳の中で大きく響いた。そういえば、中根さんの声に聞こえないこともなかった。昼間、職場から電話をしているときには声を殺しているから、余計に他の人の声に聞こえたのだろう。

「これまでだって、私はずいぶんあなたの嘘に我慢してきた。でも、こんなのって、ひどすぎる。何回、私をだましたら気が済むの。今度ばかりは――」

中根さんは、いつもの彼女とは別人のような、暗い、沈んだ声を出していた。感情的になりそうなのを、必死で堪《こら》えているらしい。

耳の中でごうごうと血の流れる音を聞きながら、康裕は身体を丸めて頭を抱えていた。少しして、思い切って本当のことを言ってしまおうと決心したときには、電話はとうに切れていた。

「――何てこった」

床にあぐらをかいたまま、康裕はがっくりと全身の力が抜けるのを感じた。あの中根さんが、あんなにも必死の声で訴えなければならない相手の男が恨めしく思えてくる。屈託なく笑っているのが似合うあの人を、あんなにも追いつめた男が、憎かった。

4

翌日、中根さんは会社を休んだ。

風邪を引いたという電話を最初に受けたのは、康裕本人だった。電話を取るなり、十円玉の落ちるブーッという音がした。寮に住む中根さんは、康裕と同様、部屋には電話を引いていないらしいということを、康裕はその時に知った。

「すみません、寝冷えかな、ふふ」

——無理に笑っている。

いつもよりも幾分沈んだ声は、たびたび康裕に電話を寄越していた、あの声に間違いなかった。

鉛でも詰められたみたいに、拭《ぬぐ》いようのない憂鬱《ゆううつ》が康裕の全身に広がっていた。こんな気持ちになったのは、生まれて初めてのことだった。昨夜の、中根さんの声が耳の中で響いている。「だましたのね」という言葉が、何度も繰り返して聞こえた。

——俺に向かって言ったんじゃない。

けれど、康裕も中根さんをだましたことになる。元はといえば、康裕がただで手に入れた電話をつなげてしまったところから、こんなことになったのだ。康裕が電話をつなぎさえしなければ、中根さんは今でも彼を思い続けていられただろう。だまされているとも知らずに。

——電話を切ってもらおう。

試しにつなげてみたら、回線が生きているようだがと、管理人に言えば良い。管理人は、すぐに元の部屋の住人に連絡をして、回線を切らせてくれるだろう。そうなれば、康裕は留守番電話から解放される。幻の女性の面影からも、中根さんの恨めしい思いからも。

そこまで考えるとようやく気分が軽くなった。元々、他人のことなのだから、康裕が関わる必要も、悩む必要もないことだった。面倒に巻き込まれるのは御免だった。

その晩、少しだけ残業をして、同期の連中と夕食を共にしてから、康裕は寮に戻った。管理人の親父は、もう仕事を終えていたが、康裕が管理人室のチャイムを鳴らすと、パジャマ姿で顔を出した。

「ああ、あの人はさ、何しろ、逆玉《ぎゃくたま》だったってぇ話だからさ、大方新居の準備は、全部嫁さん側がやったんだろうよ。それで、忘れちゃってるんじゃないかね」

康裕が電話のことを言うと、管理人は多少酒臭い息を吐きかけながら、てらてらと光る顔でそう言った。明日には、本人なりNTTなりに連絡をしておくと約束をしてもらって、康裕はようやく安心した。

自分の部屋に戻る前に、一つ下の階の先輩の部屋を訪ねて、手土産のビールを飲みながら雑談をして過ごし、十二時を回った頃に引き上げた。部屋に戻り、つい習慣で真っ先に留守番電話を見ると、メッセージが入っている時に点滅するランプは、今日も一つのメッセージが入っていることを示している。

康裕は、ビールのおかげで気だるく感じられる頭をゆっくりと振って、ため息をついた。

「駄目だよ。いくらここに電話してきたって」

また、いつもと同じように、未練がましい言葉が細い声で入っているに違いない。正体が分かってしまった今となっては、聞く気にもなれなかった。あの中根さんが、じくじくと涙でも浮かべながら、受話器に向かって背中を丸めている姿など、考えたくもない。

――けれど、明日からはそんな電話でさえ、かかってはこなくなる。

そう考えると、少し寂しい気もする。康裕は、少しの間、留守番電話の点滅するランプを眺め、それからのろのろとした動作で「再生」のボタンを押した。

「少々お待ちください」

例の、女の人のきれいな声が聞こえて、テープが巻き戻され始める。その時、ドアをノックする音がした。

階下の先輩が、さっき話題にのぼったビデオを持ってきてくれたに違いなかった。康裕は電話のそばを離れ、ドアを開けた。ほんの少しの隙間《すきま》が出来たその途端、腹に熱いものが当たった。康裕は、とっさに息が止まり、目が宙を見つめたまま、動かなくなった。それから急に膝の力が抜けて、ずるずると身体が沈みこんでいく。

「うそつきっ！　うそつきっ！」

たった今まで、軽い酔いで、全身が生温くふわふわと感じられていたのに、一瞬のうちに、その身体中を、血液が逆流したみたいな気がした。

身体が沈むにつれ、ほとんど惰性のような力で、ドアが一杯に開いていく。風の吹き抜ける、暗い通路にきんきんとした声が響いた。

「だましたのねっ！　私を、だましたんだ！」

もう一度、今度は背中に、熱い衝撃が加わった。

「何が出張なのよ！　何が、二人の将来のことを考えようなのよ！　あなたの言ったことなんか、全部嘘だったんじゃないの！」

康裕は、ワイシャツが温かく濡《ぬ》れ始めているのを感じながら、やっとの思いで顔を上げた。目の前を黒い星が飛んでいる。その向こうに、山のように大きな影がそびえて見えた。

「な――」

目を大きく見開き、吹き抜ける風に髪を乱した中根さんが、硬直したようにこちらを見下ろしている。

「俺、ちがいますってば——」

　膝が、三和土《たたき》のタイルに当たった。やっとの思いでそれだけを言った時、背後から、

「1、件、です」というアナウンスに続いて、ピーッという音が聞こえた。

「ええ、以前、その部屋を使っていたものです。細かいことは、後で説明しますが、ええ、ちょっと、御迷惑をおかけすることになるかもしれません。ええ、そう心配はいらないと思いますが、ええ、電話のことは、早急に手続きをしますので、ええ、しばらくの間は、お宅の電話を、ええ、はずしておいていただきたいんですが——ええ——そういうことは、ないとは思うんですが、一応、戸締まりに——」

　かちん、という音がして、康裕の目の前に、血で汚れた包丁が落とされた。ついで、鋭い悲鳴が、風と一緒に暗い通路を吹き抜けた。その向こうには、ほのかに甘い花の香りを漂わせ、東京の夜が広がっていた。

青空

そもそも、自分が子ども好きだなどと思い込んでいたのが、間違いの始まりだった。早苗《さなえ》は心の中で舌打ちしながらつくづく思った。そうだ、本当に、子ども好きだなど思い込んでいたからいけないのだ。

目の前には果てしない青空が広がっている。

こんなふうに空を見上げ、雲の形から何かを想像するなど、何年ぶりのことだろうか。見れば見るほど空は広く、青かった。美しいと思った。白い雲がぽかり、ぽかりと浮かんで、そのうちの一つが馬の形に見えた。目尻《めじり》から涙がこぼれて落ちた。だが、その涙の温《ぬく》もりさえも、もはや感じられなくなってしまった。やがて、空は徐々に暗くなり、その青さは永遠に見られなくなることだろう。

＊

太田《おおた》早苗は平凡な娘だった。幼い頃からクラスでも目立たない存在だったし、成績がそれほど良かったというのでもない。一人っ子のせいか、多少わがままで臆病《おくびょう》なところがあったが、それでも友達だけは大切にした。何よりも、一人になるのが恐ろしかったのだ。友人を失わないために、孤立しないために、早苗はいつでも彼女達に自分を合わせる癖がついていた。ことに中学時代からずっと仲良しだったかおると幸子《ゆきこ》は高校も一緒で、いつでも仲良しのトリオになっていた。

だが、やがて高校で進路指導が始まった時、早苗は何年間も笑いあって過ごしてきた友人達が、もう既にそれぞれの進路を考えていることを知って驚いた。

「ずるいよ、皆そんなこと考えてるって一度も私に言わなかったじゃない」

早苗はすっかりうろたえ、慌《あわ》ててかおると幸子を責める口振りになった。すると中学時代からの二人の親友は少し驚いた顔をした後で互いに顔を見合わせ、それから呆《あき》れたようにこちらを見た。

「だって、高校出てからどうするかなんて、人それぞれに違うんだし」

「皆、今のままでいられるわけじゃないんだから」

その台詞《せりふ》は、早苗にはあまりにも残酷に響いた。信頼しきって、これからもずっと仲良しで、互いに笑いながら過ごしていかれると思っていた相手に裏切られたのだと感じた。彼女達はいつの間にか、早苗がそれまで考えたこともなかった世界に目を向け、早苗に内緒で、さっさと大人として生きていくために必要なものをごく自然に身につけていたのだ。

ふと耳をすませば、かおるや幸子だけでなくクラスのあちこちで、将来の夢やどこかの学校の受験科目の話がやりとりされている。

いけない、何とかして置いてけぼりを食わないようにしなくては。早苗は焦《あせ》り、受験の雑誌を買い漁《あさ》って、手当たり次第に大人になるための手続きの仕方を探した。

かおるの真似《まね》をして自分も普通のＯＬへの道を歩もうかとも思う。だが、すっかり置いてけぼりを食わされた形になっていて、今更真似をしたと思われたくないという気持ちがある。それに、かおる達は英文科に進むつもりらしいが、早苗は科目の中で英語が一番嫌いだったから、どう考えても彼女達の真似は出来ない。早苗は焦り、生まれて初めて苦しいくらいに悩まなければならなくなった。

そんな時、担任の教師が面接の折に、短大の保育科ならば推薦で入学出来る学校があると教えてくれた。

「子どもは嫌いじゃないでしょう?」

女の担任は柔らかい表情で、早苗の性格は保育科に向いていると思うと言った。早苗は、担任が向いていると言うのならば、それはそうなのだろうと考えた。それに、その学校ならば推薦状と簡単な作文を書くだけで入学出来るという。担任の口から無試験という言葉を聞いた時に早苗の気持ちは決まった。焦っていた気持ちがいっぺんで落ち着いた。そう、子どもが好きなのだから、保育科に行けば良い。

やがて、いつの間にか早苗は自分の意志で保育科に進むことにしたのだと思い込んでしまった。実のところ推薦で入学出来るというだけで選んだことも、友達の仕打ちにすねていたことも、面倒なことはきれいさっぱりと記憶の彼方《かなた》に追いやってしまった。自分は小さな子どもが大好きで、普通のOLなんかになるよりも、もっとやりがいのある仕事がしたいからこそ、この道を選んだのだと思い込んだ。

——そう、私は子どもが好きだから。だから保育士にでも幼稚園の先生にでもなるの。

その思いは平凡なOLになろうとしているかおる達に対して優越感を抱かせた。仲良しだったのに、自分を置いてけぼりにした二人に勝ったと思わせた。

短大に入ると早苗はすぐに堅実で子ども好きな、新しい友人の色に染まった。カリキュラムは考えていたものよりもずっと厳しく大変なものだったが、その時も短大の友人の「いい先生にならなくちゃ」という言葉を自分の言葉にすり替えて、ひたすら新しい友人と肩を並べることに努力した。

たまにかおるや幸子と会うことがあると、早苗は自分がいかに毎日たいへんな日程をこなしているかを話して聞かせた。かおる達は学校の話や授業の話はほとんどせず、最近知り合った男の子の話ばかりしていた。毎日一生懸命勉強している短大の友人に比べて、彼女達は随分派手で軽く見えた。自分の方がずっとしっかりしていると感じて早苗はまた嬉しくなった。

それに、早苗はあれこれと相手をかえてデートをしているかおる達をそれほど羨《うらや》ましいとは思わなかった。早苗は、結婚するならお見合いと決めていた。母がいつもそう言っていたのだ。お見合いで、あらかじめ条件の整っている相手と一緒になることがもっとも確率の高い安定を得、人生の成功者となる近道なのだという母の言葉に納得していた。その母は早苗が保育科に進んだことを喜んでいた。お見合いする時でも何でも、保育科出身と聞いて悪い印象を抱く相手はいないはずだ。子ども好きで家庭的な女、今時珍しいくらいにしっかりとして家庭を任せられる女、そんな印象を与えるに違いないというのが母の意見だった。

「だったら、余計、今のうちよ。どうせお見合いで結婚するって決めてるんだったら、その前にもっと遊べばいいのに」

「そうそう。恋愛と結婚とは違うんだから。もっと自由に遊んだ方が楽しいって」

早苗はあいまいに笑いながら、あなた達とは違うのよと心の中でつぶやいていた。

＊

やがて、幸子が都心の商社に就職し、かおるが外資系の商社に就職した頃、早苗は化粧もあまり上手にならないまま、郊外の小さな幼稚園に就職した。幼い、まだ舌ったらずの子ども達が口々に自分を先生と呼ぶことを想像して早苗は喜びに震えた。

だが、それから何日も経《た》たないうちに早苗は思い知らされた。子どもは、無邪気でも可愛《かわい》くもなかったのだ。少なくとも早苗にはそう思えないものが現実の世界にはあった。黙っていればどこもかしこも小さくて肌も柔らかくてお人形みたいに見える子どもでも、生きている人間という点では大人と変わりなかった。汚い子もいるし、憎らしい子もいる。そして、彼らはちゃんと自分達の世界を作っていた。狡《ずる》いところも、嘘《うそ》をつくところも、何もかも、それは大人の世界の縮図に過ぎなかった。しかも、早苗が考えていたものとは全く違う生きものに見える幼児には、おまけに一人一人に親という大人がついていることを早苗は全く考えていなかったのだ。

「先生」

尻上がりの発音で呼ばれる時、早苗はその響きの中に明らかに自分を軽蔑《けいべつ》しているものを感じて怯《おび》えなければならなかった。早苗よりもずっと年上の父兄は早苗を一応は先生と呼びながらも、はっきりと早苗を拒否している部分があった。二十歳やそこらの小娘のあんたに一体何が分かるの、という挑戦的な態度がはっきりと現われている母親がいる。「折り入って」と前置きされて、最後に「お考えは」と締め括《くく》られ、早苗が少しでも口籠《くちご》もることがあれば、それだけで子どもを預けるのには心配だとか頼りないとか言われることになる。

先生と呼ばれるたびに、早苗は二年の間に詰め込まれた全《すべ》てのカリキュラムの内容を頭の中で引っ繰り返し、冷汗をかきながら父兄と向かいあった。父兄達は世間知らずの早苗などよりもずっと大人で、様々な職についており、世馴《よな》れていた。

最初のうち、早苗はそんな父兄達の印象を無防備に口にした。同期で入ってきた保母に、先輩に、教育教材の仕入業者に、早苗は素直な感想や愚痴をもらし続けた。

幼稚園は、ほとんど女ばかりの職場だ。五月晴《さつきば》れのある日、早苗は園長室に呼ばれ、どういう考えでこの幼稚園を批判するようなことを口にしたのかと詰問《きつもん》された。早苗には何が何だか分からず、ただおろおろと五十代の園長の言葉を聞いていた。自分でも忘れているくらいに軽い気持ちで言った言葉が誰かの手によって大きく膨らまされていることを知るまで多少の時間がかかった。涙がこぼれるくらいに厳しい言葉を投げ付けられて園長室を出ると、先輩の保母が薄ら笑いを浮かべて職員室の隅からこちらを見ていた。

子どもが帰った後、そこには無理にでも笑顔を作り、大声を出し続けて半日を過ごした、大人の女の疲労の顔が残る。ただ黙っていれば、何を考えているのか分からないと言われるし、へたなことに相槌《あいづち》を打てば、いつの間にか派閥争いのようなものに巻き込まれる。敵は子ども達とその親ばかりではないことを、早苗は早々に思い知らされた。

私は子どもが好きだからこの道に進もうと思ったのだ。それなのに、どうして子どものこと以外でこんなに悩んだりしなければならないのだろうか。三月からの研修期間を入れてもまだ三カ月と経っていない。それなのに、早苗は夏休みを前にして、もうすっかり疲れてしまっていた。こんなはずではなかった。もっと生き生きと楽しく暮らせると思っていた。

「プロとしての自覚を持つことこそが自信につながるのです。いつまでも学生の気分でいるから、小さな子どもにまで不満を抱くし、大人として接することが出来ないのですよ。自覚を持ちなさい、自覚を」

園長はことあるごとにそんな演説を聞かせた。だが、早苗はその言葉を聞いても素直に頷《うなず》くことが出来なかった。自信などというものが芽生える前に疲れて駄目になりそうな気がした。ひたすら子どものことを考えていたいと思っても、煩《わずら》わしい人間関係が邪魔をする。子どもに接する以上に、先生同士の付き合いが早苗の神経を磨《す》り減らしているのだ。どうしてこんなことになったのだろうか、そう思うと早苗の気持ちはどんどんと沈んでいった。

＊

「ぜいたくな悩みだと思うわよ」

真夏の夕方、デパートの屋上のビアガーデンで早苗は幸子にはっきりと言われた。夏休みに入って、久しぶりに幸子とかおると三人で会った日のことだ。早苗がここならば大丈夫だろうと思って、ほんの少し幼稚園の愚痴を言ったとたんに、幸子は手にしていたビールの中ジョッキを宙に浮かせたまま、真顔で言ったのだ。

「第一、好きで選んだ道じゃない。私達なんか、好むと好まざるとにかかわらずっていう感じだったのよ」

かおるも頷きながら早苗を見る。

「どこにだって煩わしい人間関係はつきものよ」

言われれば言われる程、早苗は元気をなくして黙ってうつむいてしまった。

「私の仕事なんて、別に人間がやらなきゃいけないっていう仕事じゃないもの。ロボットがやったっていいような仕事よ」

それから幸子とかおるは口々に、自分達がどれくらい毎日嫌な目にあっているかということを話し始めた。嫌な上司の話や、同じ課の先輩ＯＬの話、どれほどおしゃれに気を使わなければならないか。だが、早苗は気付いていた。彼女達は散々文句を言いながらもきらきらと輝いて見えるのだ。早苗一人がぼんやりとくすんでしまっているような気がする。もはや、自分とはまるで別世界の存在としか思えなかった。いつの間にこんなに二人とかけ離れてしまったのだろうか——。私だって、皆と同じに上司のネクタイの趣味の悪さや会社の制服についての文句を言って過ごしたかったと、その時思った。

屋上のビアガーデンに夏の風が吹き抜けていく。テーブルの上に広がっているパラソルが風にはためいてばさばさと音をたてた。ビール会社の名前の入った黄色い提灯《ちょうちん》が人々の声と共に揺れて、男も女も笑っている。早苗は、この場所は、会社勤めの人のために用意されているところなのだと感じた。私には関係のない場所なのだ。私は皆とは違う。普通のＯＬになってしまった友人には、こんな自分の気持ちさえ分かってはもらえないと思うと、淋《さび》しさが余計にこみあげてきた。

「早苗もさあ、彼氏でも作って早く結婚することを考えた方がいいよ」

かおるが枝豆を食べながら、黙り込んでしまった早苗の顔を覗《のぞ》き込んできた。

「でも、早苗はお見合い結婚するつもりなんだもんね」

言いながら幸子が長い髪を肩から後ろに振りはらった。白いブラウスのレースの襟元に光って見えるのは本物のダイヤモンドだろうか。それにしても幸子もかおるも肌が白かった。毎日子どもと外に出ている早苗はいつの間にか真っ黒に日焼けしてしまって、たとえ化粧をしたとしても、彼女達のような透明感のある華奢《きゃしゃ》な雰囲気を出すことは出来そうにもない。

「私もそのつもりなんだ。もう、こうなったら早いとこ相手を見付けてあんな会社とはおさらばするの」

かおる達は急にはしゃぎながら理想の結婚について話し始めた。一瞬早苗のことを心配してくれそうな気配だったのに、互いの結婚観の話になったらもうその話に夢中になっている。いったん沈み始めてしまった早苗の心は、もう彼女達と同じ話題に興じるエネルギーさえ失っていた。

昔はこんなではなかった。誰かが悩んでいたら、三人でそのことについて一生懸命考えたものだ。あの頃はお互いにお婆《ばあ》ちゃんになっても仲良くしていようねと話し合ったものだった。それなのに、今の幸子達には早苗の気持ちなど、到底通じそうにない。もう昔には戻れない。幸子達のレールと自分のレールとははっきりとどこかで分かれてしまったのだ。早苗はぼんやりと二人のおしゃべりを聞いていた。

それにしても何だって自分は幼稚園などに勤めたのだろう。子どもが好きだったから。子どもに関《かか》われる、やりがいのある仕事をしたいと思ったから。ただのＯＬにはなりたくないと思ったから――。だが、本当にそうだっただろうか。そんな疑問がちらりと頭の片隅をかすめる。子どもが好きだなんて、実際にあの姿を見ていたら簡単に口にすることなど出来はしない。子どもなんて、そんなに良いものじゃない。けれど、私はその子どもと付き合いながら一癖も二癖もある年嵩《としかさ》の教諭達の中で生きていかなければならない。もう、そういうレールに乗ってしまったのだ。

広い屋上で人々の騒《ざわ》めきも風に飛ばされていく。その中で、早苗は生まれて初めて、孤独という言葉を噛《か》みしめていた。

＊

杉森巧太《すぎもりこうた》は九月の最初の日に母親に連れられて来た。

早苗は深呼吸をして途中から編入される少年と母親を眺めた。

夏の間にずいぶん考えた。現実問題として、今、幼稚園を辞めるわけにはいかなかった。短大の紹介でやっと入れた職場だったし、母親も保育士という資格を生かして有利なお見合いを探すつもりになっている。とりあえずはここで我慢するより仕方がないのだ。そして、好い加減なところで結婚してしまおう。それが、夏の間に早苗が出した結論だった。

標準よりも少し痩《や》せていると思われる杉森巧太は、残暑の強い陽差しの中で無表情に立っていた。早苗は一目見て、いやに大人びた感じの子どもだと思った。扁平《へんぺい》な顔はどちらかと言えば青白く、眉毛《まゆげ》がほとんどない。一重目蓋《まぶた》の小さな目は多少引っ込みがちで離れている。口元はしまりがなくぼんやりとしていた。早苗は、特にその目が気に掛かった。たった五歳の子どもなのに、人を見下したような、鼻持ちならない嫌な目付きで人を見る。そして、その目付きは隣に立っている巧太の母親にそっくりのものだった。一目見てあまり幸福な感じのしない母親だった。起きぬけのままのばさばさの髪をして、膝《ひざ》の抜けた色褪《いろあ》せたズボンをはいている。ノースリーブのＴシャツから出ている腕は種痘の跡も醜く広がって見えた。草臥《くたび》れた感じが全身から伝わってくる母親だった。

早苗はにこりともせずに立っている母親に軽く頭を下げて挨拶《あいさつ》したあと、巧太の前にしゃがんだ。

「巧太くん、よろしくね。これからみんなと仲良くしましょうね」

早苗は子どもの視線に自分の視線を合わせて巧太の顔を見た。巧太の瞳《ひとみ》に、覗き込んでいる自分の顔がはっきりと映るのを確認した。それが、子どもと心を通わせる鉄則だからだ。だが、巧太は何も言わず、表情ひとつ動かすことなく、早苗を見返すだけだった。これには早苗の方が逆に怯《ひる》みそうになった。こんな時、普通は後ろに立っている母親が慌てたり笑ったりしながら「ほら、こんにちは、は?」などと言うものだ。だが、巧太の母親は何も言わなかった。巧太の視線に合わせた高さから見上げると、母親は巧太と同じ目付きでただ黙って立っているだけだった。

「あれえ、巧太くんは、お口がないのかな?」

早苗はその母親のすっかり生気のない目を気にしながらも、何とか笑顔を保ち続け、なおも巧太の目を覗き込んだ。それでも、巧太の表情に変化は現われない。嫌だなあ、一体どういう子なのだろうと思うと、ついため息が出そうになる。

「口がないわけないだろう」

その時、どこかにひびが入ったような濁った声が聞こえてきた。たった五つのこの子どもが、何という声で何という答え方をするものかと、早苗が呆気《あっけ》にとられている間もなく、後ろにいた母親がふいに腕を振り上げ、巧太の頭を横から張り飛ばした。それはあまりの速さでおまけに容赦のない力が加わっており、巧太はあっと思う間もなくその場に横倒しになった。

「だからお前は可愛くないって言われるんだよ！」

母親の濁声《だみごえ》が響き渡った。今まで母親が子どもをぶつ姿は何度となく見て来ているが、こんなに力一杯子どもを張り倒す母親を見たことがなかったので、早苗は驚くと同時に恐怖を感じ、どうしたら良いのか分からないままで身体《からだ》が硬直してしまった。だが、そんなに力一杯叩《たた》かれながらも巧太の表情はどこといって変わりがなく、涙ひとつ浮かべずに膨《ふく》れっ面《つら》のままで黙って立ち上がる。

「お母さん、大丈夫ですから。ね、ちょっと照れてるだけよね」

慌てて早苗が言っても巧太の顔は変わらなかった。背筋を冷たいものが伝った。

「さあ、巧太くん、ご挨拶しましょうね」

巧太は下唇《したくちびる》を尖《とが》らせてそっぽを向く。そのとたんに再び母親の拳骨《げんこつ》がとんだ。

「答えろって言ってるんだよ、馬鹿《ばか》！」

再び地面に飛んだ巧太は今度は母親を睨《にら》み返した。母親は、そんな巧太の細い腕をつかみ、無理に引きずり上げる。巧太は多少の抵抗を見せたものの、かなうはずもなく、結局はまた地面に立たされた。

「手間かけんじゃないよ、挨拶しろって先生が言ってんだろ。愚図愚図してると、もう一回ぶつよ！」

おろおろしている早苗の前で、杉森母子《おやこ》は恥ずかしげもなく家庭内の姿をさらしている。

「ほら、挨拶しろって言ってんだよ、ほぉら！」

母親は後ろから巧太の小さな頭を押さえ、無理に頭を下げさせようとする。両手両足を突っ張らせて、何とか巧太は抵抗しようとしたが、母親の大きな手のひらに頭をすっぽりと包み込まれて、身体を強《こわ》ばらせながらも下を向いた。

「黙ってんじゃない、こんにちは、だろうっ。えっ」

「お母さん、やめてください。もう結構ですから」

早苗は母親の手を巧太から離そうとした。その言葉に母親はぼさぼさに乱れたままの頭を振って早苗を見た。その目は感情らしいものが感じられない、つめたく残酷な光に満ちていた。

「先生が挨拶させたいんでしょう。だから頭を下げさせてるんですよ。巧太は強情な子ですからねえ、実力行使で行かなけりゃ仕様がないんです」

朝の光の中でも母親のかさついた肌は輝きもせず、すっかり荒れてしみが目立つ。小綺麗《こぎれい》な若い母親が多いこの地域の幼稚園で、そんな母親は異質に見えた。もう四十を越えているのだろうか、疲れ果てて潤《うるお》いのない生活を続けているということが容易に察せられた。

「ゆっくりと仲良くなりますから、ね、巧太くん」

母親にそんな仕打ちを受けても巧太は顔色一つ変えてはいない。早苗が差し出した手を、ただ冷ややかに見つめるだけだった。

「じゃあ、もういいんですか。私も忙しいもんでね、巧太一人にかかずらってられないんですけど」

「あ、すみません。巧太くんはたしかにお預かりしますから」

早苗が答えると母親はろくな挨拶もせずにさっさと踵《きびす》を返した。巧太の小さな手を半ば無理やりしっかりと握りながら、早苗は彼女の後ろ姿を見ていた。自分には全く想像のつかない世界を歩んで来た女なのだろうと思った。とうとう一度もこちらを振り返ることなく、母親は多少上体を左に傾けた歩き方で幼稚園の先の角を曲がっていった。

「巧太くん、お母さんがいなくても大丈夫ね、淋しくないわね？」

気を取り直して小さな手の主を見ると、巧太はもう片方の手で鼻をほじりながら幼稚園の庭の方を見ていた。話し掛けられて漸《ようや》く早苗の方を向いたが、その目は小憎らしく光って悪意に満ちている。

「ばーか。うんこ野郎」

早苗が手を引いて歩き始めたとたんに、例のがさついた声が下から聞こえた。どきりとするくらいに、その声は残酷な響きを持っていた。見ると巧太はその小さな奥まった目を細めてにやにやと笑っている。早苗は一瞬、握っている手を振り解《ほど》きたい衝動にかられた。これは、普通の子どもではないと思った。

早苗の予感は見事に当たっていた。

杉森巧太は知能に問題はないのだが、滅多に笑わず表情に乏しい子どもだった。そのくせ行動は素早く、落ちつきがない。他の子どもにちょっかいを出したり持ち物を取り上げたりする時だけ、表情の乏しい目が小狡く光る。そして、大人も顔負けの憎らしい言葉を吐くのだ。巧太が編入して来てから三日と経たない間に、早苗はもう巧太を叱《しか》るのが日課になってしまった。

「巧太くん、人が嫌だと言うことをするのはやめなさい」

「巧太くん、自分のお道具を使いなさい」

「巧太くん、順番を守りなさい」

来る日も来る日も巧太の名を呼ばなければならない日が始まった。園児としてではなく、存在そのものに嫌悪感《けんおかん》を抱くまで、それほどの日数はかからなかった。そして、何を考えているのか分からないどんよりとした表情を見せる子どもの背後にはいつでも、巧太の頭を張り飛ばした母親の存在を感じた。薄汚い、自分の子どもを犬か何かのようにひっぱたく母親。人生の何もかもを憎んでいるような目付きの母親。その姿をも早苗は嫌悪した。

ある日、巧太は茜《あかね》という少女の髪に粘土を貼《は》りつけた。茜の髪は母親の手で小さな編み込みの入ったアップにされていて、頭のてっぺんから子猫の尻尾《しっぽ》ほどの髪の毛が後ろに小さく垂れている、可愛らしいものだった。その編み込みの中に巧太が粘土を入れたのだ。

泣き声を聞きつけて、茜の小さな頭を見た途端、早苗は慌てて取ろうとしたが、油性粘土はねちねちと茜の細い髪の毛に絡《から》んで容易に取れそうにはない。焦って力を入れると茜は「いたいよ、いたいよ」と言ってますます声を上げて泣いた。

「巧太くん、どうしてこんなことをするのよ！」

早苗が怒鳴っても、巧太は目を陰険そうに光らせて薄ら笑いを浮かべているだけだった。その笑い方があまりにも不気味で、早苗は思わずかっとなった。

「茜ちゃんに謝りなさいっ。もう取れないじゃないの、どうするのよ！」

早苗は完全に感情的になっていた。だが、早苗が逆上すればするほど巧太の目は表情を失い、やがてぶつぶつと何か小さな声で言った。

「何ですか、はっきりと言いなさい」

すると、巧太は不貞腐《ふてくさ》れた表情のままで、ぷいと横を向くとさっと庭に飛び出してしまった。初めて巧太の笑顔を見たのはその時だった。巧太は笑いながら逃げ回っていた。早苗は息を切らして追い掛けながら、背筋に冷たいものを感じていた。子どもを追っているという気分ではなかった。

――ずるい、私ばっかりこんな目にあわなければいけないなんて、ずるい。

脳裏に幸子とかおるの顔が浮かんだ。彼女達は今頃、優雅におしゃれのことを考えて、都心のオフィスで格好良く働いているのだろうと思うと、自分がひどく惨《みじ》めに思えて仕方がなかった。こんなところ、絶対に辞めてやる。絶対に幸子達よりも幸福になってみせる。いつしか早苗は巧太を追い掛けながら、なぜだか自分の方が逃げている錯覚に陥っていた。

その後も巧太の行動は収まらなかった。相手構わず悪戯《いたずら》の対象にする巧太の姿は狂暴な野良《のら》犬に見えることがあった。洗面所で前に並んでいた子どもを押して転ばせる。隣の子のクレヨンを使ってその子どもの画用紙を勝手に塗り潰《つぶ》し、挙げ句の果てにクレヨンを全部折ってしまう。せっかく作ったお面をトイレに流された子どもが出る。上履きのゴムの部分をはさみで切られる子どもが出る。その度に早苗は感情的になって巧太を叱らなければならなかった。巧太のお陰で早苗の心は日増しに荒《すさ》んでいった。

「あんたねえ、幼稚園が嫌いなの？」

ある日、叱っても叱っても反応を見せない巧太に疲れ果てた早苗は思わず涙ぐみそうになりながら聞いた。

「どうしてこんなに先生やお友達を困らせるの」

「――」

「巧太くんの考えを言ってよ」

「——ブッ殺してやる」

「巧太くん！」

「ダダダ、ダダダダダ！」

「——！」

巧太は口真似でマシンガンか何かの音を立てながら、何も持っていない手を銃を構えているかのようにして、早苗に向かった。

「ダダダダ、ダダダダダ！」

「やめなさい、巧太くん」

「ダダダダ、ダダダダ」

「やめなさいって言っているでしょう、分からないのっ！」

思わず、巧太の手を振り払うつもりで手を動かした。だが、予想していたよりも巧太の体は近くにあり、おまけに相手は子どもだった。早苗の手に伝わった感触は、巧太の存在にしてはあまりにもささやかで頼りないものだった。巧太の身体が飛んで倒れていた。

「うちの母ちゃんが言ってたぞ」

だが、巧太は床に倒れたままにやにやと笑っていつもの濁声を出した。一瞬無抵抗に飛んでしまった子どもに戸惑い、動揺していた早苗は呆然《ぼうぜん》としたまま、巧太を見つめた。やがて巧太は自分でむっくりと起き上がり、挑戦的な光を宿した小さな目を真っすぐに早苗に向けた。これは子どもではない。こんな子どもがいて良いはずがない。

「小娘のくせに理屈ばっかりこねる生意気な女だって。母ちゃん、言ってたぞ」

「巧太くん――」

「ぶすのくせに、子どもを味方につけようとして無理に笑って、気持ちが悪い女だって、言ってたぞ。お前みたいな女に限ってしょうが悪いって、言ってたぞ！」

自分でも血の気が引いていくのが分かった。巧太は得意そうににやにやと笑っている。まだ五歳ではないか。たった五回ずつしか春夏秋冬を経験しておらず、その五回のうちの大半は記憶に留められることもないくらいに、幼い頃の風と光程度にしか残っていないはずではないか。だが、意味が分からずに言っているとは思えない。一つ一つの言葉の意味は分からないとしても、巧太はその言葉を裏付けている悪意を見事に理解しているのだ。

悪魔――。

子どもは天使などではない、巧太を見れば分かることではないか。彼らは天使でも何でもない、大人以上に優しくもなく、人間臭さを丸出しにしてぶつかってくる。親の個性をそのままに映し出して、嘘偽りのない悪の姿を見せ付けるのだ。それが子どもなのだ。巧太はやがて母親以上に目付きの悪い嫌な大人になるだろう。このまま成長したら、きっととんでもないことをしでかす男になるに違いない。

——嫌だ、こんなところ、こんな仕事は嫌だ。

それ以来、早苗には巧太が恐ろしくて仕方なくなった。巧太ばかりでなく、子どもそのものが異星人か何かに見えることさえある。ただでさえ貧乏くじを引いたと思っていたのに、巧太のことでそれは決定的になった。子どもの高い声は、全て早苗を嘲《あざけ》っているように聞こえる。正直な小悪魔達は早苗を取り囲んで勝利の声を上げているのだ。

早苗は日増しに痩せ、暗く無口になっていった。目をつぶるといつでも巧太が他の子ども達を従えて自分に向かってくる情景が目に浮かんだ。

＊

あの時、はっきりと気付いていれば良かったのだ。私は子どもが嫌いだと。

——私は子どもなんて大嫌い。

女が皆、子ども好きだと思ったら大間違いだ。可愛い子どもや自分の子どもならまだしも、たいていの子どもなんて可愛くも何ともない。だって、あいつらは、悪魔なんだもの。

団地というところには、時折ぜいたくにも見える程の広い空間がぽっかりと空いているものだ。そして、昼間は驚くほど人影がなく、静寂に包まれている。早苗は力を振り絞って首を動かし、どれも同じに見える団地の窓を眺めた。一番うえの階の窓の一つが大きく開け放たれて、陽に焼けたプリントのカーテンがはためいている。あそこから自分達は落ちたのだろう。自分の手とは思えないくらいに自由に動かない右手を這《は》わせると、やがて痩せて小さな足が触る。巧太はもはやぴくりとも動かなかった。

今日、早苗は園長の言いつけで、何度呼び出しても応じる気配のない巧太の母に会いに来たのだった。どうして自分がそこまでやらなくてはいけないのだと思うと、園長までも憎く思われた。こんな子どもを育てた母親、陰で人のことを口汚く罵《ののし》り、息子にそのままを聞かせている女。その女にどうしてわざわざこちらから会いに行かなければならないのか。そう考えると、園長の言いつけなど無視して、さっさと家に帰ってしまおうかとも思った。だが、早苗の小心さが、それを押しとどめた。結局、早苗は重い足取りでこの団地へやって来たのだった。

一人でテレビを見ていたらしい巧太は黙って重い鉄の扉を開けた。薄暗い部屋の中ではテレビの画面と巧太の小さな目ばかりが光って見え、陰気で不気味な空間が広がっていた。巧太は四人兄弟の末っ子ということになっているが、六人の家族が住んでいるにしてはあまりにも狭く、物が少ない部屋だった。ついつい部屋を見回してしまう早苗に巧太は何も言わず、ただ眉毛のない顔を向けていた。

「少し待たせてもらってもいいかしら」

園長は早苗に、一目でも巧太の母に会うようにと言った。巧太の家庭環境を把握して適切な指導方法を探ることが何よりも大切なのだと言った。けれど、ここまで来てもやはり、早苗は母親などに会いたくはなかったし、一分でも早くここから出たいと思った。そして、部屋に上がるとすぐに窓を開けたのだ。相手はこんな幼い子どもなのに、なぜか閉ざされた空間で二人きりになるのが息苦しく、恐ろしかった。

「いい景色じゃないの」

早苗は努めて明るく、優しくふるまおうと思った。何か喋《しゃべ》らなければこの子どもを前にして、いたたまれなくなりそうだった。

「それに、風が――」

その時だった。巧太が全身の力をこめて早苗の背中にぶつかって来たのだ。手摺《てすり》から身を乗り出していた早苗は瞬間的に振り返った。瘦せて黒い腕を早苗の背に突き立てるようにして、下から小さな目が光っていた。

——ブッ殺してやる。

以前、巧太が言った言葉が蘇《よみがえ》った。巧太は本気でそう言っていたのだ、と悟った時には遅かった。咄嗟《とっさ》に身近なものを摑《つか》もうとした早苗は、結果的には上半身を捻《ひね》りながら巧太の首を腕に抱え込む形になってしまった。だが、それでも巧太は力を弱めようとはしない。首から巧太を抱えた形になって、そのまま身体が宙に躍り出た。腕の中で巧太の細い首の骨の鳴る音が聞こえた。それと、全身に衝撃を感じるまではずいぶん時間がかけ離れていたような気がする。

一体誰が信じるだろうか。巧太が私を殺そうとしたのですと言って、誰が信じてくれるだろう。第一、巧太はもう動かない。早苗の腕の中で巧太の首の骨は確かに折れたのだ。

巧太はこんな空を見たことがあっただろうか。そして、一度でも美しいと感じることが出来ただろうか。まるで人を憎み、恨むことを学ぶだけのための短い人生ではなかっただろうか。

巧太は、早苗の心を見抜いていたのかも知れないと思う。五歳の心は自分の存在を拒否しようとした早苗を敏感に察知したのだろう。彼は、おそらく何もかもを憎んでいた。そして、その憎しみをぶつける相手として早苗を選んだのかも知れない。本当に馬鹿だった。自分が子ども好きだなどと思っていたのが間違いだった。巧太だけがそれを見抜いていたのかも知れない。

青空はもう見えなくなっていた。あの白い雲を、もう一度見たいと思った。

はなの便り

1

「悪いけど、今日はあなたに逢《あ》えないわ」

それが、岳彦《たけひこ》の耳に飛び込んできた優香子《ゆかこ》の第一声だった。時計と睨《にら》めっこをしながらドライヤーで髪を乾かしていた岳彦は、「ええっ？」と、あからさまに不満な声を出した。

「何で」

二月最後の週末だった。昼近くまで寝坊をして、それから慌《あわ》ててシャワーを浴び、もうあと十五分もしたら、家を出ようと思っていた矢先のことだった。

「俺、もう出るところだぞ」

「ごめんなさい。急に行かれなくなったの」

優香子の声は、いつにも増して細く、弱々しく聞こえる。だが、その口調には、どこか決然としたものが感じられ、岳彦は、せっかく思い描いていた今日一日の予定が、音をたてて崩れ去ったことを知った。二人でバレンタイン・デーを過ごして以来の、十日ぶりのデートだったのだ。今日、優香子はどんな服を着てくるのだろう、何を食べたいと言うだろうか、楽しみにしていたコンサートを十分に味わってくれるだろうかと、実に様々なことに思いを馳《は》せていたのに。まさかキャンセルの電話が来るなどとは、夢にも思っていなかった。

「じゃあ、どうするんだよ。俺、一人で行けっていうの」

「――誰か、他の人と行って。私の分も、チケットは岳彦くんが持ってるんだから」

「何だよ、それ」

岳彦は、苛立《いらだ》ちのあまり、わざとらしいほど大きな舌打ちをした。

「やっと取ったチケットなんじゃないか、優香子が行きたいって言うから」

「そうなんだけど」

「だったら、俺との約束を最優先にしろよ」

「それが無理だから、謝ってるんじゃない」

「俺よりも大切なことが、あるのかよ」

岳彦はますます苛立った声を出し、今度は大袈裟《おおげさ》に鼻を鳴らした。せっかくのデートをキャンセルするくらいの、どんな用事が出来たのだと言おうとしたときに、受話器の向こうから鼻をすする音が聞こえた。

「優香子？」

「――とにかく、ごめんなさい」

確かに泣いている。鼻にかかった声に続いて、ぐすん、ぐすん、という音を聞いた途端、岳彦の胸は急に不安で一杯になった。知り合って半年、優香子が泣いているところなど、これまでに一度だって見たことはなかった。

「おい――泣いてるの？　どうしたんだよ」

だが、優香子は何も答えなかった。受話器を手で押さえる耳障《みみざわ》りな音が伝わってきて、しばらくの間、岳彦の耳には何も聞こえなくなった。

「優香子？　何があったんだよ、おいっ」

これは、ただ事ではない。岳彦は焦《あせ》りが募ってくるのを感じながら、何も聞こえない受話器に向かって声を張り上げた。しばらくすると、ようやく優香子の弱々しい声が「何でもないの」と言った。さっきよりも、さらに鼻声になっている。

「俺、これからそっちに行こうか？」

「いいの。やめて」

奇妙にきっぱりとした口調。岳彦は一瞬怯《ひる》み、言葉を失いそうになった。その気配を察知したのか、優香子は早口に「私も出かけなきゃならないんだもの」と続けた。

「出かけるって、どこに」

「――家の、実家の用事なの」

身内のことと言われてしまえば、それ以上にしつこく問いただすことも躊躇《ためら》われた。

だが、九州出身の優香子に、実家のことで急用が出来るとは、どういうことなのか、
岳彦には、よく分からなかった。

「本当に、申し訳ないんだけど」

やはり、鼻をすすっている。岳彦は、それ以上に怒るのも大人げないと自分に言い
聞かせ、必死で気持ちを鎮《しず》めようとした。

「そんなら、しょうがないけどさ――だったら、明日は？　明日は、逢える？」

気がつくと、哀願するような口調になっていた。

「無理だわ、多分」

「どうしてだよ。今日も駄目で、明日も駄目なの？」

「仕方がないのよ。分かって」

「分かんねえよっ」

「お願い――困らせないで」

日頃はさほど意識していないのだが、こんなときに、優香子との年齢差を思い出す。自分よりも四歳年上の、今年で二十九歳になる優香子に対して、岳彦は常に我《が》を通そうとする癖があった。何かというとつい駄々をこねたり、筋の通らない我儘《わがまま》を言ってしまうのだ。優香子が時に困り、また呆《あき》れながらも、結局は折れてくれるのを、子どもじみた狡猾《こうかつ》さで望んでいる。

「そんなに、大変なことが起きたのか？　実家で？」

「大したことじゃないの。ただ、今日明日には逢えないっていう——」

「本当に実家の用事なのか？　何か、嘘《うそ》臭いな」

「——本当よ」

彼女よりも強い男でありたい、彼女を守りたいと思っていながら、結果的には彼女に甘えて、彼女を困らせることの方が多い。だが、それを許してくれるのが優香子だった。大人の女の香りを漂わせて、彼女は常に美しく、毅然《きぜん》としていて、それでいて可愛《かわい》らしい女性だった。岳彦と同い年や年下の女の子などよりも、よほど純粋で瑞々《みずみず》しい。だからこそ、岳彦は彼女が好きになった。

「俺にも言えないことなの」

「——だって、あなたには関係ないもの」

そのとき、再び受話器を手で覆《おお》う音がした。そして、くぐもった音が何かごそごそと聞こえてくる。

——誰かいるのか、傍に。

反射的にそう直感し、岳彦は、今度は頭から血の気が退《ひ》くのを感じた。咄嗟《とっさ》に、昨年別れたという話の、以前の恋人が思い浮かんだ。確か、優香子よりも二歳年上だと言っていた。別れた理由について、詳しくは聞いていないが、優香子は岳彦と知り合った当時、「私が馬鹿《ばか》だったのよ」と淋《さび》しそうな顔で笑っていたことがある。

「誰か、いるのか」

「いないわよ、誰も」

再び受話器の前に戻ってきた優香子の鼻声は、さっきよりもさらに慌てているように聞こえた。嘘をついている。そう、直感した。

「——とにかく、切るわね。本当に、ごめんなさい」

何を言おうか迷っているうちに、優香子は「私の分まで楽しんできてね」と言って電話を切ってしまった。それが、岳彦が優香子の声を聞いた最後になった。翌日から、彼女の家の電話は常に留守番電話に切り替えられて、岳彦が何度電話をかけても、彼女が出ることはなくなってしまったのだ。

そして三日後、岳彦のアパートに一枚の絵葉書が舞い込んだ。青空の下に広がる一面の菜の花畑を撮った写真を裏返すと、優香子の几帳面《きちょうめん》な文字が並んでいた。

〈昨日は本当にごめんなさい。事情があって、しばらく逢えそうにありません。また、ご連絡できるような状態になったら、必ずこちらから連絡しますから、どうか心配しないで下さい〉

たった、それだけの文面だった。岳彦は、頭がすっきりしないままに、ただ、その葉書を繰り返して読んだ。裏返せば、素気ない文章の内容とは不釣り合いな、あまりにものどかな菜の花畑が広がっている。どうして、わざわざ葉書などをよこしたのだろう。電話で済むことではないかと思うと、葉書のどこかに、秘密でも隠されているような気がしてくる。だが、何をどう見ても、岳彦の直感を刺激するようなヒントは見つからなかった。

「——勝手なこと、言うなよ。これだけで何が分かるっていうんだよ」

岳彦は、腹立ち紛れにネクタイを緩めながら、それでも葉書から目を離せなかった。何かの冗談ではないのかという思いと、三日前の、優香子のどこか切羽詰まった様子とが交錯して、どうにも考えがまとまらない。だが、優香子が心配するなと言う以上、岳彦にはどうすることもできないではないか。それにしても水臭い、どうしてきちんと訳を話してくれないのだと考えるだけで、何とも、やるせない、情けない気分になるばかりだった。

2

久しぶりに一人で過ごす休日を挟んで、最初の十日間ほどは、不安よりも怒りの方が大きかった。もともと、どちらかといえば短気で、意地っぱりの岳彦だ。おまけに、このところはやたらと出張が多くて、ウィークデーは日本中をかけずり回っている。そんな日々の隙間《すきま》を縫うように、元気なの、何があったの、心配していると、幾度となく留守番電話にメッセージを残しているのに、優香子の方からは、電話の一本もかかってこないのだ。知り合って半年にもなるんじゃないか、俺たちは恋人同士じゃなかったのかと、岳彦の中では、言いたいことばかりが膨らんでいった。

――まさか、このまんま終わりにしようって気じゃ、ねえんだろう？

いつの間にか雛《ひな》祭りも過ぎて、世間は春に向かっている。せっかくの土曜日だというのに用もなく、部屋でぼんやりと過ごしていると、やがて不安の方が頭をもたげてきた。今日あたりは卒業式を行うところも多いだろうに、今にも雪が降り出しそうな、どんよりとした曇り空が窓の外には広がっていた。何だか、あまりにも寒い、淋しい春ではないかという気がした。

狭い部屋に寝転がって室内を見回しているうち、ステレオの片隅に、たまった埃《ほこり》と一緒に小さな豆が転がっているのが目にとまった。優香子と二人で、はしゃぎながら豆まきをしたのは、ついこの間のことだったような気がする。バレンタインのときだって、彼女は恥ずかしそうに微笑《ほほえ》みながら、チョコレートを添えたセーターを差し出してくれたのだ。岳彦は、そんなときの優香子の笑顔が何よりも好きだった。いつでも、彼女の笑顔を見ていたい。そのためなら、どんなことでもしたいと、そんなことさえ思っていたのに——。

その彼女が、泣いていた。どうして？　岳彦の受けた印象では、最後に声を聞いたときの優香子は何となくそわそわとして、落ち着かない様子だった。やはり、傍に誰かいたのだろうか。誰だ、誰が、傍にいたのだろう。実家の用事とは何なのか。たとえ恋人にでも、聞かせたくないことなのだろうか。

——急病なんかだったら、隠す必要はないよな。すると、もっと隠す必要のあることか？　世間体の悪いような？

電話の傍にいたのは、どうも男だったような気がする。優香子に男の兄弟がいるなんて、聞いていない。たとえば親や兄弟ならば、そう言えばよいのだ。いや、実家の用事という、その言い訳自体も疑わしい。そんなことを、あれこれと考えていると、いてもたってもいられなくなった。岳彦は電話に飛びつき、優香子の家の番号をダイヤルした。だが、聞こえてきたのは、いつもの合成音だった。例の、予《あらかじ》め電話に仕込まれている、味も素気もない姉ちゃんの声だ。悪戯《いたずら》電話防止という理由で、優香子は自分の声で留守番電話のテープを入れていない。

タダイマ留守ニシテオリマス。発信音ノ後ニめっせーじヲオ入レクダサイ。

岳彦は、苛立ちながらテープを聞き、ピーッという発信音を待った。

「俺――。一体、何があったんだよ。俺には、まるっきり、分からないよ。どうしても電話に出てくれないんだったら、俺、週明けに会社の方に電話するぞ」

優香子は化粧品会社に勤めている。女ばかりの職場ということもあり、口うるさい上司もいることから、職場には絶対に電話しないで欲しいと、日頃から繰り返し言われていた。岳彦だって、まさか本気で彼女を困らせようとは思わないが、もしも今、彼女が電話の傍でメッセージを聞いているとしたら、慌てて電話に出てくれるはずだと思ったのだ。

「そうじゃなかったら、会社の帰りに待ち伏せする。いいな」

何だか脅迫しているみたいだ。だが、留守番電話のテープは無言で回り続け、やがて、勝手に切れた。

——ちぇっ。

やけくそみたいに、やたらと煙草《たばこ》をふかし、昼間からビールを飲んで、結局その日、岳彦はふてくされてテレビを見て過ごした。

「結局さ、遊ばれたんじゃねえの？　年上の女にさ」

翌日も、優香子から連絡はなく、家も留守番電話のままだった。これ以上、一人でじっとしているのも嫌だったから、岳彦は学生時代の友人と会うことにした。大学時代、同じサークルに入っていた反中《そりなか》という男は、岳彦の誘いに応じて、映画に付き合い、渋谷をぶらぶらと歩き、夕飯の相手までしてくれた。生ビールで乾杯して、男同士でお好み焼きを焼きながら、彼はにやにやと笑って「そんなこったろうと思ったよ」と言った。

「そりゃあ、俺はおまえの話を聞いただけだから、断言は出来ないけどな、だけど、その彼女が本当におまえの言う通り、しっとりしたいい女なんだとしたら、何で、おまえみたいな奴《やつ》と付き合うのか、俺には、それ自体が不思議だったもんな」

第一、岳彦たちくらいの年代では、たとえ同い年だって女の方が大人びているというのに、四歳も年上となったら、とても歯が立つような相手ではないというのが、反中の意見だった。

「女にとっちゃあ、クリスマスからバレンタインあたりが、一年でいちばん盛り上がる時期だろう？　それが無事にクリア出来たから、もう、ご用済みってことなんじゃ、ねえの？」

「そんな女じゃねえよ」

反中が手際《てぎわ》よく切り分けたお好み焼きにかぶりつきながら、岳彦は鼻を鳴らした。

「じゃなかったら、やっぱり愛想を尽かされたんだな。おまえが、あんまり手が焼けるからさ」

岳彦は、久しぶりに会った友人を上目遣いに睨みながら、お好み焼きをビールで流し込んだ。良く言えば、やんちゃ、悪く言えば我儘勝手という評価は、岳彦が学生の頃から受けてきたものだ。確かに岳彦自身も、その点に関しては反省材料がないではない。だが、優香子はいつでも言っていた。あなたのやんちゃは、人を傷つけるようなものじゃないもの。今から、やたらと物わかりのいい大人になんか、なって欲しくないわ、と。

「優香子は、俺といると楽しいって、いつも言ってたんだ。大体、前の晩に話したときには普通だったんだぞ。『明日が楽しみね』って、そう言ってたのに」

岳彦の言葉に、反中は「ふうん」と頷《うなず》く。

「すると、やっぱり、何かあったか――」

反中は、宙を見つめてしきりに何か考える顔をしていたが、やがて、「行ってみたのか」と口を開いた。

「彼女のアパートに」

岳彦は、弱々しく頭を振った。心配するなと言われているし、電話に出ないことを考えれば、留守の可能性がある。第一、突然訪ねていって、そこで何か見てしまったらと思うと、それが怖いのだ。古風というか、几帳面というか、彼女は岳彦に対して、未《いま》だに素顔も見せたことがない。そんな彼女に突然会いに行って、もしも素顔だったり、髪が乱れていたりしたら、優香子自身が決まりの悪い思いをするに決まっている。それこそ、二人の関係がまずくなるようなことは、したくなかった。

「だって、ただでさえ、もう、まずいんじゃねえの」

「そういう言い方、するなよ」

からかい半分の反中を睨み、膨《ふく》れっ面《つら》になりながら、それでも岳彦の口調には力がこもらなかった。考えれば考えるほど、逢えない時間が長くなるほど、もう二度と、この手で優香子を感じることなどないような気がしてきてしまうのだ。

「その上、隣に別れたはずの男でもいたら、どうしようってか？」

反中の言葉に渋々頷くと、弾《はじ》けるような笑い声が返ってきた。

「おまえらしくもないな」

それは、岳彦にも分かっている。だが、惚《ほ》れた弱みとでもいうのだろうか、彼女の嫌がるような真似《まね》だけは、したくないと思うのだ。昨日は、あんな電話をかけたけれど、実際に会社になど電話するつもりは、さらさらない。彼女に嫌われたくない、困らせたくない、悲しませたくない。

「健気《けなげ》だねえ。だけど、そう思ってるようなおまえに対して、普段は優しくて几帳面で古風な女の、これがとる態度か？　おまえが勝手に思い込んでるだけなんじゃねえの？」

反中は、あくまでも冷静に言葉を続ける。岳彦は、返す言葉もなく、ただうなだれていた。

「とにかく、理由が分からないんじゃあ、どうしようもないじゃないかよ。相手が電話に出ないっていうんなら、直接会いに行くより他に、ねえだろう？」

「――そうだけど」

そこで、反中はぽんとテーブルを叩《たた》いた。

「電話だ、電話してこい。『これから行くから』って」

「これから？」

岳彦は驚いて友人を見た。だが反中は、平日は忙しいのだから、休みの日にしか動けないではないかと言った。しかも、一人で行く勇気がないのならば、自分が一緒にいるときの方がよいのではないかとも。

「留守なら留守でいいじゃねえか。だけど、これで部屋に電気でもついてたら、彼女は何か隠してるっていうことだろう？　恋人の、おまえにも言えないような秘密があるっていうことだよ」

岳彦自身も、こんな煮えきらない気分で日々を過ごしたくはない。どちらかといえば、何事も白黒をはっきりさせるのが好きなのだ。こちらを見つめている反中に、意を決して頷き返すと、岳彦はゆっくりと立ち上がって、店の公衆電話を探した。またもや、例の留守番電話の姉ちゃんの声を聞くことになるのかと思っていたのに、意外にも数回のコールの後で「もしもし」という声が聞こえてきた。ハスキーな低い声。岳彦は、番号を間違えたのかと思って、「あ」と言ったまま言葉を失ってしまった。ところが、その声は「青山《あおやま》です」と名乗った。優香子の苗字《みょうじ》だ。

「あの、青山優香子さんの――」

愛想のない声は「そうですが」と答える。それだけでは、男か女かも分からない声だ。やはり、男と一緒だったのかと、絶望的な気分になりかかったとき、その声は「どちらさまでしょうか」と続けた。口調からして女らしいということが、辛うじて分かった。岳彦は慌てて自分の名を名乗った。

「あの、優香子さんは」

電話の向こうの相手は、いかにも感情のこもらない声で「留守ですが」としか答えない。もしかすると、優香子と岳彦の関係も知らされていない人かも知れないと思った。すぐにも電話を切られそうな気がして、岳彦は急いで、「いつ頃戻られますか」と続けた。

「さあ――実家に帰っているものですから」

ハスキーな声は、いかにも事務的に答える。

「実家って、あの、福岡のですか？」

「そうです」

「あの、あなたは」

「優香子の従姉《いとこ》です。ときどき、空気を入れ換えに来ているんですが」

なるほど、従姉か。岳彦は、ようやく少し安心して、それでも、部屋の空気を入れ換えに来なければならないほど、優香子は長期にわたって実家に戻っているのだろうかと考えた。

「伝言があったら、伝えておきますが」

ハスキーな声の従姉に言われて、岳彦は、連絡をくれるように伝えて欲しいと答えた。さすがに、実家の番号を教えてくれとは言えなかった。畜生、我ながら、思ったよりも小心者だ。「黒木《くろき》さんでしたね」と、最後に確認され、岳彦は「よろしくお願いします」とだけ言うと、すごすごと電話を切った。

「間違いなく、女だったんだな?」

「ああ、すげえ、ドスの利《き》いた声だったけど、女だった」

客席で待っていた反中に報告をすると、彼は、「よかったじゃないか」と微笑んだ。

「落ち着いたら、きっと連絡があるさ」

やはり、待つより他に方法はなさそうだ。岳彦は、深々とため息をつきながら、取りあえずは、留守番電話ではなく、生身の人間に伝言を残せただけで、少しばかり安心していた。あの従姉が間違いなく伝えてくれれば、早ければ明日、いや、今夜にも優香子から連絡が入るかも知れない。そう考えると、反中などとお好み焼きを突っついている場合ではないような気さえしてきた。

3

だが、優香子からの連絡はなかった。毎晩、疲れ果ててアパートに戻るなり、留守番電話を確かめて、余計にぐったりと疲れる日が続いた。

——俺なんか、電話する価値もないのか。

この春で、ようやく入社三年目を迎える岳彦は、近頃は仕事をしていても、毎日のように面白くない目に遭っていた。

取引相手のお偉いさんの中には、あからさまに小馬鹿にした態度をとり、岳彦を青二才の使い走りとしか思ってくれない者も少なくない。どうして話の分かる相手を連れてこないのだと、頭ごなしに怒鳴られることも珍しくなかった。会議では上司に叱《しか》られ、先輩からは考えが甘いと言われて、毎日毎晩、ストレスがたまっていく。

こんなとき、優香子に話を聞いてもらえたら、いや、逢うだけでも、声を聞くだけでも、それだけで、疲れがとれるのにと思う。それなのに、優香子からは電話の一本、葉書の一枚も来ないのだ。それどころか、あれ以来、従姉という人も電話に出ることがなかった。

——どこに行っちゃったんだよ。

あんなに楽しみにしていたホワイト・デーも過ぎてしまった。岳彦の手元には、少し無理をして買った小さなダイヤのピアスが、優香子に手渡せないまま残っている。

——俺がガキだからか。まともに相手にする気にもならないのか。

仕事が順調にいかないと、普段の考え方までが、妙にひねくれてしまう。世間は日増しに春らしくなっているというのに、岳彦の心には、そよ風の一つ、一筋の光さえ、そそぎ込まれないではないか。

優香子は、年下の男と付き合うのは岳彦が初めてだと言っていた。たかだか四歳の違いではないかと思うのに、その年齢差に、彼女が少なからず拘《こだわ》っていたことは、岳彦も知っている。結局、ガキのお守りに飽きてしまったということなのだろうか。

「へえ、黒木くん、そんなことに悩んでたわけ？」

ある日、岳彦は入社以来、何かと世話になっている先輩のＯＬを昼食に誘い、思いきって相談を持ちかけてみた。既に、半年ほど前に結婚している彼女ならば、変に勘ぐられる心配はないし、口も堅い。それに、ちょうど優香子と同い年の彼女ならば、何かアドバイスをしてくれるのではないかと思ったのだ。半年前から山田《やまだ》という姓に変わった先輩は、「何だ、仕事の悩みかと思った」と笑いながら、それでも岳彦の話を聞いてくれた。

「――喧嘩《けんか》もしてないし、思い当たることなんか、何もないんですよね」

山田先輩は「ふうん」と首を傾《かし》げ、「不思議ねえ」と呟《つぶや》いたが、やがて、にやりと笑った。

「黒木くんが、思い当たらないだけなんじゃないの？」

岳彦は慌てて首を振った。岳彦だって、そのことは何度も考えたのだ。だが、断じて思い当たることはない。

「男の方だけが、勝手にそう思い込んでることって、多いと思うなあ」

だが、先輩は疑り深げな表情で、まだ試すような目つきをしている。それでも、あの前後のことを思い出してみれば、余計に腑《ふ》に落ちないことだらけなのだと言うと、彼女はようやく納得した表情になった。

「それなのに、急に消えちゃった、と」

岳彦は、子どものようにこっくりと頷いた。

「仕事は？　休んでるのかしらね」

「職場には、電話しないでくれって、言われてるんです」

「でも、かれこれ一カ月にもなるんでしょう？　そんなに長い間、休んでも平気な会社なんてある？　よっぽどの事情がなきゃ、無理なんじゃないの？」

それに関しては、岳彦も首を傾げるばかりだった。だが、電話に出た彼女の従姉は、優香子は実家に帰っていると言ったのだ。

「そんなの本当か嘘か、分からないじゃない。第一、その人が、本当に従姉なのかどうかだって」

そこで、山田先輩は急に目を大きく見開き、既に空になったランチの食器を脇《わき》に押しやると、喫茶店の小さなテーブルに身を乗り出して声をひそめた。

「まさか、拉致《らち》されたなんていうこと、ないんでしょうね」

「拉致？」

「彼女、何かの犯罪に巻き込まれたとか、そんな可能性ないの？　電話で従姉って言ってた人は、もしかしたら彼女を連れ出した犯人か、その一味だったのかも知れないじゃない」

岳彦は息を呑《の》んだ。背筋を冷たいものが駆け上るのを感じる。無理に顔を歪《ゆが》めながら「まさか」と呟くと、先輩は、ますます身を乗り出してきて、「まさかじゃないわよ」と鋭い口調で言った。

「今どき、そんなトラブルくらい、珍しいことじゃないじゃないの。黒木くんだって、ニュースを見てないわけじゃないでしょう?」

「そりゃあ、そうですけど——でも、彼女は別に何の宗教にも入ってないし」

「馬鹿ねえ! 拒み続けてたのかも知れないじゃない。大体、素直に応じないからこそ、拉致するのよ」

そこまで言われると、岳彦も不安になる。もしも、何かのトラブルに巻き込まれたのだとすると、一カ月もの間、岳彦は何の手も打たずに、どこかで苦しんでいるかも知れない彼女を放っておいたことになるのだ。思わず「どうしよう」と呟くと、山田先輩は急にきりっとした表情になり、「そうね」と腕組みをした。

「とにかく、まずは会社に電話してみることよ。何の届けも出さずに、一カ月も休んでいるんだったら、それこそまずいわ」

もはや、ぐずぐずと考えている場合ではなかった。岳彦は、震えそうになる手で上着の内ポケットからアドレスブックを取り出し、その場で優香子の会社に電話をしに行った。

「青山は、ただいま席を外しておりますが」

ところが、応対に出た声は、いかにも愛想良く、さらりと答えた。

「あの、青山優香子さん、ですが」

「こちらには、青山という者は一人しかおりませんので。どちらさまでしょうか」

岳彦は、またもや狐《きつね》につままれたような感覚で、慌てて「黒木です」と名乗った後、手早く電話を切った。妙に張り切った表情でこちらを見ていた山田先輩に、優香子は出社しているらしいと報告すると、彼女はあからさまに落胆した表情になり、「何よ、それ」と言った。

「じゃあ、実家に戻ってるなんて、嘘だったたっていうことじゃない」

「――――」

「つまり、黒木くんに会いたくないから、実家を口実に使ったたっていうことでしょう？　その、代わりに電話に出た人だって、本当に従姉だか友達なんだか知らないけど、要するに黒木くんが、あんまりしつこく電話するもんだから、彼女が頼んで出てもらったんじゃないの？」

「そんな――」

だが、先輩の口調には容赦がなかった。彼女はそれから、三十路《みそじ》を目前に控えた女性が、たとえば結婚の問題も含めて、どれほどの焦りを感じるものか、まだ二十代半ばの男を、どれほど子どもで頼りないと感じるものか、それでも未来のある青年を傷つけてはいけないと思うから、あれこれと気を遣い、フォローしようと、どれほど日々心を砕いているかということを、ものすごい勢いでまくしたてた。岳彦は、うなだれて彼女の話を聞きながら、内心で「それは、おまえの勝手な考えだろうが」と思っていた。

「とにかく、彼女は黒木くんを避けている。それだけは確かかね」

彼女は、最後にきっぱりとした口調で、そう結論づけた。

「そんなことで悩んでるから、このところ報告書にも企画書にも、誤字脱字が多いのよ。いい？　下手に深追いなんかしたら、余計に嫌われるから。それよりも、早く一人前の男になんなさいよ」

言いたいことだけを言ってしまうと、新婚の先輩は「ごちそうさま」と言って、伝票を残したままで立ち上がった。岳彦は、彼女を相談相手に選んだことを悔やみながら、後からのろのろとレジに向かった。避けられている。深追いすれば、余計に嫌われる。思い当たることもないのに、どうして、と思う。だが、それが分からないのも、ガキだからだというのだろうか。

「ああ、春ねえ。もう、冬のコートはクリーニングに出さなきゃ」

店の外で待っていた山田先輩は、気持ち良さそうに伸びをすると、使いもしなかった財布を両手で包み込むように持ちながら、一人でくすくすと笑っている。

「青春真っ盛りってとこねえ、黒木くん」

岳彦は、まともに返事をする気にもなれず、先輩の、口紅の剝《は》げ落ちた横顔をちらちらと見ながら、少し離れて歩いた。

「私にも、そんな頃があったなあ。まあ、主婦になっちゃった今となっては、懐《なつ》かしいばっかりだけど」

だから、年上の女は嫌なのだと思う。全部、分かっているような顔をしやがって、偉そうに好き勝手なことを言って。だが、優香子はそんな女ではなかった。優香子は、一度だって岳彦を小馬鹿にしたようなことを言ったことはない。たとえば、自分の経験を話してくれるときだって、年上ぶったような素振りは見せたこともないのだ。ああ、やはり何としてでも優香子に逢いたかった。もう限界だ。

——会社には出ている。

つまり、その気になれば、今すぐにだって会いに行けるということだ。そう考えると、少しだけ気が軽くなった。この、同じ東京にいるのだと思うだけで嬉《うれ》しい。こうなったら、話せなくてもよい、ただ遠くから姿を見るだけでもよい。ただ、優香子に逢いたかった。

――そうだ、遠くからなら、分からない。

定時で仕事を終えられる日を選んで、優香子の勤める会社の前で待ち伏せをしよう。とにかく、彼女が元気でいるところだけでも確かめなければ、気が済まなかった。

4

だが、決心はしたものの、実行に移すチャンスはなかなか訪れなかった。土日にも野暮用が入り、平日は残業が続いて、瞬《また》く間に日が過ぎる。気がつけば一週間ほどもたってしまった頃、その日も残業になり、夜も更《ふ》けてからアパートに帰り着くと、「青山優香子の従姉ですが」というメッセージが留守番電話に残っていた。聞き覚えのある、ドスの利いた声だ。疲れ果てて、のろのろと服を脱ぎかけていた岳彦は、電話に飛びついて息をひそめた。

「優香子から言付けを頼まれましたので、お電話しました。優香子は、東京には戻ってきているのですが、まだごたごたが続いているので、申し訳ないが、当分お目にかかれそうにないということでした。ご連絡出来るときが来たら、優香子の方から、お電話するそうです。では、よろしくお願いします」

岳彦は、耳をそばだててそのテープを聴いた。何度も何度も巻き戻しては、繰り返して同じメッセージを聴いた。メッセージは岳彦が帰宅する三十分ほど前に入れられたものだ。そして、テープの終わりに、キュッというような音が入っている。コードレスの電話を使った場合、電話を切るときにフックボタンではなく、スイッチが押される音がキュッと残るのだ。それは、優香子の家の電話と同じ特徴だった。そう確信するが早いか、岳彦は疲れ果てていたことも忘れてアパートを飛び出した。

——優香子が東京にいるんなら、何も、部屋の空気を入れ換えに来る必要なんかないだろう。

タクシーを拾って、優香子の住む町に向かう途中、岳彦はひたすら考えた。それに、メッセージが入っていた時刻は、空気を入れ換えるために寄ったにしては、少しばかり夜が更けすぎている。つまり、優香子の従姉と名乗る人物は、優香子の部屋に寝泊まりしていると考えた方が自然だ。毎晩ではなくとも、少なくとも今夜は、いるに違いない。だったら、下手に優香子の職場を張り込んだりするよりも、彼女に会って、直接話を聞くのがいちばんだ。

こんな夜更けに、突然訪ねていったら、変に思われるかも知れない。優香子に迷惑をかけるだろう。いや、それでも構わないと思った。こんなにも腑に落ちないことばかりで、間接的な話だけ聞かされても、岳彦のストレスはたまる一方だ。

——俺だって必死なんだ。別に、遊びで付き合ってるんじゃ、ないんだからな。

従姉に何か言われたら、そう答えようと考えて、そこで初めて、岳彦ははっとなった。そうだ、いつの頃からか、岳彦は優香子との将来のことを考え始めている。だからこそ、こんなにも真剣なのだ。それは、学生時代の恋愛とは、確かに違う感覚のものだった。

四十分ほどもタクシーを飛ばして、優香子の住むアパートに着くと、岳彦はこの半年の間に、何度となく訪れたことのあるドアの前に立ち、一度緩めたネクタイを締め直して深呼吸をした。案の定、玄関脇のガラス窓には、ぼんやりと奥の部屋の明かりが洩《も》れているのが映っている。岳彦は、ゆっくりとチャイムを鳴らした。間違いなく、人のいる気配がして、やがて窓ガラスに人の影が映った。「どちらさま」と、ハスキーな声が訊《き》いてくる。岳彦は、扉の覗《のぞ》き穴から見やすい位置に立って、自分の名前を名乗った。

「夜分にすみません。ちょっと、うかがいたいことがあって」

岳彦の言葉に、声の主が当惑していることを窺《うかが》わせる沈黙が数秒は続いた。それからやっと、「ちょっと、お待ちいただけますか」という返答が聞こえる。岳彦は、相手が見ているかどうかも分からないままに、覗き穴の前で頷いてみせた。少しばかり待たせすぎなのではないかと思うくらいに時間がたったとき、ようやく鍵《かぎ》を開ける音がして、扉が細く開いた。だが、チェーンはかかったままだ。隙間から、髪をひっつめにした、見覚えのない顔が覗いた。おまけに大きなサングラスまでしている。この夜更けに。しかも、室内で。

「今夜、お宅にお電話したんですが」

電話で聞いたのと同じ、ドスの利いた声が言った。岳彦は、自分も扉の隙間を覗き込むようにしながら「聞きました」と答えた。

「あの、優香子、さんの、従姉の方なんですか」

「――そうです。母親同士が、姉妹ですから」

顔立ちは、はっきりと分からない。とにかく浅黒い肌をしている。だが、声のイメージほど男っぽいわけでもなく、むしろ全体に華奢《きやしや》な雰囲気で、印象に残りにくい子どもっぽい顔のようにも思えた。

「たまに、空気を入れ換えに来るだけじゃ、なかったんですか」

「――今夜は、たまたま頼まれて。彼女、今地方に行ってるものですから」

「地方に。仕事ですか」

その従姉は「ええ」と頷き、「何か」と言った。岳彦は、出来るだけ愛想の良い笑顔を浮かべてみせた。

「一度、優香子さんの従姉という方に、お目にかかってみたかったんです」

従姉は、わずかに顔を上げ、岳彦をちらりと見て、「そうですか」と呟く。意外に薄い色のサングラスの奥の目は、何だか腫《は》れぼったくて小さいようだ。そして彼女は、またすぐに俯《うつむ》いてしまった。

「僕、優香子さんの肉親の方にお会いしたこと、ないもんですから。あんまり、似ていらっしゃらないんですね」

「――そうですか」

電話で話した通りの素気なさだ。それでも、岳彦は笑顔を崩さなかった。

「なんか、ごたごたが続いているっていう話でしたけど、大丈夫なんでしょうか」

「――だと、思います」

「どうして、連絡もくれないんでしょうか」

そこで、従姉は「さあ」と口ごもり、詳しい話は聞いていないのだと言った。岳彦は、今夜のところは、あっさりと引き下がるつもりだった。そう自分に言い聞かせながら、ここまで来たのだ。

「よろしく、伝えて下さい。僕は、元気だから、待っているからって」

優香子の従姉は、岳彦をまともに見ようともせずに、軽く会釈《えしやく》をすると、そそくさと扉を閉めてしまった。岳彦が挨拶《あいさつ》の言葉をかける間もなく、カチリ、と鍵をかける音が聞こえてきた。岳彦は深々とため息をつき、その場を後にした。三月末の、心持ち冬の余韻を残した夜風に吹かれて歩きながら、まだ心臓がどきどきしていた。

——俺は、諦《あきら》めないからな。絶対に。

きっと、またここへ来よう。そして、彼女に喋《しやべ》らせるのだ。絶対に、本当のことを聞き出してみせる。そう決心しながら、岳彦は肌寒い風に吹かれて歩いた。どこから か、沈丁花《じんちようげ》の香りの漂う晩だった。

折からの年度替わりで、会社はてんてこまいの忙しさだった。三月も末になると、新入社員の研修があり、人事異動の辞令が下り、社内はますます慌《あわ》ただしくなった。仕事の合間に送別会の幹事を二つも任され、その上、休みの日にも、上司の引っ越しの手伝いや、ゴルフコンペのお供までさせられて、さすがの岳彦もばてるほどに忙しい日々が続いた。優香子のことは、片時も忘れたことはない。だが岳彦は、以前ほどには頻繁に、優香子の留守番電話にメッセージを残さなくなった。

——それで、俺の気持ちが離れたなんて、思わないでくれよな。俺だって、自分を試してるんだから。優香子と同じように。

　優香子だって耐えているに違いない。そう考えることにしたのだ。そして、ある程度の孤独にも耐えられるくらいにならなければ、ここで弱音を吐いていては、余計に彼女が遠ざかると自分に言い聞かせることにした。まるで、そうすることが優香子を取り戻す唯一《ゆいいつ》の方法だと信じているように、岳彦はひたすら社内と取引先との間を駆け回り、仕事に没頭した。

5

　四月に入って桜が咲き、またもや課内の花見の幹事をさせられて、その上、取引先の花見にまで顔を出しているうち、あっという間に桜は春の雨に散らされた。今年は、優香子と桜並木の下を歩こうと思っていたのに、そんな夢は、儚《はかな》く消え去ってしまっていた。

　やがて若葉が萌《も》え出し、少しでも動けば汗ばむ季節になった。新入社員の研修も、歓迎コンパもあらかた終わって、ようやく落ち着いた日々を過ごせるようになった頃、待ちに待ったチャンスが訪れた。上役たちの会議が長引いたお蔭《かげ》で、仕事の決定が下りず、珍しく定時で帰れることになったのだ。岳彦は、まず優香子の勤め先に電話を入れ、今日も間違いなく彼女が出社していることを確認すると、勇んで会社を飛び出した。

——今日こそ突き止めてやる。

電車を乗り継ぎながら、岳彦の心臓は次第に鼓動を速めていった。取りあえず、優香子のアパートのある駅まで行くと、まずは花屋に飛び込んで、とびきり大きな花束を注文した。その花束を抱えて、岳彦は弾むような歩調で暮れなずむ町を歩いた。

午後六時前、優香子のアパートに着いた。彼女は、定時で上がれても六時半過ぎにならなければ帰ってこないことは分かっている。道行く人に不思議そうな顔をされながらも、岳彦は上機嫌で、優香子を待つ時間を楽しんだ。こういう気持ちになることさえ、実に久しぶりのことだった。

やがて、辺りは薄い闇《やみ》に包まれ、街灯に明かりが灯《とも》る。どこからか、夕食の支度をするいい匂《にお》いが流れてきて、岳彦の胃袋を刺激した。今夜は、何時まででも待つ決心をしている。そのためにも、菓子パンの一つも買っておけばよかっただろうかと、少しばかり不安になってきたとき、向こうから歩いてくる人影が目についた。淡い黄緑色のコートを着て、白い帽子を目深《まぶか》に被《かぶ》り、目にはサングラス、口には大きなマスクをしている。その背格好から、女だということくらいは分かるが、それ以外の特徴は、まるで分からないような姿だ。

片手にスーパーの袋を提げた、その異様な姿の人物は、俯きがちにこちらに向かって歩いてきた。徐々に近付いてくるにつれ、コートも帽子も、光沢のあるビニールのような素材で出来ているらしいことが分かってきた。

「優香子」

声をかけた瞬間、その人影は、びくりと肩を震わせて立ち止まった。岳彦は、花束を抱えたまま、彼女の前に進み出た。サングラスとマスクのせいで、まるで顔が分からない。

「――お間違えです」

低い声が答えた。

「じゃあ、優香子の従姉の方、ですか」

「あ、ああ――ええと、黒木さん、でしたっけ」

その人物は、慌てたようにそう言うと、急にサングラスをはめていることを確かめるように目元に手をやりながら、「驚いたわ」と呟く。岳彦は、花束を差し出しながら「いいんだよ、優香子」と柔らかく言った。

「何で、隠すの」

「――――」

「俺のこと、本当にだまし果《おお》せると思ったのか？」

帽子を被った頭が、がっくりとうなだれた。岳彦の目の前に、白いビニール製の帽子の天辺《てっぺん》が見えた。それから、ぐすん、ぐすん、と鼻をすする音が聞こえてきた。

「――いけない」

ハスキーな声が呟いた。それから、彼女は「とにかく、どうぞ」と言いながら、足早にアパートの階段を上がっていく。岳彦は、花束を抱えたまま、黙って彼女に従った。扉の前に立つと、彼女はまず鍵を開けて、再び「どうぞ」と言った。そして、岳彦が彼女の脇をすり抜けた後、自分は手早くコートと帽子を脱ぎ始め、ドアの前でばたばたとはたいた。岳彦は、先にアパートに上がり込み、彼女が無事に扉を閉めるまでの一連の作業を、ただ見守っていた。激しいくしゃみが続けざまに出る。それから、さらに鼻をすする音。ようやく部屋に上がってくると、彼女はものも言わずに洗面所に走った。そうして、やっと岳彦の前に現れるまで、たっぷり十分程度は、彼女は慌ただしく動き続けた。

「――どうして、分かったの」

優香子は、それまで岳彦が知っていた彼女とは、とても同一人物とは思えないほどに違って見えた。素顔の上、両頬にはマスクの線が残っているし、鼻も目も、真っ赤に腫れ上がっている。それでも岳彦は、笑顔で花束を差し出した。

「簡単。声が変わってたって、口調までは変わってないからさ。留守電にメッセージを残すとき、『では、よろしくお願いします』って言うのは、優香子の癖だから。それで、会いに来て、はっきり分かった。いくら従姉だって、腕時計までお揃《そろ》いにするとは、思えないからね」

岳彦は、いかにも絶望的な表情になっている優香子に肩をすくめてみせた。彼女は、心底落胆した様子で「そう」と呟くと、黙って視線を落とした。

「——とにかく、人一倍、ひどいのよ」

「花粉症だったら、そう言ってくれればいいじゃないか」

「だって——」

言いながら、また鼻水が出てきている。優香子は、苛立《いらだ》たしそうにティッシュの箱に手を伸ばし、この際、恥も外聞もないといった様子で、思いきり鼻をかんだ。

「あの日、急に症状が出始めたの。そろそろかなあとは、思ってたんだけど。今年は、特に花粉が多いっていうから、本当に、怖かったのよ。だって、そのときが来たら

――」

　またティッシュ・タイム。岳彦は、自分が花粉症ではないから、その気持ちになってやることは出来ない。ただ、周囲にも少なくない花粉症の人たちの、その苦労については、よく聞かされている。見たところ、確かに優香子の花粉症は、中でもとびきりひどいようだ。

「それで、あっという間に声も、こんな。お化粧なんか、とんでもないわ。くしゃみ、鼻水、目のかゆみ――毎年毎年、これが五月くらいまで続くのよ」

「たいへんだなあ」

　そこで、優香子は初めて岳彦の方を向いた。目の腫れが退《ひ》いても、素顔になった彼女はやはり、岳彦の知っている優香子とは違う顔に見えるかも知れないとは、正直なところ思う。

「前の彼にね、この顔を見られたの」

　花粉症のせいばかりとは思えないほどに、優香子の瞳《ひとみ》は潤《うる》んでいた。

「そして、言われたわ。『何だ、詐欺《さぎ》みたいなもんだな』って」

　岳彦は、思わず眉《まゆ》をひそめ、彼女を見つめた。優香子の口元には、諦めたように自《じ》嘲《ちょう》的な笑みが浮かび、やがて、すぐ消えた。

「こっちだって必死なのよ。頭はぼんやりして、集中力なんか、何もなくなっちゃうし、くしゃみが止まらなくて、夜も眠れないときがあるわ。もう、このまま死にたいと思うくらいに、苦しいの。それなのに、彼は、そう言った——失礼」

言いながら、またティッシュに手が伸びる。岳彦の職場にも、重い花粉症の人間がいる。周囲の者は、気の毒がりながらもつい笑っているが、当の本人は鼻の穴にまでティッシュを詰めて、必死の形相で日々を過ごしていた。どんなにダンディーを決め込んでいる男でも、その姿ときたら、情けないのひと言だ。だが、それこそが花粉症の症状の、最悪な点だと思う。人のプライドまで突き崩す、落ち着いた日々を過ごせなくさせる、それが、もっとも辛《つら》いだろうと岳彦は思っている。ましてや、女性の場合にはなおさらだ。

「——彼は、お化粧して、落ち着いているときの私だけが好きだったのよね。こんなガラガラ声の、目も鼻も腫れて、どこに行こうにも、山のようにティッシュを持って歩かなきゃならないような女は、嫌だったんでしょう」

「俺は、違うよ！」

岳彦は慌てて身を乗り出した。だが、それをドスの利いた「嘘《うそ》っ」という声が押さえ込んだ。

「岳彦くんだって、嫌なはずよ。私だって、自分で自分が嫌になるくらいなんだから。そうでなくたって、ただでさえ顔色は悪いし、ぼんやりとして、私の顔って――失礼」

「だけど、それが君の顔だろう?」

「――そうよ! でも、自分でも素顔が嫌いだから、私はいつでもきちんとお化粧していなきゃ気が済まないし、ましてや他の人になんか――ちょっと、待ってね――もう、嫌になっちゃう」

優香子の顔は、やがて涙と鼻水でぐずぐずになっていった。これでは、とてもシリアスな会話にはなりそうもない。申し訳ないと思いながら、岳彦はつい声を出して笑ってしまった。優香子は「何よ」と言いながら、また鼻をかんでいる。本気で泣いているのか、花粉症のせいかも分からない。

「だからって、あんな下手な芝居することあ、ないじゃないかよ」

優香子は、腫れた目で岳彦を睨《にら》み、「だって」と鼻をかむ。隣の屑《くず》かごには、瞬く間にティッシュの山が出来た。岳彦は、とにかく片時も休まずに手を動かしていなければならない様子の優香子を、ただ気の毒な思いで見つめていた。代わってやれるものなら、自分が代わってやりたいくらいだ。

「だって、岳彦くんは、私よりも四歳も若くて、こんな、ぐしゃぐしゃの顔になっているおばさんなんかと――」

こりゃあ、花束なんぞ買わずに、ティッシュの束を買ってくるべきだったなと考えながら、岳彦は、憤然とした表情の優香子の前で、声を出して笑っていた。

「笑わないでよ、こっちは必死なんだから」

「分かってるって。ああ、よかった。俺が嫌われたわけじゃ、なかったんだもんな」

「――当たり前よ」

何を話していても、とてもロマンチックな雰囲気にはなりそうにない。それでも、岳彦は満足だった。思わず彼女の腕を引き寄せると、優香子は頼りないほど簡単に岳彦の胸に顔を寄せてきた。

「俺は、大丈夫だよ。優香子のために、毎日だってティッシュを買ってきてやるよ」

「岳彦くん――」

そこで、優香子はくしゃみを連発し始めた。岳彦は「よしよし」と言いながら、彼女の背中を撫《な》でていた。

「駄目だわ。私は花粉を払って入ってきたけど、岳彦くんの服に、いっぱいついてるんだものね」

くしゃみを繰り返しながら、優香子は涙を流して言った。岳彦は「ごめん」と言い、慌てて部屋の外に出て、全身をはたき始めた。はたきながら、来年か再来年には必ず経験しなければならない転勤に際しては、北海道か沖縄に希望を出すのもよいかも知れないと考えていた。あっちならば、花粉症がないという話を聞いている。そういう土地に行くと決まれば、それをプロポーズの言葉に出来そうだ。この際、花粉症に、それくらいは役に立ってもらおうと思いながら、岳彦は、ぱんぱんと威勢のよい音をたてて、服をはたき続けた。五月の夜の風は、早くも微《かす》かに夏の匂いを含んで感じられた。

薬や

缶かん

「そうねえ」

ガラスのコップの中で氷がちりりんと鳴る。

「殺そうなんて考えたことはないけれど、死んでくれたらなあって思うわ」

妙子《たえこ》はサンドレスから出ている白くて丸い肩を少しだけすぼめて悪戯《いたずら》っぽい顔になっている。

「そんなこと、考えてるの？」

最近はどんなことを考えているのかと尋ねた瑞恵《みずえ》は一瞬あっけに取られた。お互いに結婚してからはなかなかゆっくりと話す機会もなくて、妙子に会ったのは一年ぶりのことだった。

「恐《こわ》いじゃない。そんなの」

瑞恵がストローから手を放すときに、また氷がちりりんと鳴った。妙子はほんの少しうっとりとした表情になってマンションの窓から吹き込んでくる爽《さわ》やかな風に前髪を揺らしている。

「だから、殺そうなんて思ってやしないわよ。ただささ、何となく死んでくれたらなあって、そう思うだけ。そうしたら、離婚する面倒もないし、いざこざもないでしょう？　私は哀れな未亡人を演じればいいんだし。ううん。今なら本当に、悲しめると思うのよね」

「うまく、いってないの？」

瑞恵はおそるおそる聞いてみた。妙子はころころと声を出して笑う。どこかの軒先で風鈴が鳴っている。網戸を通して入ってくる風が妙子の手縫いのレースのカーテンを大きくふくらませた。

「いってるわよ。いきすぎなくらい。喧嘩《けんか》もしなければ、言い合いにもならない。彼は浮気なんかするタイプじゃないし、帰りが遅いときにはきちんと電話をかけてくる。日帰りの出張だって、お土産を忘れない人よ」

「それなのに、死んでくれたらと思うわけ？」

綺麗《きれい》に掃除されているリビングはそこここに妙子の手製のものが溢《あふ》れている。パッチワークのタペストリー、レース編のクッションカバーとテーブルセンター、ドアノブのカバーにマクラメのすだれ。

「することがなくなっちゃったような気がするの、かな。事件なんか何もないんだもの。毎日が同じなのよね。生温《なまぬる》いお風呂《ふろ》に浸《つ》かってるみたいな感じ」

「贅沢《ぜいたく》ね」

瑞恵は口の端に笑みを浮かべて再びストローをつまんだ。残り少なくなったアイスコーヒーを掻《か》き混ぜると氷がからからと音をたてる。

「一緒に出掛けても特に嬉《うれ》しいとも思わないしね。ああ、この人がいなくなったら私、悲しいかしらって思うのよ。そうしたら、試しに死んでみてくれないかな、なんて」

妙子は満足げな顔で言う。その顔からは、自分の夫の死など、本気で願っているはずがないということくらい容易に分かる。

「病気は嫌だわ。看病が大変だし、心配するのは嫌いだから」

妙子は瞳《ひとみ》をきらきらと輝かせる。

「事故がいいわよね。あっという間に遠いところに行っちゃうから」

妙子は暇なのに違いない。そんな馬鹿《ばか》げたことを考える暇があるのなら外に出て仕事でもすれば良いのにと言おうとして、瑞恵は彼女が自分から望んで専業主婦になったことを思い出した。

「秀男《ひでお》さんが死んだら生活に困るじゃないの」

「取りあえずは保険金で何とかなるでしょう？　それからゆっくりと仕事を探すわ」

「そこまで考えてるの」

瑞恵が驚きの声を上げると妙子はくすくすと笑った。

妙子はそれからしばらくの間、どんな時に夫が死んでくれたら良いと思うか、どんな方法が良いかということを楽しそうに話した。

「そうやって考えると、この人の生命《いのち》も案外はかないものなんだなあなんて思ってね、逆に愛《いと》しくなったりするものよ」

「へんなの」

眠たくなるような初夏の昼下がりだった。流しには二人で食べた冷やし中華の皿が汚れたままで置きっぱなしになっている。最近太ってきたのよと言う妙子の白い肩はなるほど昔の骨っぽさが嘘《うそ》のようにうっすらと脂《あぶら》がのって華奢《きゃしゃ》な骨を包み込んでいる。背中が大きくあいたサンドレスも半日で縫い上げたのだと言っていた。

「瑞恵のところは新婚だから、そんなことは考えない？」

妙子はコップを傾けて氷の固まりを口に含みながら瑞恵を見る。

「新婚ったって、もう二年になるわ」

「もうそんなになる？　早いわねえ」

「妙子のところだって、まだ三年じゃないの」

瑞恵が真剣な顔になって答えると、妙子はまたくすくすと笑った。

「そのうち考えるようになるかもよ」

そういえば高校の頃からあれこれと想像しては一人で満足している娘だった。まさかあの空想好きで悪戯好きな妙子が普通の主婦になるとは思わなかった。あの頃は、男の人なんか大嫌いで、出来ることならば一生独身でいたいなどと大きな声で宣言していたものだ。

「だから昔の友達って恥ずかしいのよね」

妙子は再びころころと笑った。夕方まで昔話に花を咲かせ、これからはもっと頻繁に会おうと約束して瑞恵は妙子のマンションを後にした。

駅までの途中、妙子に付き合って、いつもとは違うスーパーに寄った。瑞恵は妙子から土産代わりにもらった妙子とお揃《そろ》いのサンドレスを入れた袋を提げながら特売の札とは関係なく上等の肉と有機栽培の野菜を買う妙子の後をついて歩き、自分はデリカコーナーで出来合いのきんぴらゴボウとカレイの唐揚げ、それから特売の「お一人さま一本限り」の醬油《しょうゆ》を買った。

「重くないの？」

妙子が心配そうな顔をする。瑞恵は大丈夫だと笑って答えた。

「今度一泊でどこかに行きましょうね」

別れ際《ぎわ》に言われて、瑞恵は指切りをした。

電車に揺られながら、瑞恵は妙子の言葉を一つ一つ思い出していた。

殺そうと思ったことはないけれど、死んでくれたらと思う――。それは、瑞恵には想像もつかない言葉だった。あの優しい、明るい妙子からそんなことを聞くとは考えてもいなかったのだ。時が、流れたのだとつくづく思う。

「帰ってたの」

「飯、早くして」

アパートに帰ると、隆《たかし》はもう戻っていた。瑞恵は出来合いのおかずを買ってきて良かったと思いながら、汗をかいたままの服を着替える間もなく台所に立った。隆は窓を大きく開け放って、トランクス一枚になって寝転んでいる。もうナイター中継が始まっていた。

「珍しい、ビールは自分で出したのね」

本当は、妙子が縫ってくれたサンドレスに早く着替えたい。ビールを飲みながらゆっくりとつまみで腹を満たし、最後にかならずお茶漬けを食べるのを習慣としている隆の為《ため》にポットに湯を入れておかなければならない。買ってきたおかずの他に昨日の残りものなどを出し、肉を焼き、野菜を切り、薬缶《やかん》をガスレンジにかけるころには、ワンピースはもう汗でよれよれになっていた。

「あっ、ちきしょう」

テレビからは大きな歓声が上がっている。画面に大きく「2—0」の数字が出ていた。瑞恵はフリーザーから冷凍の焼売《しゅうまい》を出し、皿に移してラップをかけると電子レンジに入れた。

瑞恵が何度となく台所と居間を往復する間も、ちょうど部屋の境に寝そべっている隆は瑞恵の方を見向きもしない。片肘《かたひじ》をついてつまらなそうな顔でテレビを見ているばかりだ。

「今日、会社に電話したんだ」

「あら、今日は休むって言ったでしょう?」

瑞恵は台所から隆の後ろ姿に向かって言う。

「そうだっけ」

「妙子に会いに行くから、休むって昨日の夜言ったじゃない」

「妙子って？」

「高校の時の。富永《とみなが》妙子。旧姓は小川《おがわ》」

「ふうん」

「用事だったの？」

「いや、別に」

瑞恵はワンピースのポケットに入っていたハンカチで目に入りそうな額の汗を拭《ぬぐ》いながら、横たわる隆の後ろ姿を見ていた。妙子は、瑞恵がパートに出ていることを知らない。別に隠すつもりはなかったが、何となく言いそびれた。

「なあ。まだ用意できないの」

「もうすぐ。あとお湯が沸くだけ」

「ビール」

隆の後ろ姿が空になったビール瓶を軽く持ち上げて振っている。右手で支えている頭はテレビの方を向いたまま微動だにしない。

瑞恵は冷蔵庫からビールを取り出すと、隆の片手から空き瓶を抜き取り、代わりによく冷えた瓶を持たせた。隆はそれでも何も言わずに、畳の上にじかに置いているグラスにビールを注いだ。

台所の熱気の中で、瑞恵の顔は真っ赤に火照《ほて》っていた。やがて薬缶がかたかたと鳴り、湯の沸いたことを告げる。ポットを目で探すと、卓袱台《ちゃぶだい》の向こうに置きっぱなしになっている。瑞恵は早く台所から出たくて、ポットを取りに行く代わりに沸騰《ふっとう》した湯の満ちた薬缶を持ち上げた。

危ないわよと言おうとして、瑞恵はふと立ち止まった。右手に下げた薬缶の下に隆の頭が見える。

――殺そうと思ったことなんかないけど、死んでくれたらと思う――

瑞恵は、テレビを眺める隆の横顔を見下ろしていた。隆の少し尖《とが》った特徴のある耳が薬缶の注ぎ口の真下にある。

妙子の家は涼しそうだった。日中でも風がたえず吹いているからエアコンもそれほど使わないのだと言っていた。部屋は光りが満ち、湿気がなく、そして妙子の手作りのもので溢れていた。今日の夕食はステーキに違いない。ニンジンのグラッセにほうれん草のソテーを添え、たっぷりとソースをかけてハーブをあしらい、もしかしたらパイナップルも載せるかも知れない。そして、隆よりも程度の低い大学を出た主人と向かい合い、心の中で彼が死ぬことを願いながら笑顔でワインを飲むに違いない。

「何、つっ立ってるんだよ。暑苦しいよ」

薬缶の下から声がする。転職症候群の、自信過剰のかつてのエリートサラリーマンは、上半身裸のトランクス一枚で、気がつけばすっかりやさぐれた顔つきになってしまった。大恋愛で結ばれたはずの愛妻が汗だくになって、着替えもせずに食事の支度をするのを、ただ寝そべって待つだけのつまらない男になってしまった。それが瑞恵の夫なのだ。

——死んでくれたらなんて思ったことはない。私はいつだって、殺したいと思ってきたんだわ。

独身時代に買った、すっきりとしたデザインのワンピースは汗で濡《ぬ》れて背中にぴったりと貼《は》りついている。

「おい」

隆の顔がほんの少し動いたようだった。瑞恵はぼんやりと遠くを眺めながら、ゆっくりと隆の耳に向かって薬缶を傾けた。

髪

1

「ふぅちゃん、七時半」

少し前に母が声をかけてくれたのは、芙沙子《ふさこ》も承知していた。その時は、芙沙子も機嫌の良い声で返事をしたはずだ。

「ほら、ふぅちゃん。八時になるわよ」

だが、次に母の声が聞こえてきた時には、芙沙子は完全に苛立《いらだ》っていた。どうしても、髪型がうまくまとまらないのだ。その日によっては、実に簡単に、あっさりと思い通りになるのに、今朝に限って、どうしてもフロントからトップにかけてが気に入らない。

――やだ、もうっ。

朝から髪型が決まらないと、芙沙子はもうそれだけで不機嫌になる。思わず、こんな日は会社に行きたくないとまで思ってしまうのだ。

「ずい分時間がかかったじゃないの、今日は」

苛々したまま、仕方なく食堂に行くと、母はいつもの表情でコーヒーを出してくれる。朝刊を読んでいた父が、新聞の上からちらりとこちらを見た。妹は、もうクラブの朝練《あされん》に行ったのだろう。彼女の席には、既に綺麗《きれい》に食べ終わった食器が残されているだけだった。

「だって、どうしてもうまくいかないんだもん。もう、嫌になっちゃう」

取りあえずは椅子《いす》に浅く腰かけて、コーヒーを飲み、冷めかけてしまったトーストにかじりつきながら、芙沙子は膨《ふく》れっ面《つら》で答えた。

「うまくいかないって、どこが？」

母は不思議そうな顔で首を傾《かし》げる。芙沙子は母に向かってさらに顔をしかめ、左手で「ほら、ここ」と前髪を軽くおさえて見せた。

「べつに、いつもと変わらなく見えるけど？」

母はそれでも不思議そうな表情を変えようとしない。芙沙子は膨れっ面のまま、今度は父の方を向いた。いつの間にか新聞をテーブルに戻した父は、やはりきょとんとした顔でこちらを見ていた。

「ちゃんと、出来てるじゃないか。綺麗に」

父の口から「綺麗」などという言葉を聞いても、白けるばかりだ。芙沙子は大きなため息をつくと、急いでトーストをかじった。

「でも、気に入らないの！　全然、思った通りになってないのっ！」

芙沙子は、呆気《あっけ》に取られている様子の両親を後目《しりめ》に、詰め込めるだけのパンを口に詰め込み、それをコーヒーで流し込んで、慌《あわ》ただしく立ち上がった。もう一度洗面所に駆け込み、今度は手早く口紅をつけて、最後に、もう一度だけ未練がましく前髪をいじりたかったのだ。

――やっぱり、今日にでも行ってこよう。

内心で舌打ちをし、大きくため息をついた後で、そう決心をすると、芙沙子はようやく鏡の前から離れた。

「ふうちゃん、ほら、お弁当！」

コートを羽織りながら慌ただしく玄関に走り、靴を履いている間に、背後から母がぱたぱたと走ってきて、ナプキンに包んだ弁当箱を渡してくれた。

「今日は、早いんでしょう？」

芙沙子は膨れっ面のまま受け取った弁当を大きめのルイ・ヴィトンのバッグに押し込み、それから急いで首を横に振った。

「美容室、寄ってくるから」

母は、ただ小さく頷《うなず》いただけだった。「ご飯、とっておくからね」という言葉を背中で聞き、勢い良く玄関を飛び出して駅までの道を急ぎながら、芙沙子は冬の風が自分の髪をなびかせている様を想像してみた。朝陽は、自分の髪を綺麗に輝かせてくれているだろうか、北風は、髪をしなやかに躍らせてくれているだろうか、そんなことを考えながら、ふと髪に手をやれば、芙沙子の大切な長い髪は、いつもと同じ柔らかな感触を芙沙子の手に返してくる。

——今日一日の辛抱よ。お母さんだって、気がついてないくらいなんだから。

昼休みになったら、美容室に予約の電話を入れるのを忘れないようにしなければ。今日は思いきって、この前美容師にすすめられたムースとトリートメントを買ってみようか。それならば銀行に寄って、少しお金を下ろさなければならないなどと考えながら、駅の改札をすり抜け、見知らぬ人に背中を押されて電車に乗り込む。いつもながら、せっかくセットした髪の毛がくしゃくしゃになってしまう、腹立たしい満員電車だった。

2

芙沙子のオフィスでの席は、いちばん窓側の、陽当たりの良い場所にあった。西新宿ののっぽのビルの三十八階は見晴らしが良く、一日中、柔らかな陽が射《さ》し込んでくる。大手の銀行が出資している住宅関連会社の総務課に勤めて今年で三年、芙沙子はずっとその席にいる。社内の備品購入の管理及び、取引先への慶弔金、贈答品管理担当ということになっている芙沙子の仕事は、誰かがやらなければならないことには違いないが、残業などとは縁のない、実に暢気《のんき》で気楽なものだった。

「ほらほら、ね」

その日の午後、のんびりと伝票を書いていると、背後から声がした。何事かと思って顔を上げれば、また「ね、ね」という声がする。芙沙子は、自分も話題に加わろうと、今度はくるりと振り返った。すると、そこに中島梢子《なかじましょうこ》と笠井《かさい》さんの、少し驚いた顔があった。

「あ、斉藤《さいとう》さんの髪のことね、言ってたのよ」

お弁当仲間の一人である梢子は、芙沙子と目が合った途端、慌てた様子もなく、にっこりと笑った。だが、その言葉を聞いた瞬間、芙沙子の方は頭のてっぺんから汗が噴き出すのを感じた。やはり、両親は気づかなくても、同じ年頃の同僚は気づいてしまう、彼女たちは、芙沙子の髪を笑ったのだと思うと、目の前が真っ暗になりそうだった。慌てて髪に手をやろうとすると、だが、梢子が「すごく綺麗ねえ」と言ったから、芙沙子の手は宙で止まってしまった。

「ここから見てるとね、陽が当たってね、すごく綺麗」

梢子は、もう一度にっこりと笑いながら、芙沙子の髪を眺めているようだ。芙沙子は、「本当?」と言うように笑顔になり、急に余裕のある手つきに変わりながら、内心でほっと安堵《あんど》のため息を洩《も》らしていた。

「いつも思うんだけど、午後になって陽があたると、本当に綺麗に光るのよ。よっぽどお手入れがいいのねえ」

梢子は、デスクに頬杖《ほおづえ》をつきながら、ため息混じりに言った。

「そんなこともないわよ。特に、何かしてるっていうわけじゃないもの」

芙沙子の視界の片隅には、男性社員の姿が入ってきている。彼らも、さりげなく芙沙子の髪を見ていることは確かだった。その時ちょうど、営業の小宮山《こみやま》が顔を出したから、芙沙子は余計ににかんだ笑みを浮かべた。

「たまたま、ここは陽当たりがいいから、そう見えるだけよ」

あまり得意そうな顔をしては、陰で何を言われるか分からない。芙沙子は出来るだけ目立たないように、けれど十分意識して髪が大きく弧を描くように首を振り、再びデスクに向かった。

「毛の質がいいのねえ。枝毛だって、全然ない感じだし」

それでもまだ梢子の声がしている。芙沙子は、つい笑顔になってしまって、また振り返り「そんなこと、ないってば」と答えた。動く度に髪が違う輝きを放つのを承知しているから、わざとそうしているのだ。

「枝毛くらいは、あるでしょう。長くしてれば、仕方がないのよね」

今度は、梢子の隣の笠井さんが、面白くもなさそうな顔を上げた。彼女は、芙沙子と同じくらいに髪を伸ばしていて、髪型もよく似ている。けれど、毛の質があまり良くないらしくて、彼女の髪は、芙沙子ほどには輝きを放たなかった。

「私は、そうでもないんだけどね。笠井さんは、多いの?」

芙沙子は、その笠井さんを悪戯《いたずら》っぽい笑顔で見つめながら、逆に聞き返してやった。

彼女は一瞬言葉につまり、それからつまらなそうな顔で「結構ね」と答えた。

「そんなふうに、見えないけどな。笠井さんの髪だって、すごく綺麗だもの」

芙沙子は、わざと感心した顔をして見せると、ゆったりと余裕のある笑みを浮かべて、またくるりとデスクの方を向いた。

「そうそう、笠井さんの髪も、綺麗よ。髪の質は違うんだろうけど、斉藤さんとはまた違った綺麗さがあるわ」

梢子が懸命に執りなそうとする声を聞きながら、芙沙子はくすりと笑ってしまった。

「どっちにしたって私の髪に比べれば、最高よ、二人とも。もう、いいなあ。すごくうらやましいんだからね」

「あら、中島さんの髪は、それはそれで、個性的でいいと思うけど？」

今度はお返しに、笠井さんがそんなことを言っている。

——心にもないこと、言っちゃって。

芙沙子は、心の中であかんべえをしながら、背後に耳を澄ませていた。

「冗談じゃないわ、こんな髪。個性的も何も、あったもんじゃないわよ、もう、まるっきり問題外」

「そうお？　私、天然パーマって、憧《あこが》れるけどなあ」

「ほぉら、うるさいぞ。髪の毛なんか、どうでもよろしい」

その時、課長の声が響いて、梢子の「すみません」という小さな声を最後に、背後の会話は途絶えた。何気なく顔を上げると、総務の他の部署の方に用事があったらしい小宮山が、ちょうどオフィスを出て行くところだった。彼は、ドアから出る時に、ちらりとこちらを振り返った。芙沙子の心臓がとん、と小さく跳ねた。

——こっちを見てくれた。

芙沙子は何だか急に気持ちが晴れやかになって、鼻歌でも歌いたい気分になった。自慢の髪を褒められた上に、彼を見かけることが出来たのだから、今朝の憂鬱《ゆううつ》など、いとも簡単に吹き飛んでいた。

——彼は、チャンスを窺《うかが》っている。私に言い出すきっかけを探してる。

挨拶《あいさつ》さえ満足に交わしたことのない小宮山が、いつの頃からか総務に顔を出す度にこちらを見ていることに、芙沙子はだいぶ前から気がついていた。別に何とも思っていなかった相手なのに、ひとたび意識し始めると、芙沙子も急に彼を意識するようになった。けれど、照れ屋なのか、真面目《まじめ》なのか、いくら待っても小宮山は、それ以上には芙沙子に接近しようとはしない。そんな彼の態度が好ましくもじれったくも思えて、最近の芙沙子は「何とかしなければ」と考え始めていた。

——来月、社内のクリスマス・パーティーの時がチャンスよ。その時に、こっちからきっかけを作ってあげなきゃ。

心密《ひそ》かに、芙沙子はそんな決心をしていた。

実は、男子社員の間では、芙沙子はそれなりに有名らしかった。彼らは密かに女子社員の髪の美しさにランクづけをしていて、そのベストスリーに芙沙子が入っているらしいというのだ。ことが公《おおやけ》になると、セクハラ問題になりかねないから、密かに囁《ささや》かれているだけのことだったが、どこから聞きつけてきたのか、女子社員の耳にもそんな噂《うわさ》は届いていた。

「うらやましいなあ」

その噂を耳にした時、縮れ毛の梢子は、心底からうらやましそうな表情で「さらさらだもんね」と芙沙子の髪を触ったものだ。

――皆、私の髪を褒めてくれる。私の綺麗なさらさらの髪。

背後から、笠井さんと思われる視線がいやに強烈に感じられるのを小気味良く思いながら、ついつい髪に手をやりたくなるのを懸命にこらえ、芙沙子は、淡々と書類の整理を続けた。

「私もそういう髪に生まれてきたかったなあ」

その日の帰りにも、芙沙子はまたもや梢子のぼやきを聞いた。社内で芙沙子といちばん親しくしている彼女は、意地の悪いところや虚栄心の強いところなどがなく、気楽に付き合える同僚だった。

「こんな、針金みたいな髪の毛、本当にイヤになっちゃう」

梢子は憂鬱そうに自分の髪を引っ張り、大げさなため息をつく。色も赤茶けており、一つに結《ゆ》わかないことには収拾がつかなくなってしまうという髪が、彼女の大きなコンプレックスの原因になっているらしいことは、確かだった。ショートカットにしていても、ヤマアラシみたいになってしまうという話で、彼女はいつでもその髪を頭の後ろで一つにまとめている。その毛束は、彼女の背中で、いつでも箒《ほうき》みたいに広がっていた。髪の毛がそんなせいか、彼女は他のお洒落《しやれ》にも興味がないらしく、いつも化粧気のない顔に分厚い大きな眼鏡をかけて、ひどく野暮ったく、地味に見えた。

「でも、中島さんは肌が綺麗じゃない？」

芙沙子は、自分の髪を褒められた時に決まって返すことにしている言葉を口にした。友人などと容姿の話になり、他に褒めるところなど見あたらない時には、芙沙子は取りあえず相手の肌を褒めることにしていた。それに、確かに梢子の肌は白くて肌理《きめ》が細かく、にきびなども見あたらなかった。

「それこそ、洗いっ放しの肌よ、こんなの」

新宿駅までの地下道を歩きながら、梢子はつまらなそうに頬をさすり、小さくため息をついた。

「やっぱり、髪の毛よねえ。斉藤さんほどまでになれなくても、せめて、直毛だったらよかったのになあ」

——でも、そこまでひどい縮れ毛だったら、諦《あきら》めた方がいいわね。

梢子と並んで歩きながら、芙沙子は心の中で呟《つぶや》いていた。

「ねえ、クリスマスのパーティー、なに着ていく?」

話題を変えるつもりで言うと、梢子の表情はますます憂鬱そうになった。

「そうか、それも考えなきゃならないのね。イヤだなあ」

梢子は大きくため息をつき、「あーあ」と呟いた。社内ではいちばん気の合う同僚ではあったけれど、お洒落に関しては、彼女とはあまり話は出来ないと、芙沙子は内心でがっかりしていた。しかし、その一方では安心もしている。あれこれと張り合う必要のない友人は、貴重な存在だ。笠井さんなどと違って、梢子は最初から、自分はお洒落とは無縁だと思っているらしい。だからこそ、芙沙子は案外素直に付き合っていられるのかも知れなかった。第一、彼女と一緒に行動している限り、芙沙子はいつでも引き立て役を傍に置いているようなものだ。

「お洒落するチャンスなんだから、少しは周りをびっくりさせてみたら? イメージ・チェンジして、皆を驚かせるチャンスじゃない？」

別れ際《ぎわ》にさり気なく慰めの言葉をかけても、梢子はまたため息をついて「そうねえ」と力のない笑みを浮かべるばかりだった。

そんな彼女と駅で別れた途端、芙沙子は、たった今までの余裕のある笑みを引っ込めて、一目散に美容室に向かった。何しろ、六時までに着かないと、パーマの受付時間が終わってしまう。明日の朝も、今朝と同じに苛立たなければならないのなんか、真っ平だった。

「伸びてきたら、やっぱり癖が出ちゃうみたい」

六時ぎりぎりに美容室に滑りこんだ。鏡の前に座ると、いつもの担当美容師が笑顔で芙沙子の背後に立った。

「根元から伸びるんだから、少しはまとまりにくくなっちゃうかも知れないね」

「それが、我慢出来ないの」

学生時代から芙沙子の担当を続けている美容師は、すべてを承知している表情で、にっこりと笑う。その笑顔を見ると、芙沙子は救われた気持ちになった。彼に任せておけば大丈夫、彼さえいてくれれば、芙沙子の髪は美しさを保たれる。

「自分が癖っ毛だなんて、もう忘れてるんじゃない？」

まずは毛先を整えながら、美容師はすっかり慣れた口調で話しかけてくる。雑誌に目を落としながら、芙沙子は小さく頷いた。

「同じようにストレート・パーマをかけてたって、こんなに綺麗な髪になる人ばっかりじゃないからね」

彼は小指を立ててつまむように持っているコームで芙沙子の髪を撫《な》でつけると、真剣な表情でハサミを動かしながら話し続けた。

「もともと、癖っ毛だったとしても、質は良かったんだよね。それにパーマも、かかりやすかったんだ。ふだんのお手入れも、よく出来てるみたいだしねえ」

ふだん、顔の両脇《りょうわき》や額の上に下がっている髪は、ピンで留められたり、すべて後ろに引っ張られて、芙沙子の顔はむき出しになっていた。鏡の向こうにいるのは、いつもの芙沙子よりも顔が大きくて、ぼんやりとした表情の娘に見えた。その、何となくしまりの悪い、いやにぺちゃりとした顔の芙沙子が、「まあね」と言いながら美容師に向かってにっこりと笑っていた。数時間後、ここを出る時には、また美しい髪をなびかせて颯爽《さっそう》と歩く娘になるのだ。そのためにここに来ているのだから、こんな場所でどう見られていようと、そんなことは、どうでも良いことだった。

3

高校の三年生まで、芙沙子にとっては父親譲りの癖っ毛が、人生最大の悩みの種だった。子どもの頃から「パーマをかけているのではないか」と教師に呼ばれたり、友達にからかわれて、いっそのこと坊主頭《ぼうず》にしてしまいたいと思うほど、芙沙子は自分の髪が嫌いだった。

——テレビのコマーシャルで見るような、艶《つや》やかでしっとりとした髪になりたい。

その悩みは成長と共に大きくなり、大学に入った頃からは、夜も眠れないほどになった。あらゆるシャンプーを試し、あちこちの美容室でストレート・パーマに挑戦しても、どんなスタイリング剤を使い、何時間かけて自分でブローしても、だが、成果は一向に表れない。その頃から、街にはロングヘアの娘が目立つようになってきて、それが一層芙沙子を悩ませた。こんな髪質のままなら、いっそのこと自分の髪を引き抜いてしまいたいと思うくらいに、一時は追い詰められた気持ちにも、なったものだ。

そんな時に、ある雑誌で今の店を知った。思いきって訪ねて行き、自分の髪質のことを相談して、現在の担当の美容師に、他の店では扱っていない薬を使ってみようと言われた時には、芙沙子はまさしく祈るような気持ちだった。

初めて、本当のストレート・ヘアを手に入れたと知った時、芙沙子は、神様を信じようと思った。奇跡としか言いようがないほどの感動が、そこにあった。ほんの数時間、美容室の椅子に座っていただけで、芙沙子の癖毛は世の中から消えてなくなってしまったのだ。そして、夢にまで見た髪を手に入れた。以来、芙沙子は常に人の目を気にして歩くようになった。自分の背中に、美しい真《ま》っ直《す》ぐの髪が揺れていると思うと、それだけで自信を持つことが出来たからだ。

今、髪の調子さえ良ければ、もうそれだけで芙沙子の毎日は実に楽しかった。仕事は楽だし、疲れないし、週に二、三度は会社の帰りに寄り道をして、休みの日には大抵遊びに行って、一年ほど前に恋人とは別れてしまったけれど、それでも特に退屈などしたことはない。何しろ、時折髪の感触を確かめ、風になびくのを感じるだけで、何をしていても、芙沙子の気持ちは華やぎ、余裕を持つことが出来たのだ。

「また、行ってきたの？　お金の無駄じゃない」

明日はクリスマス・パーティーという日、芙沙子はまた美容室に行った。家族が夕食をとっているところに帰宅すると、真っ先に妹が口を開いた。

「明日、パーティーなの。そのために準備するののの、どこが無駄なのよ」

澄ました顔で言い返すと、妹は、ふん、とわずかに鼻を鳴らして笑う。

「まあ、お姉ちゃんは髪の毛美人だからね。生命《いのち》より大事なんだもんねえ」

高校二年生にもなって、ひたすらテニスにばかり明け暮れている妹の、ソバカスが浮いて陽焼けした顔をちらりと見ながら、芙沙子は自分も箸《はし》をとった。だが、近頃とみに生意気になっている妹は、いかにも皮肉っぽい、何か言いた気な表情のまま、まだこちらを見ている。

「——なによ」

「なぁんかさ、せっかく大学まで行ったって、お洒落のことしか考えなくなるんなら、勉強なんか無駄っていう感じ」

妹はさらに小馬鹿《こばか》にした口調になる。たかだか高校生の言うことになど、芙沙子は真剣に耳を傾けるつもりはなかった。あんたに何が分かるの、と思うだけだ。明日に備えて、ほんの少し毛先を揃《そろ》えてもらい、念入りにトリートメントをしてもらうだけで、芙沙子は自信と余裕を持つことが出来る。それが、どんなに重要なことか。とにかく、並みいる女子社員の中で、ひと際美しい輝きを放つ髪でありたい。芙沙子の願いは、それだけだった。明日のパーティーでも、この長い髪を優雅に揺らす自分の姿を見れば、あの小宮山だって気持ちを新たにして、勇気を出してくれるに違いない。

「後ろから見たら、どんな美人だろうと思われちゃうわけよね、きっと。まあ、最近、そういう女の人ばっかりだけど」

妹は、相変わらず皮肉な口調でそんなことまで言った。

「髪は女の生命なの。髪が綺麗だっていうことは、美人の条件なんだからね。あんただって、ちゃんと手入れしてないと、そのうち絶対、後悔するから」

芙沙子が言い返すと、妹はくすりと笑い「顔をカバー、か」などと言った後、さっさと部屋に戻ってしまった。姉妹が言葉を交わしている間、いつものことながら終始口をつぐんでいた父は、そそくさと風呂《ふろ》を使いにいった。

「何よ、あいつ。生意気ね」

芙沙子は、ぶつぶつと文句を言いながら、一人で箸を動かした。

「同じ姉妹でも、興味の対象が違うんでしょう。あの子は、今はテニスに夢中なんだから、あれでいいのよ」

残った母が困ったように笑った。芙沙子は運動が好きではなかったから、毎日汗だくになって駆けずり回っているばかりの妹の気持ちなど、とても理解できなかった。

「本当に、正反対なんだから」

母は茶をすすりながら、くすりと笑う。芙沙子は、その母をちらりと見ながら、さらに口もとを歪《ゆが》めて見せた。

「あんなに走り回ってばっかりいたって、何の役に立つっていうの？　大して強くもないくせに。顔中にソバカスばっかり作っちゃって、本当、後で後悔したって知らないから」

「いいのよ、あの子にはそれが向いてるんだから。ふぅちゃんが、自分の髪の毛に夢中なのと同じなの」

「まさか、一緒にしないでよ。髪の毛は、自分の大切な一部でしょう？　女にとっては付加価値よ。財産になるわけじゃない。ただ汗だくになって走り回るのとは、まるっきり違うわ」

運動のみならず他の勉強でも、実は芙沙子よりも数段出来が良いらしい妹に対して、芙沙子は内心で脅威を感じていた。大体、やたらと元気で性格もストレートな娘というのが、芙沙子は苦手なのだ。

「疲れるだけじゃない、生産的じゃないわ。プロになるわけでもあるまいし、どうせそのうち、ただの人になっちゃうんだから。いくら運動神経が良くたって、頭が良くたって、女としての魅力がなかったら、誰にも相手にされなくなるに決まってる」

芙沙子は、わざとらしく顎《あご》を上に向け、セットしたての髪を揺らしてみた。母は何も言わずに、黙って茶を飲んでいた。

「女は、とにかく自分を磨くことを一番に考えるべきよ。それが将来だって左右しかねないと思わない？　だからこそ私だって、この髪の毛のために、どれくらい涙ぐましい努力をしてることか。お母さん、いちばんよく知ってるでしょう？」

芙沙子は、小首を傾げて髪を手に取り、それで自分の頬を微《かす》かに撫でて見せた。滑らかでさらさらとした感触が頬に心地良くて、我ながら、思わずうっとりとしてしまう。母は何も言わずに、そんな芙沙子を見ていた。髪がストレートになったことを誰よりも喜んでくれたのは、他ならぬ、この母だった。何しろ、以前の芙沙子といったら短気でひがみっぽく、何かにつけて母にも八つ当たりをしていたからだ。父の髪質を受け継いだことを恨み、そんな父と結婚した母を責めた。それが、あの美容室と出会い、髪質が変わったことだけで、性格さえも明るく変わったと、母は、ことあるごとに喜んでいる。

「まあ、あの子には、まだ分からなくても、いいわよね。いいんだ、私は、せっせと磨きをかけて、早くお嫁に行くんだから」

「いるの、誰か」

母は多少意外そうな表情になって芙沙子を見る。芙沙子は、頭の中で小宮山の姿を思い描きながら、まんざらでもない笑みを浮かべて見せた。

「ちょっと、ふうちゃん。いつも言ってるわね？　そういう人がいるんだったら、ちゃんとお母さんに言ってちょうだいよ」

母は、急に真剣な様子で身を乗り出してきた。芙沙子はくすくすと笑いながら、「そのうちね」と答えた。

「まだ、紹介するところまでいってないのよ。そのうち、ちゃんと言うから」

芙沙子は、にっこりと笑うと、そのまま食卓を後にした。洗い物くらい手伝えと、いつも言われているのだが、ついつい母に任せっ放しになってしまう。

――でも、そろそろ真剣に家事も出来るようにならなきゃ、いけないかな。

とにかく、明日のクリスマス・パーティーと、来年のお正月の、有志でのスキー旅行、春のお花見と、これから春にかけては、社内でのイベントが目白押しになっている。芙沙子自身はスキーなどほとんど出来ないし、寒いのも好きではなかったけれど、梢子に誘われたときにメンバーを確認したところ、小宮山も参加すると知って、慌てて自分も申し込んだのだった。

――こっちからチャンスを作ってあげるんだから。早く近付いてこないと、他の人に取られちゃうかも知れないわよ。

心の中で密かに小宮山に話しかけ、芙沙子はまた胸の高鳴るのを覚えた。とにかく、いつチャンスが巡ってくるか分からない。いつでも最高の状態に自分を磨いておかなければと、新たに自分に言い聞かせていた。

4

翌日、芙沙子はいつも通りに丁寧に髪をセットし、新しく買ったピンク色のワンピースを着て出社した。ふだん、制服姿か通勤着しか見たことのない会社の人々に、艶《あで》やかな姿を披露するチャンスなのだから、自然に朝から化粧も丁寧になった。

パーティーは夕方から、近くのホテルの宴会場で行われることになっていたが、各課から選ばれた社員は早目に集合して、あれこれと準備に当たっていた。芙沙子もその中に加わっていたから、いよいよ社員が集まってくる頃には、すっかり華やいだ気分が出来上がっていた。

やがて、会場に次々に仕事仲間が現れた。女子は、思い思いにドレスアップして、皆、懸命にお洒落をしているのが分かる。その中に、見慣れない人がいるのを発見して、芙沙子は「あれ、誰」と同僚の袖《そで》を引っ張った。

「なに言ってるのよ。彼女、中島さんじゃないの」

ところが、彼女はあっさりとそう答えた。

「中島さんて、梢子？　うちの課の？」

芙沙子は呆気に取られてしまった。そこには、黒いワンピースに身を固め、つい昨日まで見ていた彼女とは似ても似つかない雰囲気の、華やかな人がいたのだ。

「コンタクトにしたんだって。冬のボーナスで」

同僚の説明を聞きながら、芙沙子は梢子から目を離すことができなかった。いつでも無雑作に、一つに結わえていた髪を解いて、今日の彼女は黒いベルベットのカチューシャをしている。箒みたいにみすぼらしく見えていた髪は、頭の後ろで大きく豊かに広がって、明るい茶色に輝いていた。しかも、眼鏡を外した彼女はきちんと化粧をして、鮮やかな色の口紅さえさしているのだ。白い肌がいっそう引き立って、鼻筋も通り、日本人離れして見えるくらいに、梢子はまさしく別人のようだった。

次々に何か話しかけているらしい人たちに、「何だか、恥ずかしくて」などと、照れた笑いを浮かべている彼女を遠目に見て、芙沙子は一気に焦《あせ》りを感じた。「早く褒めてあげなければ」と思った。ここで出遅れてしまっては、彼女に嫉妬《しっと》していると思われ、いや、気づかれてしまう。

「中島さん、見違えちゃった！」

やっとの思いで足を動かそうとした時、だが、笠井さんが感嘆の声を上げて彼女に走り寄って行ったから、芙沙子はタイミングを逃してしまった。

「もっと前から、コンタクトにすれば良かったのに。もともとが美人なんだから、眼鏡なんかで隠してたらもったいないって、いつも思ってたのよ」

笠井さんは「素敵！」を連発して、前からも後ろからも梢子を見回している。

「だって、何だか恥ずかしいし、恐《こわ》かったんだもの。でも、斉藤さんにも、すすめてもらって、やっと勇気を出したの」

梢子は頰を赤らめ、本当に恥ずかしそうに肩をすくめている。その時、ちらりとこちらを見たから、芙沙子はそれをチャンスに慌てて駆け寄った。

「誰かと思っちゃったわ。今日は中島さん、どうしたんだろうと思ってたのよ」

梢子は、嬉《うれ》しそうに笑いながら「直行で、お使いに行ってたから」と答えた。伏し目がちになると、マスカラ不要の長いまつげが白い頰に影を作る。とても化粧に慣れていないとは思えないくらいに、アイラインも、アイシャドウも完璧《かんぺき》に入っている。

彼女は、こんな顔立ちだったのか。

――可愛《かわい》い。

認めないわけにはいかなかった。鮮やかな赤い色に染められた唇は、小さくすぼめると、花びらのような印象を与えた。

「女優さんみたいねえ、こうすると」

笠井さんが、彼女の広がった髪をふわふわと触って言った。

「そうそう、そういう髪型の方が似合うわよ」

後《おく》れを取ってはならないから、芙沙子も一生懸命になって言った。梢子はますます照れて「そう?」と笑っている。

「でも、ビル風なんかに吹かれると、もう最低なの」

「ううん、ううん、絶対に素敵! 天然で、そんなに綺麗なんだもの。パーマの必要なんかないっていうことよ!」

芙沙子はほとんど必死になって彼女を褒めた。褒めながら、何とか自分より劣っている箇所を発見しようとしてみたけれど、見れば見るほど、昨日までの彼女からは想像も出来ないくらいに、梢子は艶やかな美しさを放っていた。

「男の人たち、大喜びしちゃうわよ、きっと」

芙沙子は自分の中に広がっていく憂鬱を吹き飛ばそうと、わざと明るい声を上げた。

――でも、どんなに魅力的でも、この髪じゃあね。ごわごわしてて、触りたくもないじゃない。

自分にそう言い聞かせることで、芙沙子は何とか平静を保つことが出来た。どうせ二人で行動するのならば、あまり地味で野暮ったい娘と一緒よりも、人の目をひく美しい娘との方が目立つのだから、芙沙子にとっても、得になるに違いないのだ。そう考えることにした。

やがて、パーティーが始まると、案の定、梢子の周りには人が集まった。

「本当に、中島くん？」

上司が嬉しそうな顔で近づいてくる。

「何だ、隠してたんだな？」

他の上司も歩み寄ってきて言った。梢子は何を言われても恥ずかしがるばかりで、終始頬を赤らめ、芙沙子の陰に隠れようとさえする。必然的に、芙沙子は梢子を押し出す役目を果たさなければならなかった。

「ほら、駄目よ、恥ずかしがってちゃ。皆に見てもらわなきゃ」

彼女の背を押す時、芙沙子の手と顔に、彼女の縮れ毛が触れた。それは、確かにごわごわとした、硬い感触だった。

——大丈夫、こんな髪の子だもの。

「眼鏡を外したくらいで、こんなに言われるなんて、思わなかった」

梢子は本当に恥ずかしそうに、それでも嬉しそうに笑っていた。やがて、あらかじめ企画されていたゲームが始まると、梢子はあちこちで人に呼ばれ、自然に芙沙子から離れて行った。芙沙子は内心でほっとしながら、今度は自分の長い髪が美しく揺れるように意識して、人の間を歩くことにした。時折呼び止められ、その都度、当たり障《さわ》りのない話をしながら、目だけはひたすら小宮山を探した。けれど、人が多くて、彼はなかなか見つからない。

――向こうから、私を見つけてくれればいいのに。

ひょっとすると彼は背後から芙沙子の髪を見つめているのではないか、などと思い、時折は振り返ったりしながら、芙沙子はパーティー会場を歩き回った。そのうち、司会の人の「プレゼント交換を始めます！」と言う声が響いた。それまで流れていた音楽が止《や》み、騒《ざわ》めきが消えて、社員たちは自然に司会の周りに集まった。

ふと見ると、芙沙子からだいぶ離れたところで、ひと際華やかに見える一角がある。それは茶色く広がる髪に包まれた白い顔をほころばせている梢子だった。胸元の大きくあいた黒いワンピースを着ている彼女は、遠くから見ると、ますます美しく見えた。彼女は、片手を頬に添え、隣にいる人と、いかにも楽しそうに何かを話している。その相手を見て、芙沙子は顔から血の気が退《ひ》くのを感じた。それこそ、芙沙子が二時間近くも探し回っていた小宮山だったのだ。彼は、これまでに芙沙子が見たこともないような笑顔で、梢子にグラスを差し出していた。

——私のことをあんなに見ていてくれたじゃない。どういうこと？

「目立つわね、あの二人」

「小宮山くんの好みなんじゃないの？」

背後から誰とも分からない、そんな囁き声が聞こえてきた。それでも芙沙子は、にわかには信じ難い気持ちで梢子と小宮山を見つめていた。大体シンデレラでもあるまいに、あの梢子が今夜に限って、あんなにも変身していること自体が、まず信じられないのだ。自分が動揺しているのが分かる。誰に見られているか分からないから、口元だけは曖昧《あいまい》にほころばせたままでいるけれど、顔は強張《こわば》っていた。芙沙子は、ひたすら梢子と小宮山だけを見つめ続け、その後のプレゼント交換などは、結局まったく上の空の状態だった。

「綺麗な髪ねえ」

ふいに背後から声をかけられて、ようやく我に返った時には、司会は既にパーティーの終わりを告げようとしている時だった。芙沙子は、嬉しくも何ともない、趣味の悪いキーホルダーを手にして、ただ人の間をうろうろとしていた。振り返ると、他の課の四十代の女性係長の笑顔があった。

「若いうちは、いいわねえ。私も、少し前までは長かったんだけど、さすがに年齢《とし》と共に髪も艶を失ってくるからねえ、さっぱり、切っちゃった」

係長はボブの髪をわずかに揺らして、豪快に笑った。芙沙子は、何だか背筋が寒くなる思いで彼女の笑い声を聞いていた。この自慢の髪が、年齢と共に艶を失い、魅力を失ってしまうなんて、とても今、冷静に考えられることではなかった。キーホルダーを握りしめ、芙沙子は人を探すふりをして係長から遠ざかった。あんなに楽しみにしていたのに、結局、何も起こらない、ちっとも楽しくないパーティーだったと、その時になって気づいた。

5

翌週、芙沙子はさりげなく、小宮山のことを梢子に尋ねてみた。最初、梢子は誰のことを言われているのかも分からなかったらしく、芙沙子が「プレゼント交換の時に」と言って、ようやく彼を思い出した様子だった。

「何だか、上がりっ放しだったから、誰と話したかも、よく覚えてなくて」

梢子は、また髪を一つに結わえた姿に戻っていたが、それでも眼鏡を外したせいで、やはり別人のように見えた。

「営業なんですって。さっぱりした人だったわよ」

彼女は、彼を特に意識していないらしく、けろりとした口調でそう答えた。芙沙子は内心で安堵のため息を洩らしながら、そんな彼女を一時でも恨めしく思ったことを反省した。

――すると、次のチャンスは、スキーね。

本当は、スキーなど行く気も失《う》せていたところだったが、梢子にその気がないというのなら、まだチャンスがあるということだ。むしろ、彼女が小宮山とある程度親しくなってくれていれば芙沙子は梢子につきまとうことで、小宮山に近づく方法が生まれたことになる。スキーそのものは、実は一度しか行ったことがないから、まるで自信はなかったけれど、その方が逆に教えてもらうチャンスだって生まれるに違いない。とにかく雪焼けしないように、しっかり肌と髪の毛を守り、今度こそ小宮山と親しくなろうと、芙沙子は新たに決心して新年を迎えた。

スキーは正月の二日から行くことになっていた。その日の夕方、集合場所に行って、だが芙沙子はまた驚かされなければならなかった。

「中島さん、その髪——」

明るい色のウェアに身を固めた梢子が、明るい茶色の、真っ直ぐな髪を輝かせて笑っていたのだ。

「ストレート・パーマっていうの、やってみたの。和服には、あの髪は合わないから。そうしたら、案外うまくいっちゃった」

梢子は、輝くばかりの笑顔で、芙沙子に抱きついてきた。

「嘘《うそ》みたいでしょう？　自分でも信じられなくて」

彼女の肩の上では、美しい髪が元気に跳ねている。

「斉藤さんのおかげよ、イメージ・チェンジしたらって、何度もすすめてくれたから。やっとここまで勇気が出たの！」

芙沙子は、彼女に身体《からだ》を揺すられながら、半ば呆然《ぼうぜん》となり、心の底から自分の愚かさを呪《のろ》っていた。

——私、そんなにすすめた？　ストレート・パーマかけろなんて、言った？

「触る度に、信じられない気持ちになっちゃうの。もう、親も大喜びよ」

梢子は盛んにはしゃいだ声を上げている。芙沙子は、出来ることならば、今すぐこの場から家に戻りたいと思った。

「あれ、中島さん、また変身したんだ」

その時、背後から声がした。振り返ると小宮山の笑顔があった。芙沙子と目が合うと、彼はにこりと笑って挨拶をする。だが、次の瞬間には、もう彼の目は芙沙子からは逸《そ》らされ、再び梢子を見つめていた。

「彼女みたいな髪になりたくて」

梢子は、また嬉しそうに笑っている。芙沙子は絶望的な気分になりながら、今や、憎悪《ぞうお》の対象にさえなりつつある梢子に手を握られていた。

「いいね、どっちも似合うじゃない」

スーツ姿ばかりを見慣れている芙沙子にとって、ラフな服装の小宮山は、まだ学生みたいに若々しく、ある意味では頼りなく見えた。芙沙子は、自分の中で少しずつ育っていたものが急速に萎《しぼ》んでいくのを感じた。

それから、芙沙子の憂鬱な三日間が始まった。二十人ほどの団体の中で、初心者は何と芙沙子一人だったのだ。

「よし、俺がコーチしよう」

それまで、顔もはっきり覚えていなかった滝口《たきぐち》という男子社員が、スキーはプロ級の腕前ということで、張り切った声で名乗りを上げた。

「いいです、私、ロッジにいますから」

好みのタイプとはまるで違う相手に親切になどされては、かえって迷惑だ。芙沙子は曖昧に笑ってそれを断った。すると滝口は、大げさに驚いた顔になり、「冗談！」と大きな声を張り上げた。

「馬鹿言うなよ、せっかく来たんじゃないか。今回で滑れるようになれば、もう病みつきになるって。俺のコーチは、評判いいんだよ」

有無を言わさない口調で言われて、芙沙子はむっつりと膨《ふく》れっ面《つら》になった。そんな親切は有難迷惑、うるさいばかりだ。何しろ、目の前で揺れている梢子の髪が目障りでならない。今や小宮山のことなどよりも、梢子の髪のことで、芙沙子の頭は一杯になってしまっていた。

――わざとらしく揺らさないで。何よ、そんなに見せつけたいの。

梢子は、行きのバスの中でも、ついこの間までの引っ込み思案など嘘のように、すすめられるままにマイクを握ってカラオケを歌ったり、明るくはしゃいでいた。彼女が頭を振る度に、彼女の背中では栗色の髪が輝いた。

――無邪気なふりなんかして、本当は私の髪が悔しくてたまらなかったんだ。タイミングを窺ってたんだわ。

　こんな短期間に、ここまで雰囲気を変えて見せるなんて、まったく、ずるいやり口だとしか言いようがなかった。最初に眼鏡を外して、自分が美人であることをアピールし、次にはストレート・ヘアになって見せるなんて本当に計算高い、嫌な女だと、芙沙子は心の底から思っていた。単純な男子社員は、話題性だけで、もう簡単に彼女に注目してしまっているではないか。その最先端にいるのが小宮山だとすれば、彼は愚かなだけだ、ただの単純馬鹿ではないか。

「ボーゲンくらいは、出来る？」

　滝口ばかりが、馬鹿に暢気《のんき》な明るい声で話しかけてくる。それすらもうるさくて、芙沙子は泣き出したい気分だった。

「ボーゲンて？」

「おいおい、まるっきりの初めてじゃないんだろう？」

　本当は、今すぐにいつもの美容室にかけ込んで、梢子以上に深みのある色の、彼女が絶対にかなわないくらいに美しい髪にしてもらいたい。それなのに、芙沙子が放り込まれたのは、一面の銀世界、何一つとして芙沙子の気持ちを和らげるものなど、ありはしなかった。

「駄目だなあ、斉藤さん、運動神経、ないんじゃないの?」

「おい、滝口、こりゃあ、思ったより大変だぜ」

もたもたとスキーを履き、ストックを杖代《つえ》わりに使って転んでばかりいる芙沙子に、男の連中はそんなことを言って笑った。転ぶ度に、芙沙子は髪が傷《いた》むのではないかと、悲鳴を上げた。

「お尻《しり》が重いんだな、きっと」

「雪なんだから、頭についたって、落ちるんだから、平気だって」

口々にそんなことを言われ、芙沙子は泣きたい気分で、有難迷惑な臨時コーチにしごかれ続けた。

「元気、出せってば。必ず滑れるから」

滝口は、芙沙子以上に熱心に、飽きることなく声をかけ続ける。その横を、小宮山と梢子が幾度となく軽快に滑り降りて行くのを恨めしい気分で見送りながら、芙沙子は本当に、今すぐにでも東京に帰りたいと思った。雪なんか嫌い、スキーなんか嫌い、何もかも、大嫌いだった。

夜は皆が寝静まった後で、筋肉痛に顔をしかめながら必死で髪の手入れをし、朝も早くから馬鹿丁寧に髪をとかして、芙沙子はとにかく髪だけは傷めたくないと願って過ごした。それだけが、芙沙子の命綱だった。そして、やたらと長い三日間が終わり、ようやく明日は東京に帰れるという日、最後に花火をしようと誰かが言い出した。日が暮れたら、ロッジの前に集合するということで、話は簡単に決まった。

——早く帰りたい。

昼食に、ロッジでまずいカレーをのろのろと食べ、いつまでも席を立とうとしない芙沙子に向かって、滝口は愉快そうに目を細めた。

「ぐずぐずしたって、駄ぁ目。今日こそ、絶対にてっぺんまで行かせるからな」

芙沙子は、上目遣いにそんな滝口を睨《にら》み、ただむっつりと黙ってスプーンをくわえていた。

「そんな顔したって、駄目だって。明日には、もう帰らなきゃならないんだぜ。どうしたって、今日中に滑れるようにならなきゃ、な?」

滝口は、妙に張り切った顔で芙沙子の顔をのぞき込んでくる。だが芙沙子は、下から見上げるだけでも震えそうになるような山の上から滑り降りてくることなど、自分には絶対に不可能だと断った。

「おいおい、せっかく来たんじゃないか、天気だっていいんだから、景色だって違って見えるって」

だが、ようやくロッジを出て、一本目のリフトを降りたところで、滝口は無理に次のリフトまで芙沙子を引っ張ろうとした。けれど、リフトに乗るだけでもどきどきしてしまう芙沙子にとっては、それはまさしくお節介だった。

「行きたいんだったら、滝口さん、どうぞ。私、いいです」

芙沙子は、ぷいと後ろを向くと、さっさと一人で滑り始めた。途端に転んで、また悲鳴を上げなければならない。急いで起き上がったけれど、次の瞬間には、もう転んでいた。

「もう、いやっ！」

必死で髪についた雪を払っていると、後を追ってきたらしい滝口が傍に立って、呆《あき》れた顔で芙沙子を見おろした。

「なあ、斉藤さん、一体、何しに来たの」

「――――」

「滑りに来たんだろう？　ちょっと、我儘《わがまま》が過ぎないか」

「――でも、滑れないんだから、しょうがないじゃないですか」

「その気がないからじゃないか。髪の毛ばっかりいじくり回してさ。そんなに気になるんだったら、切っちまえばいいんだ、そんなもの」

滝口は、吐き捨てるようにそう言うと、「そこ、動くなよ」とだけ言い残して、自分はさっさとリフト乗り場に行ってしまった。

「もう――こんなところに置き去りにされたって、動けるはず、ないじゃないよ――馬鹿」

はるか下の方に、まずいカレーを食べたロッジが小さく見えている。「切っちまえばいいんだ」という滝口の言葉が耳について、芙沙子は思わず涙を流した。

「あれ、斉藤さん！」

しばらく雪の中に座り込んで、ぼんやりとしていると、背後から雪を削る音がした。顔を上げると、梢子と小宮山が並んで立っていた。

「滝口さんは？」

「――滑りに行った」

「斉藤さんを置いて？」

梢子が驚いた声を上げる。この三日の間に、ほんの少し陽に焼けて、彼女はまた別人みたいな印象に変わっていた。

「ひどい！　一緒に降りよう、ね」

芙沙子は慌《あわ》てて手を振った。その後で、思い出したように笑って見せた。

「いいの。ここで待ってろって言われたから。私のお守りばっかりで、自分は全然滑れなかったから、上からここまで戻ってくるのよ」

梢子は、心配そうな顔で少しの間芙沙子を見つめ、それから隣の小宮山を見る。小宮山は、黙って梢子に頷《うなず》き返すだけだった。

——何よ、まるっきり恋人気取り。

芙沙子は余計に情けない気持ちになって、曖昧な笑みを浮かべたまま、うつむいていた。

「じゃあ、後でね。日が暮れたらね」

「頑張って、滑れるようになれよ！」

梢子と小宮山は口々にそんな言葉を残すと、再びゲレンデを滑り降りて行った。ニットの帽子から流れている彼女の長い髪は、芙沙子が経験したこともない速度の中で、馬のたてがみのように躍っていた。

——あの子なんか、ほとんど転びもしないで、髪だって、雪まみれになんかなってないんだ。

芙沙子は情けない思いで、みるみる小さくなっていく梢子の後ろ姿を見送っていた。こんな不公平な話など、世の中のどこにもないに違いないと思った。

「おう、本当に待ってたんだ」

少しすると、滝口が上から滑り降りてきた。その頃には、冬の太陽は雪雲の向こうに隠れて、辺りは明るいとも暗いともつかない、不思議な世界になっていた。芙沙子は、すっかり凍えていた。

「本当に、上まで行かない？」

けれど、自分は息を弾ませている滝口は、なおもそう言った。芙沙子は、むっつりと押し黙ったまま、小さく頷いた。

「じゃあ、とにかく下まで降りよう、な。無理言って、悪かったよ」

彼はそう言うと、まだ方向転換も上手に出来ないままの芙沙子を辛抱強く待ち、何度も声をかけながら、ようやくロッジの前まで連れてきてくれた。

「じゃあ、俺、もう一回滑ってくるからさ」

大きく深呼吸をすると、彼はそのままリフトに乗ってしまった。芙沙子は一人取り残されて、ぼんやりとしていた。こんなはずではなかったと、そんな思いばかりが頭の中に渦巻いていた。

陽が暮れてきた頃、それまで勝手に滑っていた仲間は、集合場所に集まった。そこからは、スキーを担《かつ》いで宿まで戻るのだから、芙沙子にも出来ないことではない。それでも、ブーツに馴染《なじ》まない芙沙子は、やはり皆から後れを取った。

「斉藤さんは、お嬢さま過ぎるんじゃないのかな」

やがて、一人で思いきり滑ってきて、ようやく満足したらしい滝口が、芙沙子と並んで歩きながら、話しかけてきた。

「臆病《おくびょう》過ぎるっていうかさ。もっと思いきって、俺のことも、もう少し信頼して欲しかったんだけどな」

皆から離れて歩きながら、芙沙子は何も答えることが出来なかった。これで、社内で噂《うわさ》になるだろう。我儘で運動神経が鈍くて、頑固で、臆病でと、皆に笑われるに違いないと思った。もともと、こんな場所は、自分には無縁のところなのだ。スキーになど来なければ良かった。

――彼女が誘ったから。だから、乗せられちゃったんじゃないの。

忍び寄る夕闇《ゆうやみ》の中を、数人の仲間と笑いながら前を行く梢子の後ろ姿を見つめながら、芙沙子は唇を噛《か》んでいた。いったい何の恨みがあって、芙沙子にこんな思いをさせるのだろうと思うと、彼女が憎らしくてたまらなかった。

「中島さんの髪って、ストレートになっても、夕焼けみたいに見えるな」

隣で、ぽつりと滝口が呟《つぶや》いた。芙沙子は、心の底からこの男が嫌いだと思った。

6

小さな焚火《たきび》を中心に、皆が輪になって賑《にぎ》やかな声を上げている。辺りは既に闇に包まれ、遠くの山のリフトの明かりが、幻想的に見えた。あちこちでピンクや緑の小さな炎が上がり、ささやかな花火大会が始まっていた。

芙沙子は、自分も手渡された花火を焚火に近づけ、噴き出す炎を眺めていた。ぱちぱちと音を立てて、火花が雪に落ちていく。山から吹き降りてくる風を背に受けて、帽子の下の髪が冷たい頬を撫《な》でてなびいた。

「風が強くて」

ふと、そんな声が聞こえた。ちょうど焚火の向こう側に、梢子が小宮山と並んで立っていた。

「ほら、これなら消えない」

小宮山はポケットからライターを取り出して、梢子に差し出した。それを見た時、芙沙子の心臓はきゅんと縮み上がった。それは間違いなく、芙沙子がクリスマス・パーティーの時に用意した、交換プレゼントのライターだった。

「こういう時には便利なんだ」

小宮山の明るい声が聞こえてくる。やがて、梢子の手元の花火が勢い良く明るい炎を噴き出し、「綺麗《きれい》!」という嬉しそうな声が響いた。芙沙子は、自分の手元の花火がとうに終わってしまっていることも忘れて、しばらくの間、焚火に当たるふりをしながら、ぼんやりと彼女を見ていた。色とりどりの炎が、梢子の白い顔を闇の中に浮かび上がらせる。それは、白くて美しい、陶器のような顔だった。

「持ってて、いいよ」

そのうち、小宮山はライターを彼女に手渡した。芙沙子の心臓はまた縮んだ。そうこうするうち、彼は煙草《たばこ》を取り出して、梢子の手で火を点《つ》けてもらい、うまそうに煙を吸い込みながら、梢子が嬉しそうに花火に興じているのを、満足気に眺めている。

――どうして、そんな目で彼女を見るの。私のあげたライターを、どうして彼女なんかに渡しちゃうの。

隣にいた同僚に新しい花火を手渡され、機械的に火を点けながらも、芙沙子は梢子から目を離すことが出来なかった。今や、さらさらのストレート・ヘアになった彼女の髪は、こうして闇の中で見ていても、艶《つや》やかに光っているのが分かる。そして、それを隣で見ている小宮山の満足そうな表情が、もう耐えられなかった。

「それにしても、斉藤さんには手こずったなあ」

近くから滝口の明るい声が聞こえてくる。そんなことを言われても、芙沙子は笑顔を向けることなど、とても出来なかった。どうせ、皆で馬鹿《ばか》にするのだ。

「コーチが悪かったんだよ」

「そうかなあ――そうだな、きっと」

――そんなふうに思ってなんか、いないくせに。

彼らの言葉から逃れたくて、芙沙子は少しずつ輪になっている人々から遠ざかり、いつの間にか、焚火の明かりと闇との境目辺りに身を置いた。こうして人の群れを遠巻きにしていると、自分一人が雪の野をさまよう飢えた獣になったような気がする。柔らかい新雪を踏みながら、芙沙子はいつの間にか梢子の背後に回り込んでいた。闇に包まれているからこそ、黒髪とは異なる色の彼女の髪は、焚火から熱を奪ったかのように不思議な輝きを放ち、神秘的で美しかった。

「火、ありますよ、点けますよ」

彼女は、小宮山に手渡されたライターを握りしめ、あちこちの人に炎を差し出している。子どもみたいに無邪気な声を上げて、男子社員たちがこぞって彼女の手元に花火を近付けていた。

――誰のライターだと思ってるの。

芙沙子は、闇と冷気を背負いながら、人の輪から離れた場所から、賑やかな歓声を上げている人々を眺めていた。焚火の炎は、雪の上に、少し離れた林に、小さく盛り上がっているだけに見える何かの小屋に、彼らの影を不思議な形に投げかけていた。ほんの十数メートル離れた程度なのに、彼らの声はひどくよそよそしく、それでいて、奇妙にはっきりと聞き取ることが出来た。

「ほら、火、ありますよ。点けますよ」

また梢子の声がした。彼女の影が動くと、その左手に、小さなオレンジ色の炎が揺れるのが見えた。やがて、興に乗った男子社員の数人が、雪合戦を始めた。あたりかまわず雪つぶてが飛んで、方々から明るい悲鳴が上がり、その響きが山に伝わっていく。その中に小宮山の姿もあった。

――何よ、子どもみたいに。

芙沙子は、雪の上を転がり、懸命になって誰かに雪を投げつけている小宮山を、心の底から軽蔑《けいべつ》した。あんな男に、芙沙子が一生懸命に選んだプレゼントが当たるなんて、何という皮肉だろうと思った。焚火に集まっている連中は、きゃあきゃあと騒ぎながらも花火を続けている。山から強い風が吹き降りてきて、焚火を揺らし、梢子の手元の炎を揺らし、彼らの影を大きく揺らした。

「すごい、本当に消えないんだわ」

梢子の感心した声が聞こえた。その時、芙沙子は既に梢子の背後に近付いていた。焚火の煙、花火の煙が、強い風に押し流されて、あっという間に闇に溶けていく。

「便利なライターねえ」

彼女の髪が揺れている。箒《ほうき》みたいにまとまらず、針金みたいにごわごわで、彼女のコンプレックスのいちばん大きな要因になっていたはずの髪が、今はしっとりと艶やかに、彼女のスキー・ウェアの上で波打っている。

「炎って、不思議ねえ、見てるだけで安心しちゃう」

囁《ささや》くような梢子の声が聞こえた。肩ごしに、梢子の手の中でちろちろと揺れる炎が見えた。その時、また強い風が吹いた。芙沙子の目の前で、梢子の身体がわずかに揺らぎ、彼女は心持ち首を傾《かし》げた。背中の髪が大きく波打った。その時、芙沙子は梢子の背に手を伸ばし、彼女の髪を軽く束ねて、肩から前に向かって押し流してやった。

「いやぁっ!」

次の瞬間、炎よりも高く、悲鳴が上がった。芙沙子の目の前で、梢子の髪が一瞬のうちに燃え上がった。途端に、誰もが動きを止めた。風の音ばかりがごうっと響いた。

「消せっ！　早くっ！」

目の前で、梢子が雪の上に倒れ込み、転がるのが見えた。あちこちで悲鳴が上がり、男たちが走り寄ってくる。その中で、小宮山が誰よりも真っ先に雪を蹴《け》ってきた。ほんの少しタンパク質の焦《こ》げる臭《にお》いがしたけれど、それもすぐに風に吹き飛ばされてしまった。いつの間にか、芙沙子は少しずつ人の群れから遠ざかっていた。

ぱちぱちと、焚火の音だけが奇妙に響いた。あちこちで放り出された花火が、雪の上で情けない炎を上げては消えていく。女子社員は、ただ呆然とその場に立ち尽くすばかりだった。

「火傷《やけど》してる！」

「雪で冷やせ！」

「医者、医者！」

小宮山が彼女を抱きかかえて、雪に足をとられながらも宿に向かって走り出した。すべてが一瞬のうちの出来事だった。

「な、何？　どうしちゃったのよ」

誰かが震えた声で呟いた。

「何が燃えたわけ？」

「ライターの火が、髪の毛に移っちゃったんじゃない？」

他の誰かが答えた。芙沙子は、何だか急に笑い出したい気分で、それらの一部始終を見守っていた。

「——もともと、縮れ毛だったんだから。同じことじゃない」

ふと気付くと、思わず呟いていていた。いつの間にか、またもや自分のすぐ隣に立っていた滝口が「え」と小さく言ったのが聞こえた。また、強い風が吹き下ろしてくる。芙沙子は、一つため息をつくと、何気なく、かじかみ始めた自分の手を見た。指先に、長く茶色の髪の毛が一本、絡《から》みついていた。わずかに指を動かしただけで、真《ま》っ直《す》ぐなその髪は、するりと芙沙子の指からすり抜け、風に飛ばされて、闇の中に消えていった。

おし津提灯《ちようちん》

1

藤島新平《ふじしましんぺい》の店に静恵《しずえ》が現れたのは、秋祭りの季節も終わって、新平の仕事も一段落ついた頃だった。陽射《ひざ》しは徐々に傾き始め、新平の店のある路地の片隅は、余計に日暮れが早く感じられる。

「ねえ、やっぱり乾燥機が欲しいわ」

最近では新平の仕事を手伝う手つきも慣れてきた女房の久仁子《くにこ》が、火袋《ひぶくろ》に霧を吹きかける手を休め、このところ何度も口にしていることを言った。

「これから家族が増えるのよ。洗濯物だって増えるし、少しでも家事の負担を軽くしてくれなきゃ、仕事だって手伝えなくなるんだからね」

「そりゃあ──」

「ねえ、今年は夏からずっと、頑張ったじゃない？」

「まあなあ──」

祭りの季節は、提灯屋《ちょうちん》にとっては最大の書き入れ時だ。年々、不景気な話が持ち上がらないではないが、それでも方々の神社や町内会からの注文が集中する。

「ねえ、秋葉原に行けば安いわよ」

「そりゃあ、まずいだろう。買うんなら、やっぱし池田《いけだ》さんとこでないと」

「あんな小さなお店じゃあ。メーカーだって決まってるし」

「どのメーカーだって変わりゃしないって。秋葉原で下見をして、注文すればいいよ。つき合いってもんもあるんだから」

「じゃあ、買ってもいいのね？　いつ？　今度の休みに見に行く？　帰りにご飯も食べようね？」

結局は、こうして押し切られるのが常だった。新平は、歓声を上げている久仁子を苦笑しながら眺めていた。寒いという程ではなかったが、やがて火が恋しくなるだろうという空気が、下町にも漂い始めている。独り者だった頃は、こんな季節は憂鬱《ゆううつ》になったものだが、所帯を持って以来、冬も、なかなか良いものだと思う。そのとき、からから、と微《かす》かに店の戸口を開ける音がしたかと思うと、「ごめんください」という女の声が店の方から響いてきたのだ。

霧吹きを持ったままの久仁子が、反射的に腰を上げた。膝《ひざ》の上から、突っ張り棒と呼んでいる細い竹の棒が何本も転がり落ちて、板の間に散らばり、からからと陽気な音をたてた。

「あらあら」

「慌《あわ》てることたあ、ねえよ、ほら」

新平は眉《まゆ》をひそめて久仁子を見上げた。そそっかしいところのある女房は、以前、この棒を踏んで、派手に転んだことがある。彼女はわずかに肩をすくめてくすりと笑い、軽く腹に手をあてた。

「私一人の身体《からだ》じゃないんだから、でしょう?」

「——おう」

新平が見上げる前で、久仁子は甘えたように笑って見せる。「ごめんください」と、再び声がして、久仁子は微笑《ほほえ》みの余韻を残したまま、「はぁい」と店に出ていった。出産予定日は、来年の二月ということだ。その日に向かって、確実にその胎内で新しい生命《いのち》を育て続けている彼女の後ろ姿は、日増しに自信に満ち、落ち着いて見え始めている。

女房の後ろ姿を目で追った後、新平は膝をついて久仁子の座っていた位置に手を伸ばし、霧を吹いたままになっている火袋を取り上げた。紙が湿っているうちに、火袋の上下についている口輪の部分に突っ張り棒をあて、火袋をぴんと伸ばす作業は、ここの後、上から文字を書く上で欠かせない。

「どうせなら、やってから出りゃあ、いいじゃねえか。喋《しゃべ》ってばっかで」

元々、竹の骨に和紙を貼《は》りつけただけの火袋だ。そうそう水に強いはずもない。ことに上下の口輪に近い部分はカーブを描いていて、口貼《くちばり》という補強のための和紙が貼られてはいるものの、水に濡《ぬ》れれば下手をすればはがれてきてしまう。

「あなた。松原《まつばら》さんていう方」

久仁子が暖簾《のれん》をかき分けて戻ってきた。

「途中でやめるなって、いつも言ってんじゃねえかよ。誰だって？」

「そんなにすぐに乾いたりしないわよ。松原さん」

「松原さん？　誰だ、それ」

現在でも秋田の方では火袋作りから完成まで、提灯作りのすべての工程を一人でやっているところがあるそうだが、新平など東京の職人は、江戸時代には既に分業制になっていたということで、現在は火袋は水戸、名古屋、岐阜などで張ったものを取り寄せている。もちろん、提灯屋としてはすべての工程が出来なければ話にならないから、特別な場合には自宅で火袋を張ることもあるにはあった。久仁子は、この家に嫁に来て初めて火袋張りを覚えたのだが、元々が器用な質《たち》なのだろう、最近では新平以上に上手に張るようにもなっていた。

「知らないわ。でも、『新平さんを』って」

久仁子は口を尖《とが》らせ、所在なげな様子で暖簾の前に立っていた。

「この辺の人か」

「見たことない。でも『新平さん』なんて言う人、滅多にいやしないじゃない。ちょっと年増《としま》だけど、すごい美人」

女房の台詞《せりふ》に、新平はようやく重い腰を上げた。名前に覚えはないが、自分のことを知っているらしいのなら仕方がない。

「嫌あね、美人て聞くと」

「馬鹿《ばか》か。年増なんだろう？」

自分では、それ程人嫌いのつもりもないのだが、ことに久仁子と結婚して以来、新平はなるべく店に出ないようにしている。陽気で話し好きの久仁子の方が、ぶっきらぼうで口下手の新平よりも、客の受けも良いし、新平は仕事の邪魔をされずに済むのだから、よほど都合が良いのだ。

「あらあ！　あなた、新ちゃん？」

暖簾をくぐり、あまり陽の射さない店に顔を出した途端、陽気な声が響いた。新平は出鼻をくじかれた気分になって、会釈《えしやく》をするよりも前に、店先に立っている女をしげしげと眺めた。

「――いらっしゃいませ」

「イヤだ、私よ」

最近は下町でも、和服で歩いている女など、そうそう見かけるものではない。歳《とし》の頃からすれば三十五、六か、新平と大差ないと思うが、一目見て水商売と分かる、粋《いき》な着こなしの女が、悪戯《いたずら》っぽい笑みを浮かべて新平を見上げていた。

「あ――」

新平は、綺麗《きれい》に髪を結い上げている女を、信じられない気分で見つめた。

「――もしかして、しいちゃん？」

おずおずと口を開くと、女は白い喉《のど》の奥から、娘のようなはしゃいだ声を上げて笑った。

「覚えてててくれた？」

「何だよ、本当にしいちゃん？」

「そうよ。わあ、新ちゃん、昔の面影があるわあ。本当に、お父さんの仕事を継いだのねえ。建物が違っちゃってるから、心配だったのよ、看板も何も出てないし」

新平は、「へえっ」と言ったまま、目の前で笑っている静恵を、ただ目を丸くして見つめていた。そう思って見てみれば、目元や鼻の線、顎《あご》のあたりには昔の面影があると思う。特に、少しばかり気の強そうな印象を与える、ほんのわずかに上を向いている鼻は、昔の静恵のままだった。

「嫌だ、そんなにじろじろ見ないでよ」

静恵は照れ臭そうに横を向くと、ついでに狭い店の中を見回し始めた。そこには、先年亡《な》くなった父や、新平が修業に出されていた店の師匠が文字を書いた提灯が、鴨《かも》居《い》に一列にかかっている。

「懐《なつ》かしいわあ、皆さん、お元気?」

くるりと振り返ると同時に尋ねられて、新平は、両親共に既に亡くなったと答えた。静恵は「そうなの?」と驚いたように目を瞬《しばた》き、「本当に?」と改めて店内を見回す。そんな彼女の姿を、新平は信じられない思いで、ただ目で追いかけていた。

「でも、この雰囲気は、昔と全然変わってない気がする」

「建て替えたっていったって、やってることは変わんないからさ」

静恵は、紙の部分のすっかり黄ばんでしまった古い看板提灯を指して、溜息《ためいき》ともつかない声で「懐かしい」と呟《つぶや》いた。

「本当に提灯屋になったんだ。偉いわねえ、伝統工芸の職人さんなのねえ」

鎌倉時代には、既に「ちょうちん」という言葉は出来上がっていたらしい。現在の原形といわれる籠《かご》提灯が出来たのは、室町時代初期の頃だと言われている。当初は円筒形の竹籠の周囲に紙を張って火袋とし、手で提げるための取っ手をつけただけのものので、現在のように畳むことは出来なかったそうだが、室町時代の末期には、今日のように折り畳む提灯の原形のようなものが出来たと考えられている。それが江戸時代に入り、蠟燭《ろうそく》の普及によって、様々な形の提灯が生まれるようになった。

「そうそう、こんな丸いの、家にもあったわ。あれ、新ちゃんのお父さんが作ったんじゃないかしらねえ」

昔は、どこの家にも冠婚葬祭に共通で使用した提灯があったものだ。だが、自宅で結婚式をする風習がなくなったことから、もっぱら葬儀用になり、現在はそれすらもなくなった。俗に小田原提灯とも呼ばれる看板提灯や桶形《おけがた》提灯など、色々な種類があるにはあるが、最近では、弓張提灯が、仕事の八割を占めるまでになった。竹などを弓なりに張り、火袋を伸ばして、下に置いても提灯が畳まれないような仕組みになっている提灯のことだ。時代と共に照明装置としての役割よりも、目印や装飾用に、その役割も変わってきている。

「松原なんていうから、誰かと思ったよ。何年ぶりだい」

彼女がいつまでも店先を見回しているから、新平はたまりかねて声をかけた。

「二十——一、二年、かしら」

静恵はようやく振り返り、再び新平の前に戻ってきた。

「そんなになるかなあ」

「そうよ、だって新ちゃんなんか、まだいがぐり坊主《ぼうず》の中学生だったんじゃないの」

新平は、昔の懐かしい思い出が、頭の中で一気に渦巻くのを感じた。時が逆流しそうだ。そんなに長い月日が流れたのだろうか。セーラー服姿の静恵が目に浮かぶ。

「いらっしゃいませ」

ふいに背後で声がした。振り返ると、茶の支度をした久仁子が、半分照れたような笑みを浮かべて立っていた。彼女は上がり框《がまち》に盆を置くと、いそいそと店の片隅に積んである座布団《ざぶとん》を持ってきた。そこで初めて、新平は静恵を立たせたままだったことに気づいた。

2

新平が久仁子を紹介すると、静恵は「あら」と驚いた顔になり、「若いお嫁さんねえ」と笑った。

「童顔なんだよ、な」

新平が照れている間に、久仁子は自分から「八つ違いなんですよ」などと言い、静恵に問われるままに、自分の年齢が二十六であること、結婚して二年目であること、結婚前には仏壇屋に勤めていたことなどをすらすらと答えた。静恵は、ものの五分とたたない間に新平と久仁子の馴《な》れ初《そ》めから、仲人《なこうど》の名前までを知ることになった。新平は、黙って女房と静恵のやりとりを聞き、二人の女を眺めていた。妊婦服を着ているせいか、一層子どもっぽく見える久仁子と、既に完成されていると言っても良いくらいに、落ち着いた美しさをたたえている静恵とは、好対照をなしていた。

「提灯の取り持つご縁？」

「提灯が縁だったことは確かなんですけれど、私の仕事とは関係ないんです。最近は、お葬式で使う提灯なんか、皆、印刷した紙を貼るだけだったり、プラスチックの提灯だったりするんですから。私たちは、お祭りの方で知り合ったんです。ねえ？」

勧められるままに茶をすすりながら、静恵はさも面白い話を聞くように、「あら」「そう」を繰り返している。そんな様子を見ていると、いかにも客あしらいに慣れているらしく見え、やはり彼女は一見して分かる通り、水商売に入ったのだろうと新平は察しをつけた。

「あなたとは？　どんなお知り合い？」

自分のことをひと通り話してしまうと、今度は久仁子は静恵と新平とを見比べながら、こちらの腕を軽く押してきた。

「しいちゃん——静恵さんていってな、昔この近所に住んでたんだ。いっつも、よく遊んでもらってさ。ああ、そろばん塾にも、一緒に通ってた。ほら、それこそ、岩《がん》ちゃんとか、和男《かずお》とかと、一緒にさ」

今度は久仁子が目を丸くする番のようだった。彼女が「こんな綺麗《きれい》な方が、あなたのお友達にいたなんてねえ」と、さも感心したように言うと、静恵は軽やかな声を上げて笑った。その声を聞いて、新平はどきりとなった。以前の静恵は、果たしてどんな笑い方をしただろう。これ程までに艶《つや》のある笑い方ではなかったはずだ。

「友達ったって、しいちゃんの方が俺らよりも七つ、八つか？　年上なんだから、ずっと姉さんだよ」

新平は、胸の奥にわずかに疼《うず》くものを感じながら、当時の彼女を思い浮かべ、そう考えてみると、現在の静恵は、もう四十を一つか二つ、過ぎていることに気づいた。それにしては、彼女の肌理《きめ》の細かい肌は大して小皺《こじわ》も目立たず、むしろ、しっとりと潤《うるお》った美しさがあった。

「勉強もみてもらったし、近所のガキ大将に虐《いじ》められてるとさ、よく助けてもらったもんだ」

「新ちゃんと同い年で、やっぱり虐められっ子の――何ていったかしら、駄菓子屋の子がいたのよね」

「浩治《こうじ》だ、浩治」

静恵は瞳《ひとみ》を輝かせて「そうそう」と手を打つ。

「よく、お店のお菓子を持ってこいって、命令されてたの。新ちゃん、『うちは提灯屋だから、脅されても提灯持ってこいとは言われないから助かった』なんて言ってたわよね」

古い映画か何かのように、当時の景色が思い出されてきた。西陽の射し込む路地に並べられた植木鉢や、可愛《かわい》がっていた野良《のら》猫、置き忘れられた三輪車、そして、お下げ髪に吊《つ》りスカート姿で手を振っていた静恵が鮮やかに蘇《よみがえ》る。あの頃の静恵は、幾つくらいだったのだろう。

「あなた、虐められっ子だったの？」

久仁子は、さも愉快そうに新平の顔を覗《のぞ》き込んでくる。新平は、自分自身でも忘れていたことだから、半分照れながら笑っていた。そして、その一方で不思議な気持ちになっていた。

「そうよ、泣き虫で有名だったわね、新ちゃん。私、何度おぶって帰って、背中を濡らされたか分からないもの」

あんなに可愛がられていた、幼い日の思い出に欠かすことの出来ないはずの静恵のことを、どうして今の今まで忘れていたのだろう。ことに、思春期の頃の新平をあんなにも苦しめた人こそ、この静恵ではなかったか。何年たとうと彼女の年齢には近づけないことに悩み、少しでも傍にいたいと思いながら、年齢と共に照れ臭く、気恥ずかしく感じるようになったのは、小学校の高学年の頃だっただろうか。

「昔から、新ちゃんは字が上手だったものねえ」

「でも、習字の時間には叱《しか》られたよ。『提灯屋みたいな書き方をするな』って。だから、『提灯屋です』って答えて、ひっぱたかれたこともあったな」

「面白い、もっとうかがわせてください」

久仁子はすっかり面白がって、瞳を輝かせて静恵の話に聞き入っている。

「でも、新ちゃんが小学生になって、だんだん大きくなってからは、自然にあまり遊ばなくなったわねえ。それに、新ちゃんが中学生の頃に、私はこの町から引っ越したものだから」

確か、静恵の父親が亡くなったのだ。そして、彼女はこの町から消えた。あの時、新平は胸がつぶれるほどの淋《さび》しさを感じながら、その一方では、もうガキではない、静恵など自分には関係ない、必要でもないと、そんな虚勢を張っていたと思う。

「おい、夕飯の用意は」

「あら、いけない」

途中まで、何とか話題に加わろうとしていたらしい久仁子が、少しばかり残念そうに「ごゆっくり」と言って店の奥に引っ込んでしまうと、静恵は一つ深呼吸をして、バッグから煙草《たばこ》を取り出した。

「奥さん、おめでたなのね」

紙を使う仕事場だけに、普段は店は禁煙にしている。だが、新平はいそいそと灰皿を差し出した。

「可愛い人ね」

「まだガキなんだよ。いつだって、頭ん中がとっちらかってるみたいな奴《やつ》だからさ。あれで母親になんて、なれるのかと思うよ」

照れ隠しに口をへの字に曲げて見せると、静恵はわずかに目を細めながら「何、言ってんのよ。可愛くってしょうがないっていう顔してるわよ」と言った。

「あの新ちゃんがお父さんだものねえ。こっちが歳をとるわけだわ」

煙草の煙と共に呟く静恵の横顔は、驚くほどふてぶてしく、開き直ったような落ち着きを持って見えた。新平は、急に何を言ったら良いのか分からなくなって、目のやり場にさえ困るような気がしてきた。

「それで——どうしたの、今日は。こっちに用でもあったのかい」

気を取り直すつもりで口を開くと、静恵の表情が再び変わった。瞳を輝かせ、身を乗り出して、彼女は「違うのよ」と言った。

「また、こっちに住もうと思って。今度ね、お店を出すことにしたの」

久仁子の気をはかっていたのかも知れない。静恵は急に声の調子を落として、ぽつり、ぽつりと、この町を離れてからの、二十数年間を語り始めた。父親が亡くなってから、彼女も相当な苦労をした様子だった。結局、口を利《き》いてくれる人がいて、芸者になる決心をしたのはこの町を離れた直後だったという。それから紆余曲折《うよきょくせつ》を経て、最近になってようやく店を持てることになったのだそうだ。話を聞きながら、新平は、事情はともかく、静恵の芸者姿はさぞかし美しかったろうと思った。

「最初は嫌でたまらなかったわ。でも、慣れてくるものなのね。ほら、うちはお父さんが大酒飲みだったから、酔っ払いなんて大嫌いだったし、お愛想なんて、とても言えやしないと思ってたんだけど、じきに平気になっちゃった。そりゃあ、好きな人も何人か出来たし、本気で一緒になろうって言ってくれる人だって、一人もいなかったってわけでもないんだけど、結局長続きしなくてね、未《いま》だに独りよ。とにかく、いつかは自分の店を持ちたいっていう、その一心だったから、これまで我慢出来たようなものなのよ」

新平が、生まれてこの方、ずっと同じ路地に暮らしている間に、静恵の上には大きな変化があったのだと、新平は改めて感じていた。ここにいる彼女は、もうかつての静恵とは違うのだろう。年月が、変えたのだ。

「ずいぶん長い間、ご無沙汰《ぶさた》しちゃったけど、だから、これからはまた、昔のよしみでよろしくお願いします、ね」

けれど、それでも静恵は静恵だった。かつて、幼い新平よりもよほど背も高く、その背中さえ、母に似て甘ったるく自分を支えてくれていたはずの静恵は、今は新平よりもずっと小柄な、華奢《きやしや》な姿で笑っている。

「よせよ、水臭い」

「だって、戻ってきてみたら、案外変わっちゃってるんで、びっくりしたのよ。懐かしい一心でここに決めたのに、急に心細くなっちゃって」

「まあ、確かにここ十年くらいで、町の風景はずいぶん変わったな。だけど、一歩入りゃあ、こんなもんだし、人はさ、結構残ってんだ。しいちゃんが戻ってきたって聞いたら、皆喜ぶさ」

静恵は「本当?」と言いながら、軽く着物の襟のあたりに手をやり、小さく溜息をついた。心なしか、少しばかり疲れているようにも見える横顔は、新平など想像もつかない世界を見てきた女のそれだと思った。

「一応、開店の予定は十一月の半ばっていうことにしてるんだけど、内装の業者には高い資材ばっかり勧められるし、あれこれと頭が痛いの。自分で何もかもやろうと思うと、本当に毎晩、電卓を叩《たた》いていなきゃならないわ」

これから大工を探すというのなら、地元の誰彼を紹介するくらいは出来るのだが、新平には、他に力になれそうなことはなかった。久しぶりに現れた静恵に「よろしく」などと言われても、出来そうなことが思い浮かばない。

「ああ――俺さ、開店祝いに提灯、贈らしてもらうよ。そんなことくらいしか、出来ないけどさ」

「本当？　新ちゃんの作った提灯を？　ああ、嬉《うれ》しい！」

静恵は意外な程に嬉しそうな声を上げた。新平は、途端に気が軽くなって、そんなことくらいならば、お安いご用だと思った。

「店の名前は、何ていうんだい」

「『お静』。私の名前をとってね。ね、本当ね？　あてにして、いいのね？」

「当たりめえだよ。待っててくれよ」

静恵は晴れやかな表情で「嬉しい」と何度も繰り返した。新平は、自分こそ嬉しいと言いたかった。何か、とても大切なものを、ずっとしまい忘れていたような、そんな気がしてならなかった。

「新ちゃんにまた会えるなんて、本当に嬉しい。やっぱり帰ってきてよかった。ねえ、これからも、何かと頼りにさせて、ね」

わずかに眉をひそめて小首を傾《かし》げる姿は、いかにも愛らしく、またあだっぽくも見える。新平は、初めて静恵から一人前の男として扱われているのを感じた。

その夜、ビールの酔いも手伝って、新平の舌は普段の日よりも滑らかになっていた。

静恵が現れたことで、これまで何年もの間忘れ去り、すっかり埃《ほこり》を被《かぶ》っていた思い出が、後から後から引っぱり出されてきた。

「嬉しくなっちゃったんでしょう」

久仁子はにやにやと笑いながら、そんな新平の顔を覗き込んできた。

「まさか、あの人が現れるとは思わなかったもんなあ。だって、考えてもみろよ、二十何年ぶりだぜ」

「綺麗よねえ。あなたより八つも上っていったら、もう四十二歳っていうことでしょう？　とっても、そんなふうに見えない」

酌をされながら、新平は、わずかに興奮しているのを感じていた。そう、静恵は美しかった。かつて、この胸を熱くした人が、今も美しいままでいてくれる、それが、これほどまでに嬉しいこととは思わなかった。

「初恋、だったりして」

頬杖《ほおづえ》をついて、試すようにこちらの顔を覗き込んでくる久仁子に向かって、「馬鹿言え」と言ったものの、新平の気持ちは穏やかではなかった。子どもの頃のことなのだから、別に話しても構わないではないかと思う。だが、それでも口外してはならないことだと、頭の中で警戒ランプのようなものが点滅している。これは、新平一人の大切な思い出だ。

「姉貴みたいな人だったんだよ。可愛がってもらったんだ、本当にな」

「お店が出来たら、入り浸りになるんじゃないでしょうね」

「俺なんかが、そうそう入り浸れるような店じゃなさそうだ。しいちゃんは『気軽な店よ』なんて言ってたけど、聞いてみりゃあ、板前も、赤坂あたりの料亭から引き抜いてくるっていうし、それなりにいい値段を取る店って感じがしたな」

久仁子はくすくすと笑い、大きく頷《うなず》いた。

「そりゃあ、残念だったわねえ。ああ、よかった、あんまり無駄遣いされずに済みそうで」

奇妙な後ろめたさのようなものが、心の片隅でうごめいていた。それに気づいて、新平は密《ひそ》かにうろたえた。後ろめたく感じることなど、何一つとしてありはしない。ただ、懐かしく思うだけだ。そう自分に言い聞かせながら、その夜の新平は普段よりも酒を飲んだ。

3

翌週、新平は静恵のための提灯を作った。すとんとした円筒形の火袋の上下に、火袋を収納出来る、ちょうど弁当箱のような雰囲気の木製箱のついている、かつては旅人が携帯したという小田原型の看板提灯である。

予《あらかじ》め霧を吹きかけ、内側に突っ張り棒を当てて和紙を伸ばされた火袋は、和紙と骨との凹凸が少なくなって、文字が書きやすくなっている。まずは、その火袋に、柳の木炭を使って文字の下書きをする。「お静」という文字を、火袋一杯に割りつけする場合に、等間隔で通っている骨は定規の役割も果たす。さらに、千社札を貼ったように、屋号の肩のあたりに「割烹《かっぽう》」という文字を斜めに入れる。後で、この部分だけ地を赤く塗れば、提灯に華やかさが増す。

「張り切ってるわねえ」

時折、久仁子が冷やかし半分の笑顔で顔を覗かせる。新平は、相変わらず「おう」とだけ答えながら、文字は「内がすり」という書き方にしようと決めていた。文字に勢いを持たせるために、筆のかすれを表現した空白を、文字の内側のところどころに作り、さらに筆の入るところ、出るところにも、髭《ひげ》のような線を入れる書き方のことをいう。

　提灯文字というのは、江戸文字と呼ばれる勘亭流・びら文字・相撲文字・千社札文字などの一種の筆太の文字をいい、ことに文字の「はね」の部分を大きく勢いを持たせてあるところに特徴がある。もちろん、注文に応じて草書や篆書《てんしょ》などといった字体を使うこともあるが、主流はその提灯文字だった。

　――福を呼ぶような、そんな提灯にしねえとな。

　普段、新平は自分の店で注文を受け、店で出来上がった提灯を手渡すことにしている。だから、自分で文字を入れた提灯が、どこのどんな場所に吊《つる》されているか、実際に確かめる機会はほとんどないといって良かった。だが、今回は、他ならぬ静恵の店の提灯だ。それも、新しい門出の記念の品にもなる。自《おの》ずから、気合いが入るというものだった。

　文字の下書きが出来たら、次に細い面相筆《めんそうふで》で文字の縁取りをする。呼吸一つでも筆先が震えるから、息を止めて一気に線を引く。そして、縁取りが出来れば、次は塗りに入る。自分なりに穂先の具合や墨の含み具合を工夫してある太い筆を使って、文字の中を塗っていく。いくら突っ張り棒で伸ばしているとはいえ、やはり火袋には凹凸がある。丁寧に、隙間《すきま》が出来ないように塗っていく。真っ白い和紙の上に、黒々とした躍動感のある文字が浮かび上がってくるのは、何度経験しても嬉しいものだった。

「箱、何色にするの？」

塗り上がった文字を遠目に眺めていると、久仁子が再び顔を出した。墨の匂《にお》いが好きだという女房は、「いい字ねえ」と目を細め、満足そうに新平の仕事ぶりを褒める。そんなとき、自分の技量はまだまだだと分かっていながら、新平は満更でもない気分にさせられた。

「黒じゃあ、渋すぎるかな」

「静恵さんの雰囲気だったら、少しくらい違ってても、いいんじゃない？　そうねえ、白木のままか、小豆色か」

弓張提灯などの場合には、火袋の上下には重化《じゅうけ》と呼ばれる黒い輪をつける。近頃では、実際に使用される機会も減り、蠟燭の代用品として電池式のライトなどが出来てきた。それでもやはり、蠟燭を立てるためには欠かせない針皿のついている底輪と、弓をかける弦《つる》や底輪から伸ばされる、鎖をガイドするための口蟬《くちぜみ》のついている化粧輪である重化は欠かせない。大概は黒なのだが、小田原提灯の場合は、重化代わりの箱も大きく、目立つので、注文によっては様々な色を選ぶことがあった。

「いや、やっぱり黒がいいな。きりっとしまって見えるだろう」

「粋にね」

「そう、粋にだ」

久仁子に頷いて見せてから、新平は、今度は提灯の両脇《りょうわき》に紋を描く用意に入った。

「ぶんまわし」と呼ばれる竹製のコンパスを使って割りつけをし、後から墨を入れるのだが、何せ相手は凹凸がある上にカーブもしている火袋だった。平面に描くときとは違う筆遣いが要求される。紋が入ったら、最後に朱赤を塗る。滲《にじ》み止めのために、膠《にかわ》とみょうばんを溶かしたドーサという下地を塗り、その上から朱赤を入れれば、後は乾くのを待ってから上下の箱を組み立てて、提灯の出来上がりだった。

「静恵さん、喜んでくれるといいわねえ」

出来上がった提灯を見て、久仁子は自分のことのように表情を輝かせた。幼い頃に、姉弟同様に育ったのだという説明が、彼女に静恵を大切にしなければと思わせたのかも知れない。そんな女房を眺めるにつけ、新平はどことなく居心地の悪い感覚を抱かないわけにいかなかった。だが、嘘《うそ》はついていない。すべては本当のことだ。自分の方がおかしな拘《こだわ》り方をしているのに違いない。そう言い聞かせて、新平は真新しい提灯を畳んだ。

やがて下町にも木枯らしが吹き、朝晩の冷え込みが厳しくなってきた頃、『お静』は開店した。新平は、久仁子と数人の幼なじみと共に開店祝いに顔を出した。

「いい仕上がりじゃないか」

「大したもんだね、さすがに」

店先に吊されている提灯を見つけて、仲間は口々に褒めてくれた。

「今日は、俺じゃなくてさ、しいちゃんの店を褒めなきゃ、いけねえんだぞ」

「ああ、そうか」

笑いながら店に入ると、新しい木の香りに包まれて、静恵が「あらあ！」と言いながら走り寄ってきた。そして、静恵を覚えている人たちも、口々に静恵がこの町に戻ってきたことを喜び、彼女の新しい門出を祝福した。

「嬉しいわあ。それにしても、皆さん、ご立派になっちゃって。ゆっくりしていらしてね」

静恵は、少しばかり老《ふ》けて見えるような地味な着物を着ていたが、それがかえって彼女の表情を若々しく見せていた。

「この前より、ずっと綺麗ねえ」

耳元で久仁子が囁《ささや》く。確かに、水を得た魚のように、自由に店内を動き回っている彼女は、日中よりも一層華やいで、艶《あで》やかに見えた。カウンターに入っている見習いらしい店員に、さりげなく注意をする仕草なども、さすがといおうか、すっかり堂に入ったものだし、貫禄《かんろく》のようなものさえ漂っている。

「彼が、うちの板さんなの。明《あきら》くん」

途中で、客席に顔を出した板前のことも、静恵は浮き浮きとした様子で紹介した。色白で二枚目の板前はいかにも職人らしく、黙って丁寧に頭を下げると、そそくさと板場に戻っていく。新平は、それだけで穏やかではない気分にさせられた。あの板前は、新平よりも若いようだった。そんな男が、彼女の傍にいるのかと思うと、どうも良い気がしない。

「素敵な板前さんじゃない？　静恵さんの魅力で呼び寄せたのかしらね」

だいぶ突き出してきた腹を抱えながら、久仁子が耳もとで囁いた。新平は、素直に頷く気にもなれず、黙って料理をつまんでいた。

「それにしても、すごい招待客だな」

幼なじみの一人が、感心したように店を見回して言った。新平たち地元の人間は、小上がりにひとまとめにされて座っていたのだが、カウンターやテーブル席は、他の招待客で満席の状態だった。明らかに芸者仲間と思われる女たちや、五、六十代の、仕立ての良いスーツを着こなした男たちは、新平とはまるで無縁の人たちに見えた。それらの客に、新平には馴染《なじ》みのない笑顔を見せている静恵も、遠い存在に思われた。再会したばかりだというのに、何故《なぜ》だか置いてけぼりにされているような、不思議な焦燥感が広がっていく。

「今日は招待だったからいいけどさ、あの値段じゃあ、おいそれとは行かれやしないぞ、おい」

店から出ると、仲間の一人が呟いた。確かに、客筋からしても、店の造りからしても、新平の想像をはるかに超えたものだった。

「せいぜい、年に一、二回ってとこかね」

「だなあ。どうも、敷居が高いや」

他の仲間も頷く。せっかく同じ町内に戻ってはきたが、やはり昔のままのつき合いというわけにはいかないのだろう、というのが、彼らの意見だった。

「いいじゃない？　日中は、普通に家にも来てくださってるし。何も、昔のお友達を相手にお金儲《もう》けしようなんて、あちらも考えていないだろうから」

久仁子がコートの襟元をおさえ、白い息を吐きながら笑っている。新平は、歳の離れた女房に笑顔を返し、出てきたばかりの店を、そっと振り返った。新平の作った提灯は、開店祝いの盛り花に囲まれて、ふらふらと揺れていた。せめて、あんな形ででも、静恵の傍にいられるだけ、良いのかも知れない。

「やっぱり、あれじゃない？　スポンサーみたいな人が、いるんじゃないかしら」

二人きりになると、久仁子がぽつりと言った。何となく、さっきの板前のことが気になっていた新平は、意外な思いで女房を見た。

「いくら長い間、芸者さんをしてたからって、あそこまで立派な店を持てるもの？　私、聞いたんだけど、貸し店じゃないそうよ」

「あそこ、買ったのか」

新平は驚いて久仁子を見た。地元の出身ではない久仁子だが、社交的な性格に加えて、最近では産婦人科などに行く度に知り合いを増やして帰ってくるから、新平などよりもよほど近所の噂《うわさ》に詳しい。

「まあ、それも甲斐性《かいしょう》よね。大したものよ」

星空を見上げながら、のんびりと話す久仁子の隣で、新平は何故か惨《みじ》めな気分だった。どう考えても、やはり遠い存在なのだと、そう思うより他になかった。

だが、それからも静恵は一週間か十日に一度の割で、新平の店に現れた。久仁子は、自分が耳にしている噂のことなどおくびにも出さず、とにかく静恵と親しくなろうと懸命の様子だった。

「私も静恵さんみたいに着物を着こなせるようになりたいわ」

「どうして、そんなにお肌が綺麗なんですか？　私なんか、もう小皺《こじわ》がくっきりなんですもの」

だが静恵の方は、そんな久仁子の努力も小娘がさえずっている程度にしか感じていない様子だった。最初の頃こそは愛想も良く、こまめに相槌《あいづち》を打ちながら「そうね」などと言っていたものだが、やがて久仁子が何を言っても、適当に聞き流すばかりで、すぐに「ねえ、新ちゃん」が始まるようになった。女房の手前、あまり嬉しそうに返事をすることも出来ないから、新平はよく窮屈な気分になった。

「気にするなよ」

静恵の久仁子に対する態度があまりに素っ気ないときなど、新平は後から久仁子に言うことがある。だが、生来呑気《のんき》に出来ているらしい久仁子は、その都度きょとんとした顔で、新平に「何が？」と聞き返すのが常だった。

「元々あなたの幼なじみなんだし、私だって、あんなに年上のおばさんと本気で話が合うとも思ってないわ」

静恵を「おばさん」と言い切ってしまうところが、若い久仁子の残酷な部分かも知れない。自分にとっては特別な存在の静恵も、久仁子から見ればただの「おばさん」にすぎないのだと思うと、新平は情けない気分にもなった。

「第一、静恵さんてときどきこっちがどきりとするようなことを言うじゃない？　そんなにお上品ぶるつもりはないけど、私、何て答えたらいいのか分からなくて困るもの。あなたのお姉さん代わりだったっていうから、大切にしようとは思うけど、やっぱり別世界の人っていう感じ」

それには新平も気づいていた。男の新平からすれば大した内容でもないのだが、静恵の会話の中には、下ネタの入る場合が多い。その都度、久仁子が目を丸くしていることは確かだった。一方、静恵の方も、久仁子をあまり快くは思っていないらしいことが、少しずつ分かってきた。

「ぴーちくぱーちく、賑《にぎ》やかな子ねえ。新ちゃん、あんな奥さんが傍にいて、字を間違えたりしないもの？」

結い上げた髪を手で撫《な》でつけながら、薄く微笑《ほほえ》んでそんなことを言うときの静恵の顔は、明らかに四十を過ぎた女のそれだった。

「同じ女でも違うものよね。私も、この町で暮らしていた頃には、自分もあんな奥さんになるんだろうって、そんなことを考えてたような気もするんだけど」

彼女が溜息混じりに呟くとき、新平は静恵の言葉の内に、久仁子の平和な生活と、その若さに対する明らかな羨望《せんぼう》のようなものを感じないわけにはいかなかった。だが、その一方で、新平に対する信頼度だけは、増していくらしい。

「ねえ、お願い、新ちゃん」

そのひと言を、新平は幾度となく聞かされるようになった。かつて憧《あこが》れていた女性にそう言われて、嫌な気のするはずがない。とてもかなわない相手だと思っていた静恵に頼りにされるのは、願ってもないことだという気もする。だが、その一方では、新平は久仁子が仕入れてきた噂話にこだわり続けていた。何も、自分をあてにする必要などないではないか。若い板前もいれば、パトロンもいる、新平よりも力になる男が何人もいるのではないかと思う。そう考えると、静恵にからかわれているか、または社交辞令で「お願い」などと言われているとしか思えなくなってくるのだ。

「俺なんか、しいちゃんの役に立てるような男じゃ、ないよ」

静恵にあれこれと聞かされて、最後に例によって「お願い」と言われるとき、新平は半ば自嘲《じちょう》的に答えることもあった。すると、決まって冷たい手がすっと伸びてきて新平の手を握った。静恵の手は、本当にいつもひんやりと冷たかった。

「何、言ってんのよ。損も得もなく、私の話を聞いてくれるのは、新ちゃんだけじゃないの。新ちゃんに、そんなこと言われたら、私、どうすればいいの」

切なそうに眉根《まゆね》を寄せて言われるとき、何年ぶりかと思うほど、新平の胸は高鳴った。こんなところを久仁子に見られたらどうしようと思いながらも、満更でもない気持ちになるのが常だった。

4

やがて年が明け、二月の半ばに、久仁子は男の子を出産した。新平は、病院や女房の実家に足を運ぶ以外は、ひたすら提灯《ちょうちん》を作り続けていた。

「もう、水臭いじゃないの。どうして顔を出してくれないの？　せっかく、羽を伸ばせるときなのに。他ならぬ新ちゃんが来てくれたら、安くしとくわよ」

「よせよ。俺にだって、面子《メンツ》ってもんがあるし、第一、しいちゃんの店は、俺らには、少しばっかし窮屈なんだ」

静恵は「変な人ねえ」と言いながら、軽やかな声で笑った。『お静』は、おおむね順調にいっている様子だった。春先の、微《かす》かな香りをはらんだ風が吹くようになる頃には、新平は他の人の口からも『お静』の評判を耳にするようになっていた。

「静恵さんと板前さん、ただならぬ関係だっていう噂よ。もう、板前さんの方が、静恵さんにぞっこんなんですって」

子どもを抱いて実家から戻ってくるなり、久仁子も早速、新しい噂を収集し始めた。まったく、女の世界はどうなっているのかと思う。女房はいつの間にか、静恵の芸者時代の逸話から、現在のパトロンの名前までを聞き出してきた。

「誰から聞いてくるんだよ。くだらねえな」

「酒屋さんよ。前に、静恵さんが向島に出てた頃にも、ちょっと知ってたんだって」

新平は、久仁子がそんな話をする度に、心の中の動揺を隠すように、出来る限り知らん顔を決め込んでいた。そんな噂が新平の耳にも届いているなどとは、夢にも思わないのだろう。静恵は相変わらず顔を出した。

「ねえ、ちょっと、新ちゃんを借りるわね」

時折、彼女は息せききって店に飛び込んでくると、小さな息子を抱いている久仁子の前から新平を連れ出すことがあった。何事かと思って新平も慌《あわ》てて外に出ると、どうということはない、一緒に茶を飲もうとか、あんみつを食べようとか、そんなことなのだ。

「だって、ただ喫茶店に行こうって言ったって、あの子がなかなか許してくれないでしょう？」

向かい合って座ると、静恵は悪戯《いたずら》っぽい笑みを浮かべる。新平は、どこで誰に見られているか分からないと思うから気が気ではない。とにかく、帰宅したら必ず本当のことを久仁子に言うことにして、あまり目立たないように気を配りながら、静恵との時を過ごすことが多かった。

「大人になると、不便よねえ。昔は、内緒話する場所なんか、事欠かなかったのに。ただ喋《しゃべ》るってだけでも、どこかの店を探さなきゃならないんだものねえ。壁に耳あり、だし」

静恵は、本当に久仁子のことを疎《うと》ましく感じている様子だった。久仁子の方は、相変わらずけろりとしているのだが、ことに長男が生まれてから、静恵は久仁子に敵対心のようなものさえ燃やしている。

「若けりゃいいっていうこと、ないわよ。二十代なんて、野暮ったくて小便臭い、ただのケツの青い小娘じゃないのさ。新ちゃん、よく疲れないわねえ」

時には、静恵はあからさまにそんな文句まで言った。そこまで言われる筋合いはないと思いながら、そう言わずにいられない部分に、静恵の淋しさや満ち足りていない心がうかがわれる気もして、結局、新平は曖昧《あいまい》な受け答えしか出来なかった。

「まあ、気が利《き》かない奴では、あるんだけどさ」

「だったら、どうしてそんな娘と一緒になったわけ？　私、ひょっとしたら、新ちゃんはまだ独りなんじゃないかって、思ってたのに」

「――そんなこと、言ったたって」

そんな言葉に、いちいち嬉しがってはいられない。そう自分に言い聞かせながらも、どうしても気持ちが揺れた。何かのタイミングが違っていれば、お互いの運命が変わっていたのではないか、年齢差など、大人になればどうということもなかったのではないかなどと、想像することも少なくなかった。

――それでも、取り戻せるような時間じゃない。俺は、久仁子と子どもと、生きていく。

仕事場の片隅に子どもの玩具《おもちゃ》が転がるようになり、その玩具も徐々に複雑なものに変わっていった。やがて、親子三人で初めての正月を迎えた直後、久仁子は二人目の子どもを身ごもった。新平の日々は変わらなかった。火袋を伸ばし、文字を書き、紋を入れて提灯を組み立てる。同じ作業を淡々とこなしながらも、まったく同じ提灯は二つとない。自分なりに、文字の作りやバランスの取り方などに少しずつ工夫を加えながら、新平は仕事を続けた。

「相変わらず、お忙しそうね」

「あら、静恵さん、いらっしゃい」

「ちょっと、新ちゃん借りていくわね」

「はいはい、どうぞ」

　静恵は、いつでもひょっこりと顔を出しては新平を連れ出す。新平は、時には久仁子に手を振って見送られながら、幼い頃と同じように静恵に従った。静恵は、ときどきは客からもらったなどと言って、芝居や映画の切符を取り出してくることもある。結婚して以来、夫婦で行く機会も減ってしまった劇場や映画館に、新平は久仁子の了解を得て、静恵と連れだって出かけた。

「子どもが小さいから、どっちみち私は行かれないんだもの。板前さんは仕込みがあるんだろうし、他に気軽に誘える相手もいないんでしょう」

　久仁子は近所の主婦たちに、そういう説明をしているらしかった。亭主にとって姉のような存在ならば、自分にとっても同じことだと言っていると、新平は、女房同士も親しく言葉を交わすようになっている幼なじみから聞かされた。その都度、胸の奥にちくりと痛みが走る。久仁子に対して申し訳ないと思う。

「しいちゃん、たまにはさ、うちの奴にも、何か声かけてやってくれねえかな」

あるとき、新平は思い切って静恵に切り出した。静恵は、いかにも驚いた顔で新平を見つめてきた。その眼差《まなざ》しの強さに、新平は思わず目を逸《そ》らしたくなる。だが、もう子どもではない。お互いに、一人前の大人だった。

「だって——あんなにお腹《なか》が大きいんじゃ、どこにも出かけられないんだし、声をかけろっていったって」

静恵は、明らかに動揺した様子だった。

「あんな奴だけど、しいちゃんのこと、慕ってるんだ。あんまり、ないがしろにされるとさ、いくらあいつが能天気だって、そのうち——」

「分かったわよ」

新平が言い終わらないうちに、静恵は面倒臭そうに顔を背けた。新平は、気を悪くしただろうかと不安になり、怯《おび》えたように彼女の様子をうかがっていた。だが、静恵は案外けろりとした顔で、「そりゃあ、そうよね」と一人で頷く。

「新ちゃんの大切な奥さんなんだものねえ？　奥様公認でつき合わせていただいてる以上、少しは気を遣えっていうことね」

「おい、つき合ってるなんて、そんな——」

新平は慌てて彼女の言葉を否定しようとした。だが、静恵はわずかに目を細め、いかにも意味ありげな笑みを浮かべている。

「噂になってるって。新ちゃんは、滅多に店から出ないから知らないんだろうけど」

「おい――だって、あんたにはパトロンも板前もいるんだろう？」

つい、口を滑らせてしまってから、しまった、と思った。新平が、慌てて言い繕う言葉を探している間に、ひんやりとした静恵の手が伸びてきて、開きかけていた新平の唇に触れた。

「私に誰がいたって、関係ない。新ちゃんと私とは、特別でしょう？　私は、そのつもりなんだけど」

静恵の顔が間近に迫っていた。不敵にすら思える濡《ぬ》れた瞳《ひとみ》が、じっと新平を見据えている。新平は、咄嗟《とっさ》に顔を逸らしてしまった。からかうのもいい加減にして欲しい、その手には乗らないと、心の中で声がした。

「何よ、新ちゃんには、そのつもりはなかったっていうの？　私、分かってたのよ。新ちゃんて、小さい頃から――」

「やめろよっ」

言うが早いか、新平は店に向かって歩き始めていた。噂になっているという。それなら、久仁子の耳に入っていないはずがない。どんな思いで、女房はそんな噂を聞いたのだろうか。

——どうしたら、いいんだ。

頭に血が上って、かっかとしていた。これ以上、静恵に会うのは危険かも知れない。彼女はこの町になど、帰ってくるべきではなかったのではないか。思い出は思い出のままで、記憶の奥底に沈んでいるべきだったのではないか。歩きながら、そう思えてならなかった。

5

久仁子は二人目も男の子を産んだ。家の中はますます賑やかさを増し、久仁子の張りのある声が朝早くから響きわたるようになった。よその家の子どもは成長が早いというが、新平の目から見れば、我が子でも成長は早いものだ。瞬《また》く間に言葉を覚え、ちょこまかと動き回るようになったかと思うと、上の子は、もう幼稚園の心配をするようになった。

「ねえねえ、久仁子さん、新ちゃんを借りていい？　大工さんのことでね、私じゃあ、ちょっと分からなくて」

静恵は相変わらず店に現れた。ただ、以前と違うところは、新平を呼び出す際に必ず久仁子にも用件を伝えるようになったところだ。夏も盛りを過ぎた頃、彼女は、酷暑の今年は貴重品と言われたスイカを提げてやってきた。

「どうぞ、ごゆっくり。私の手が回らないもんで拗《す》ねてるんですから、相手をしてやってくださいな」

「私だって、遊び相手になってる余裕なんか、ありゃしないのよ。とにかく、もう目が回りそう」

「あらまあ。じゃあ、せいぜい使ってやってくださいね」

育児に追われる日々の中で、久仁子はますます逞《たくま》しさを増しているようだった。まだ三十路《みそじ》を迎えてもいないのに、新平の目から見ると、彼女は堂々と静恵と渡り合っているようにも見える。

「よかった。奥方様のお許しが出たわ」

静恵は嬉しそうに笑いながら、新平の仕事が一段落つくのを待っている。新平は、微妙なバランスの上に立っている弥次郎兵衛《やじろべえ》のような気分で、そそくさと仕事場から立つ。

「仕事がたまってるんだから、ほどほどにね」

背後から久仁子の声が響いた。新平は、手だけを振って合図を送ると、足早に歩き始めた。背中に「ばいばーい」と、子どもの声がかぶさってきた。

「今日は、本当に大工の用なんだろうね」

静恵と連れだって店から出ると、新平はそっとあたりの気配をうかがいながら小声で話しかけた。静恵はくすりと笑いながら「本当よ」と頷いた。

「でも、他の用だって、いいのよ」

「よせよ。あれっきりにしようって、約束したじゃないか」

ちらりと横を見れば、静恵はいかにも意味ありげな表情で笑っている。残暑の厳しい陽射《ひざ》しのせいばかりとは思えない程に、新平は頭がぐらぐらとするのを感じた。

「意気地なしねえ」

「そうさ。俺は、意気地なしだよ、昔から」

我ながら魔がさしたとしか思えないのだが、ついこの間、新平はいつもと同じように静恵から呼び出されて開店前の彼女の店に誘われ、酒を勧められた挙げ句に、関係を結んでしまっていた。昼間の酒は酔いの回りも早く、その勢いに任せて、子ども時代のことなどをあれこれと話しているうちに、いつの間にか、つい、そういうことになったのだ。それを、新平は心から後悔していた。あの瞬間、思い出が音を立てて崩れ、薄汚れたと感じていた。

「今日は真面目《まじめ》にいくわ。隣の家主がね、少しくらいなら値段は相談に応じるって言い出したの。もうひと頑張りっていうところなのよ。後は、なるべく安い工務店を探すことなんだけど、女と見ると必ず足元を見てくるでしょう？　新ちゃんに、傍にいてもらえれば、それだけで心強いのよ」

彼女の経営の才覚は、相当なもののようだった。『お静』は、とんとん拍子で業績を伸ばし、ほんの三年程の間に、ついに隣の建物を買い取って店を拡張しようというところまできていた。

「旦那《だんな》に行ってもらえば、いいじゃないか」

「あの人には内緒だって、言ったでしょう？　何とか手を切りたいから、自分の力でやりたいんじゃないの」

「だったら、明くんがいるだろう。自慢の板さんがさ」

「何よ。少しくらい手伝ってくれたって、いいじゃないの。それに、あの子はね、駄目。そういうところは、頼りになんか、なりゃしないわ」

静恵は澄ました顔で言い放つ。新平は、真綿で首を絞められているような重苦しい圧迫感の中で、結局は静恵に従うより他になかった。心が、徐々に蝕《むしば》まれ、そして荒《すさ》んでいくような気がしてならない。それでも彼女から離れられないのは、何故だろうかと思う。自分は、家庭を一番に考える男のつもりだった。その気持ちに嘘はない。それなのに、静恵に言い寄られると、泣き虫で虐《いじ》められっ子だった子どもの頃と同じように、まるで逆らえなくなるのだ。

「今度はね、店の名前も変えるつもりよ」

「――何に」

「字だけよ。今のままだと場末の居酒屋みたいで、ちょっと安っぽいでしょう」

そして、静恵は店を拡張した暁には、『おし津』という屋号に変えるつもりであると言った。

「ねえ、そうしたら、また提灯を贈ってくれる？」

無気力なまま、彼女に引きずられるように歩いていた新平は「ああ」と気のない返事をしただけだった。提灯を要求される程度で済んでいるだけ、もうけものだ。下手をすれば、女房子どもを捨てろとさえ言われかねない。そんな不気味さが、静恵にはあった。このまま彼女と関わっていたら、どんなことになるか分からないと思う。どこまでも、引きずり込まれたい気持ちがないわけではなかった。静恵という女に溺《おぼ》れてみたい。だが、その一方では「まさか」という気持ちもある。第一、自分を信じきって、毎日、店の仕事を手伝いながら、新平と二人の子どもの世話に追われている久仁子を裏切るわけにはいかなかった。何よりも静恵が、果たしてどこからが真剣で、どこまでが冗談なのか、まるで得体が知れないときている。彼女はただ単に、ついに彼女には無縁だった、平凡で平和な家庭に波風を立てたいという、そんな程度にしか考えていないのかも知れないとも思われることも無論、少なくなかった。

「へえ、隣の土地も？　ずいぶん具体的になってきたのねえ」

日中は育児に追われながら、夜になって火袋を伸ばす手伝いをする日々を送っている久仁子は、静恵が隣の買収に成功したという話を聞かせると、自分のことを棚に上げて「すごい、逞しい人！」と感心したような声を上げた。新平は、店が新しくなったら、屋号の文字が変わるらしいこと、また、開店祝いに提灯を贈る約束をしたことを話して聞かせた。

「じゃあ、私、火袋を張ろうかな。夫婦合作っていうことになるじゃない、ね？　あなたが字を書いて、後の部分は私がやるっていうの、どう？」

久仁子は、さも素晴らしいことを考えついたかのように張り切った表情を見せた。新平は、そこまですることもないだろうと言ったのだが、逆に久仁子に叱《しか》られる始末だった。

「何、言ってるのよ。あなたの大切な幼なじみでしょう？　噂は色々あったたって、女手一つで、こんな短い間に店を拡張するなんて、並大抵のことじゃないのよ」

「――おまえが、そう思うんなら」

「思うに決まってるじゃない。しっかりしてよ、あなたの姉貴分でしょう？」

見据えられて、毅然《きぜん》と言われると、新平は何を言い返すことも出来なかった。ただ、女房が哀れに思われてならなかった。

翌朝、新平が一日に使う分の墨をすっていると、久仁子は本当に火袋を張る準備を始めた。

「何も、今から作らなくたって」

親父《おやじ》の代から使い込んでいる擂《す》り鉢に、墨の欠片《かけら》と水を入れてしゃもじでかき混ぜながら、新平は鼻歌混じりに油と糊《のり》を用意する女房を見上げていた。

「暇があるうちに作っておかなきゃ」

提灯の火袋作りは、まず八枚の木型に、ロウに植物油を入れて煮詰めたものを塗るところから始まる。そうすることによって、最後に出来上がった火袋から型を外すときに、和紙からはがれやすくなる。油を塗った型の上下をゴマと呼ばれる留め具で放射線状に固定した上で、まず口輪をはめ、刻まれている目に骨をかけて、巻きつけていくのだ。

「慣れたもんだな」

提灯が丸くなるように、一定の力で、くるくると骨を巻く久仁子を眺めて、新平は感心した声を出した。彼女はにっこりと笑いながら「当たり前よ」と答えた。

「提灯屋の女房ですからね」

――そうなんだよな。俺は提灯屋で、こいつは提灯屋の女房なんだ。他の女じゃあ、こうはいかないんだよな。

そう考えると、切ないような気持ちにさえなってくる。新平は、一時間ほどかけて墨をすり終え、自分の仕事にとりかかった。

火袋作りは、骨が型に巻けたら、次に布海苔《ふのり》を煮詰めた糊で、一間置きに和紙を張っていく作業に移る。なじみを良くするために予《あらかじ》め湿らせた和紙を、なで刷毛《はけ》を使いながら張る。骨の力が強くかかる部分は、その分、紙もはがれやすくなるから丁寧に糊をつけ、紙にも余裕を持たせる。細い骨と薄い紙を使う作業は、実にデリケートなものだ。普段は粗忽《そこつ》に見える久仁子が、真剣な表情で火袋を作るところは、なかなかの見物《みもの》だった。

「さて、これで、いつでも大丈夫ね。早く、開店になると、いいわねえ」

紙が完全に乾いたところで、型を外せば火袋の完成だった。出来上がった火袋を、久仁子は満足そうに眺め、やがて、慌ただしく子どもたちの世話に戻った。

――どこまで、人が好《い》いんだか。

新平は、鼻歌混じりに洗濯物を抱えて家中を歩き回り、子どもを追いかける久仁子の大声を聞きながら、切ないほどに満ち足りた気持ちになっていた。これ以上、何を求めることがあるだろうと思う。

「こんにちは、新ちゃん、います？」

ところが、店に静恵の声がすると、新平の気持ちは、途端に揺らいだ。どうしようもなく、引きずられてしまうのだ。このままでは、ろくなことにならないと分かっていながら、静恵の前では幼い日の新平に戻ってしまう。

「ちょっと相談に乗って欲しいのよ。内装のことなんだけどね。久仁子さん、ちょっと借りるわね」

静恵は、いつもと変わらない美しさで新平の前に現れた。新平は、久仁子の「いってらっしゃい」という元気の良い声に背中を押されながら、ずるずると静恵に従った。まるで、自分自身が二つに裂けてしまいそうな気分だった。そして、最初の店が開店したのと同じ、冬の初めの頃、『お静』改め『おし津』の開店の日が近づいた。

「蠟燭《ろうそく》、立ててあるの。一度くらいは提灯らしく、火を入れてみてくださいって、あなたから言ってね」

開店の日は、午後から木枯らしの吹く肌寒い日になった。小さな子どもを抱えているから、自分は留守番をしていると、夕方になって久仁子は残念そうに言った。そして、火袋を伸ばしたままの提灯を差し出す。子育てと雑用に追われ、なかなか時間が見つけられずにいた久仁子は、ついさっき、ようやく『おし津』のための提灯を組み立てたところだった。

「このまま、持っていくのか」

畳んで持っていけば身軽なものを、ぶらぶらと提げていくのには、いくら新平でも抵抗がある。だが、久仁子はくすくすと笑いながら、「提灯屋が恥ずかしがること、ないじゃない」と言った。そう言われれば、抵抗する理由もない。新平は、出来上がったばかりの提灯を提げて、すっかり陽も落ちた路地を、歩いて十分ほどの『おし津』に向かって歩き出した。本当は、あまり気乗りがしないのだ。広くなったのはもちろんのこと、内装も豪華になり、二階には広い座敷も用意されて、『おし津』は、この界隈《かいわい》でも五本の指に数えられる規模の料亭になっているはずだった。そして静恵は、押しも押されもせぬその料亭の女将《おかみ》になったのだ。

「久仁子がさ、一度くらい火を入れてくださいって」

途中で約束をしていた友人と合流し、そのまま店に着くと、新平はぶら提げてきた提灯を掲げて見せた。

「あら、そう。だったら新ちゃん、あんたさ、火を入れてちょうだいな。専門家なんだから」

大勢の店員と招待客の前で、新平は、まるで小僧のように軽く扱われているのを感じた。数年前、『お静』が開店したときのような喜び方もしない静恵に、だが、新平は内心で微かな反発を抱くのがやっとだった。どうせ、自分などそんな程度なのだと、諦《あきら》めの方が先に立つ。新しく雇われたらしい店員から踏み台を借り、提灯に据えつけられている蠟燭に火を灯《とも》した上で軒に吊《つる》すと、師走《しわす》に向かう風に吹かれて、提灯は柔らかい光を放ちながら、ゆらゆらと揺れた。黄色い蠟燭の炎が、和紙を通してぼんやりと、頼りなく見えた。

『おし津』が炎に包まれたのは、それから三十分とたたない頃だった。提灯から出た火は、折からの木枯らしに吹かれて瞬く間に燃え広がり、宴が始まったばかりの『おし津』を、あっという間に呑《の》み込んだ。

「消して！　消して！　私の店なのよっ、出来たばっかりなのよ！」

激しい炎に包まれながら、静恵の絶叫が響いた。煙にまかれながら、必死で逃げ出した新平の耳には、ごうっという炎の音と共に、静恵の悲鳴が残った。

「あらららら。燃えちゃったの」

煤《すす》だらけのまま、夜更《よふ》けになって、ようやく家にたどり着くと、当然のことながらサイレンを聞いていたはずの久仁子は、涼しい顔で「遅かったのね」と迎えに出た。

「うちの、うちの提灯から火が出たんだ」

新平は恐怖のあまり、まだ全身を震わせていた。頭が混乱している。炎の色、煤の臭《にお》い、静恵の絶叫、何もかもが新平の五感のすべてを恐怖に陥《おとしい》れていた。

「しいちゃん、大火傷《やけど》だ。早く逃げれば良かったのに、最後まで残ってて――今夜あたりが、峠だろうって。せっかくの、せっかくの開店の日だっていうのに、うちの、うちの提灯から――」

「やっぱり、針皿がないと、倒れるんだ。まさかなあとは、思ったんだけど」

久仁子が、ぽつりと呟《つぶや》いた。新平は、女房の言葉の意味が分からなくて、震えながら彼女を見つめた。

「――おまえ」

ぐっすり眠っている下の子を抱いたまま、久仁子はほんのりと微笑んでいた。

枕《まくら》香《が》

1

ストローに口をつけて軽く吸い上げると、口の中いっぱいにミントの香りが広がった。いつもの夏ならば、その香りが嬉《うれ》しくて、ずっと爽《さわ》やかに感じられるはずのアイスミントティーも、こう肌寒い日ばかり続いていては、どうにも間が抜けて感じられる。やはり、温かい飲み物を注文すれば良かっただろうかと思いながら、つい膨《ふく》れっ面《つら》になっていると、くすりと笑う声がした。顔を上げれば、晋平《しんぺい》が面白そうな顔でこちらを見つめている。

「そんなにまずいか？」

恭子《きょうこ》はわずかに口元を尖《とが》らせて「そんなことも、ないけどさ」と答えた。そして、澄ました顔で再びストローをくわえる。今度は晋平は声を出して笑った。

「しかし、変わったよなあ、恭子」

「何が？」

彼は、真夏でも熱いコーヒーを飲む。今も、エスプレッソの小さなカップをつまみ上げながら、彼はにやにや笑いをやめなかった。

「知り合った頃は、人形みたいな子だと思ったのにさ。こっちが何を言っても満足に返事もしなくて、『はい』とか『ええ』ばっかりで。俺なんか、今時珍しいくらい、おとなしくて可愛《かわい》い子だと思ったよ。それが、今じゃ百面相並みだ」

恭子は、爽やかすぎるミントティーを飲み、つん、とそっぽを向いて「当たり前でしょ」と言った。

「最初は誰だって、ネコ被《かぶ》ってるに決まってるじゃない？　相手がどんな人かも分からないうちから、そんなに自分を見せるはずがないの。あれはね、作戦」

やれやれ、とでも言いたそうな顔で、晋平は曖昧《あいまい》に笑っている。

「じゃあ、俺はまんまと作戦に引っかかったのか」

「まあ、そういうことかな」

恭子は、急に悪戯《いたずら》っぽい笑みを浮かべて、身を乗り出した。

「そういう晋ちゃんだって。知り合った頃は、すごい純情な、礼儀正しい好青年っていう感じだったじゃない？」

「俺は、今だってそうさ。だからこそ、恭子さんっておとなしくって、俺にぴったりだなぁって思ったのに」

　恭子はけらけらと声を出して笑った。もともと、よく通る声だから、弾むような笑い声は喫茶店内に響いた。

「よく言うわねえ。純情な好青年が、二回目のデートでホテルに誘う？」

　少しばかり声が大きかっただろうか、晋平が慌てた顔で「おいっ」と鋭く言った。彼と背中合わせの席に座っていた客がちらりと振り返る。恭子はくすくすと笑いながら、苦虫《にがむし》を噛《か》み潰《つぶ》したような顔でエスプレッソのカップを戻す晋平を見ていた。彼を困らせるのが、恭子は大好きだ。

「場所を考えろよ。どうしてそう、言いたい放題なんだよ、もう」

　そそくさと店を出ると、彼はさっそく文句を言い始める。

「そんなに怒ること、ないでしょう？　私はね、自分に正直でいたいだけなの。何よ、喫茶店なんかで格好つけること、ないじゃない」

　恭子は平気な顔で言い返した。晋平が怒っても、恭子は一度だって恐《こわ》いと思ったことなどない。だが、それでも彼は明らかに苛立《いらだ》った顔をしていた。その不機嫌そうな顔が、ますます恭子を刺激した。

「ふーんだ。これくらいで怒るなんて、人間が小さいぞ」

ふん、と小さく鼻を鳴らすと、晋平のうんざりしたようなため息が聞こえてくる。喧嘩《けんか》するつもりなのだろうか、それならば受けて立とうという気構えが、早くも恭子の中で盛り上がってきている。

「ネコを被れとまでは言わないけどな、少しは周りのこととかさ、人の気持ちとか、考えた方がいいよ、おまえ」

「おまえなんていう呼び方、しないでって、いつも言ってるでしょう？　人のこと、見下してるみたいな、そういう言い方、しないでって」

きっとなって晋平を睨《にら》みつけると、彼は怯《ひる》んだ様子も見せず、案外真剣そうな表情で、しかめ面でこちらを見据えている。恭子は、ますます好戦的な気分になって、顎《あご》を突き出した。

「要するに口ではどう言ってても、心の中では『女なんか』って思ってるに決まってるんだ。だから『おまえ』なんていう呼び方が出来るんだわ」

「そんなことないって。男同士だって、相手のことを普通に『おまえ』って言うじゃないか。それより、なあ。いつもそうやって話を逸《そ》らすなよ。今、俺が言おうとしたのは——」

「逸らしてなんかいないじゃない、大事なことよ。第一、私は男友達じゃないんだからね。いい？　私は、晋ちゃんの何なの？『おまえ』なんて、うちのお父さんでさえ、お母さんのこと、そんな呼び方しないわよ」

こうなってくれれば、もう恭子の独壇場だった。あまり言葉数の多くない晋平は、やがて一言も口を挟めなくなって、結局最後には「分かったよ」と折れなければならなくなる。一つ年上の彼が、長身の背を丸めて「ごめん」と言ってくれる時が、恭子は何よりも好きだった。そうしたら、その後は思いきり甘えられる。喧嘩した後の仲直りの瞬間は、いつでもドラマチックで、そして心に残るものになった。だから、恭子は晋平と喧嘩するのが、案外気に入っていた。

「まったく。口じゃあ、かなわねえもんな」

やがて、晋平はすっかり諦《あきら》めた表情で、つまらなそうにため息をついた。恭子は「当たり前でしょう」とでも言わんばかりの顔で、出来るだけ冷ややかに晋平を睨んで見せた。

「分かったよ。そんな恐い顔、するなって。さっきまでけらけら笑ってたくせに、本当に百面相なんだから」

「――じゃあ、今日、うちに寄っていってくれる？」

探るような目で言うと、晋平は本当に困った顔になる。明日から出張で、朝は、かなり早く起きなければならないと、ついさっき聞かされたばかりだ。

「だって、恭子の部屋に行くと、必ず『帰っちゃいや』っていうのが始まるじゃないか。俺、明日は本当に――」

「じゃあ、私が晋ちゃんの部屋に行く、ね？」

恭子はわずかに唇を噛み、今度は媚《こ》びる表情になって、甘える声を出した。少しばかり切なく見えるように眉《まゆ》をひそめ、哀願する目になると、晋平はまた、「まったく」と呟《つぶや》いた。

「しょうがないなあ。俺、送れないよ、今夜は」

「分かってる、大丈夫だったら」

本当はその時点で、もう恭子は晋平の部屋に泊まるつもりになっていた。だが、知らん顔をしている。その時になって晋平がどんな顔をするか、慌てるか怒るか、そんな顔も見たいと思うからだ。とにかく恭子は、いつも刺激的な間柄でいたかった。そのための芝居や小さな嘘《うそ》くらい、恋愛というドラマの調味料に過ぎない。もしも夜が更《ふ》けて、彼が無理に帰そうとしたら、また小競《こぜ》り合いをして、今度は少し泣いて見せるのも良いだろう。そうするうちに、晋平は間違いなく、自分から折れて恭子を泊めてくれる。

――朝まで、一緒にいたいんだもの。

ただ、それだけのことだった。だから、恭子はひたすら笑顔になって、急に晋平に甘え始めた。

「疲れるヤツだなぁ、もう。ちょっと情緒不安定なんじゃないのか?」

確かに自分でも、そう思わないこともなかった。けれど、恭子は「失礼ねっ」と言って、膨れて見せただけだった。知り合って、そろそろ半年になろうとしている。頭の片隅では、ちらちらと結婚の二文字だって浮かび始めているというのに、ここでもう一つ盛り上がらなければならない時に、そんなに落ち着いていられるはずがないではないかと言いたかった。

2

出張先から連絡をくれると言っていたのに、それからしばらくの間、晋平とは連絡が取れなくなった。恭子は一晩に何度も彼の家の留守番電話にメッセージを残し、苛々して過ごさなければならなかった。

「彼氏がいない時には、いないなりの楽しみ方をすればいいのに」

会社の同僚には、そんなことも言われる。けれど、恭子にはそんな器用な真似《まね》は出来なかった。彼のために、他の友人達に対しては、ずい分不義理をしていると思うのだが、どうしても彼のことしか考えられないのだから仕方がない。

——晋ちゃんの馬鹿《ばか》。今度会ったら、絶対に困らせてやるから。

「本当に彼が好きなのね。そんなに格好いいの？」

からかい半分に言われる時には、恭子は少しばかり澄ました表情で「まあね」と言うこともあった。

「——だってね、彼ったら——」

黙っていようと思うのに、どうしても彼の話をしたくて、結局ついつい、恭子は晋平との関係を周囲に披露してしまう。実は、以前までの恭子は努めて可愛らしく、素直に、耐えることばかりを続けて、結局は当時の恋人に飽きられてしまった経験が一度ならずある。だからこそ、今度は逆に強気に出ることにしているということを、大半の友人は承知していた。

「それにしても、ちょっとやり過ぎじゃない？　そんな我儘《わがまま》ばっかり言って、私の彼だったら、ぶん殴られてるわ」

今では心配顔で言われるたびに、恭子はけらけらと笑って見せる。自分に自信があれば、そんな心配はいらないと言いたかった。

「私たちにとってはね、喧嘩が最高のコミュニケーションなのよ。それに、何ていっても刺激的じゃない？」

「まあ――それもまた楽しいってことなんだろうとは、思うけどさ」

「でも――そのうち、捨てられちゃうかもよ」

友達に冷やかし半分に言われても、恭子は「捨てるんなら、私からよ」と答えることにしていた。けれど、決してそんなことにはならない。何故《なぜ》なら、晋平が大好きだからだ。心の底から。なのに、彼が出張に行って四日も過ぎる頃には、恭子はすっかり喧嘩腰になって、彼を責める内容のメッセージばかりを、留守番電話に入れるようになっていた。

馬鹿、晋ちゃんなんか大嫌い、このまま連絡をくれなかったら、会社に行って暴れてやるから、課長さんに頼んで、出張のない仕事に回してもらうから、どうしよう、生理が遅れてるのよ、いざとなったら、責任をとってね――。

我ながら、少しばかり度の過ぎたメッセージだとは思ったが、どうしても「淋《さび》しいなあ」とか「会いたいの」などという、素直というか、気弱な伝言を残すことが出来なかった。妙な意地があった。

「あんまり恐いメッセージばかり入れるなよな。あんなひどい内容ばっかりで、テープ、一杯になっちゃってたんだぞ」

ようやく東京に戻ってきたという連絡があった時、晋平は電話の向こうで、かなりうんざりした声を出した。恭子は、やっと話せたことが嬉しくてならなかったのに、咄嗟《とっさ》に「何よっ」と言い返してしまった。

「電話くれるって、言ったじゃない。嘘つきなんだから」

「しょうがないだろう？　夜はセミナーがあったり接待があったりして、ホテルに戻る頃にはくたくたになってるんだから」

「そんなこと、知らないもん」

「恭子が知らなくたって、実際、そうなんだよ」

心なしか、晋平の声はいつもよりも苛立って聞こえた。恭子は、精いっぱい虚勢を張って、勝ち気に見せている心が萎《な》えそうになるのを感じた。だが、いけない、そんなことで弱みを握られてなるものかと思う。こちらから折れる癖などをつけてしまったら、男はどんどんつけ上がる。我儘放題、勝手放題になる。

「ああ――あれは？」

「あれって？」

「ああ、あれね。始まって、とっくに終わった。だから、ねえ。明日なら、私、会えるんだけどな」

「俺は無理だよ。出張中にたまってた仕事、片づけなきゃならないから」

「じゃあ、明後日《あさって》は？」

「今週は、無理だな。来週、またすぐに出張なんだ。とにかく、今夜は疲れてるんだ、もう寝かせてくれないかな。明日でもさ、必ずこっちから連絡す――」

「勝手に――勝手にすればっ。ふん、だ。馬鹿っ」

向こうから電話を切られるのが恐くて、恭子は自分から受話器を叩《たた》きつけてしまった。言いすぎてしまった、ひどいことをしただろうか、やはり謝るべきだろうかと思ったけれど、どうしても手が動かなかった。

――会いたいだけなのに。甘えたいだけなのに。

一人で泣くなんて、最低だと思う。けれど、その晩、恭子は珍しく一人で涙を流した。淋しくて淋しくて、たまらなかった。それに、こんなに喧嘩する癖ばかりついてしまったら、本当にいつか、取り返しのつかない大喧嘩をしてしまうかも知れないと、ふと思った。

意地を張るのも、程々にしなければと、頭では思う。それでも素直に謝るつもりになれなくて、恭子はそれから一週間、彼に電話するのを控えた。一人で過ごす夜が更けて、受話器を取らずにいるのは、思ったよりも苦痛を伴う我慢だった。

——どうせ、また出張なんでしょう。いいわよ、勝手にさせてあげる。

どうしても精神的に優位に立っていたくて、恭子はそんな言葉を心の中で繰り返しながら、必死で毎日を過ごしていた。だが、そんな我慢も十日が限界だった。十一日目の夜、ついにたまりかねて電話をすると、意外なことに晋平本人の声が「もしもし」と言った。

「——いたの」

恭子は、張り詰めていた気持ちが一瞬のうちに崩れそうになるのを覚え、同時に猛烈な怒りが湧《わ》き起こるのを感じた。

「ああ、たった今、帰ってきたところなんだ」

晋平の声は、十日前とは打って変わって楽しげで、とても朗らかに聞こえた。「どうしてる?」などという言葉つきでさえ、いつになく打ち解けて優しく聞こえる。

「どうしてるじゃないわよ！　どうして電話をくれないの？　晋ちゃん、私がどんな気持ちで毎日過ごしたか、分かってるのっ」

つい、怒鳴ってしまった。

「ああ——ごめん。もう、忙しくてさ。色々とあったんだよな。今、色んな面で、いちばん大変な時でさ」

それから晋平は珍しく仕事の話を始めた。恭子が怒りを爆発させるのを回避するかのように、彼はこれまで話したこともなかった契約の話や上司の話、取引先を接待した時の話などを矢継《やつ》ぎ早《ばや》にし始めた。その様子が、いかにもせかせかとしている気がする。出鼻をくじかれるのと同時に、恭子は、ふいに妙な違和感を覚えた。

「ねえ、どうかしたの？　何か、あった？」

「え——何が」

「何となく。いつもと違うっていうか、何か、急いでるみたいだから」

晋平は「そうかな」と笑い、「きっとまだ興奮気味なんだな」と続けた。仕事のことで興奮するなんてと思いながら、とにかく恭子はその夜は、おとなしく彼の話を聞くことにした。色々と言いたいことはあったのだが、これまでは話してくれなかったようなことを、まるで男同士のようにあれこれと聞かせてくれるのが、ほんの少し嬉しかった。

「それでさ、明日から、また出張なんだ」

「ええっ――またなの？」

「だから、今度が勝負なんだって。来週、戻ってきたら、必ず連絡するよ、な？　今、その支度をしてたんだ。ああ、それで、急いで聞こえたのかな」

疲れるよ、と言いながら、彼の声はいつになく弾んで聞こえた。きっと、仕事が面白くてならないからなのだろうと、恭子はそう察しをつけるより他はなかった。恭子だって自分の職場で、夢中になって仕事に励む男性社員を数多く見ている。たまに雑談をしても、彼らは「色恋なんかしてる暇ないよ」と笑う。おそらく今の晋平は、そんな状態なのだろうと思った。

――仕事が好きなのは、いいことだわ。

結局、その夜はすっかり相手のペースにはめられた気分で、電話を切らなければならなかった。もう、これで三週間近くも会えずにいる。今度会ったら、きっと照れてしまって思うように話せなくなるかも知れない。そんなことを考えながら、それでも彼の声を聞けたのが嬉しくて、恭子は珍しく鼻歌を歌いながら風呂《ふろ》に入った。

3

いくら電話をしても、まるで連絡が取れない。やっと話せたと思うと仕事の話か「疲れた」という愚痴。そんな日々が続いて、結局一カ月以上も、恭子は晋平に会えなかった。

「ごめんな、なかなか都合がつけられなくて」

その夜の電話で、晋平は珍しく神妙な口調になり、自分から、そんなことを言った。その、しみじみとした口調は、これまで恭子が胸の内にため込んできた不満を引き出すのに最高の呼び水になった。

「だったら、どうするの？　少しは私の気持ちにもなってみてよ。こんなに放ったらかしにされてたら、そのうち、浮気してやるからねっ」

こういう雰囲気からは、ずい分遠ざかってしまっていた気がする。恭子は、久しぶりに挑戦的な気分になりながら「いざっていう時に傍にいてくれない人なんか、最低なんだから」とつけ加えた。晋平が、どんなことを言い返してくれるか、いつもの通り、ぽんぽんと激しい言葉の応酬が始まるのではないかと身構えるだけで、「もう、最悪」などという言葉とは裏腹に、はしゃぎたいような気持ちが膨らんでいく。

「――そうだよな。俺なんか、まるで恭子の力にはなってやれないよな」

ところが、晋平はいつになく沈んだ声で、そう呟いたのだ。恭子は一瞬のうちに頭から血の気が退《ひ》くのを感じた。弾《はじ》け飛びそうになっていた感情は、冷水をかけられたように冷たく固まった。

「何よ、それ――」

「恭子の言う通りだと思う。浮気されたって、文句は言えないよ」

ゲームとはまるで異なる、本当の怒りと共に、切ない、身体《からだ》を捻《ね》じ切られるような苦痛が膨れ上がってきた。恭子は、思わず受話器を握る手に力を込めて「私が浮気するっていうのっ」と怒鳴った。

「晋ちゃん、そんなに私が信じられないのっ。私はただ、忙しくても連絡だけ欲しいって、そう言ってるだけじゃないのっ。それなのに、浮気だなんて――」

「浮気っていう言葉を使ったのは、恭子の方だろう?」

「ひどいっ。こんなに、私にばっかり我慢をさせて、それで――」

「だから、そんなに我慢ばっかりさせるのは、俺が悪いんだってば。俺には――恭子を守る資格なんか、ないのかも知れない」

「誰も、守ってくれなんて言ってないわっ！」

「だけど、さっきは——」

「何日も放っておくからじゃないっ。誠意がないからだわ。ねえ、私のこと、心配じゃないわけ？」

「そうじゃないけど——」

「じゃあ、どうして平気でいられるの？　私のことなんか、放っておいても平気だっていうことじゃないの？」

それから、恭子は晋平の言う一言ひとことに突っかかり、言葉の揚げ足を取り、彼が何を言おうと逆に受け取って、一人で怒り続けた。電話などで何を言っても埒《らち》は明かない。ずっと会わずにいるから、こんなことになるのだと晋平に知らせたかった。何よりも会うことが大切なのに、会って、お互いの温《ぬく》もりを確かめあうことが必要なのに、「元気？」「まあね」というやりとりだけでは、何も伝わるはずがないではないかと言いたかった。

やがて、こちらが怒鳴り続けてへとへとになった頃、晋平は心の底からうんざりした声で、吐き捨てるように「やめ、やめ」と唸《うな》った。

「もう、よそう。夜中になって、そんなに興奮するなよ」

その声の冷やかさに、今度は、恭子はすっかり慌《あわ》ててしまった。興奮しきった頭は、ひたすら「いやだ」と思った。ここで電話を切られてしまったら、また後味の悪い思いをしなければならなくなる。そして、次に連絡が取れるまで、またうじうじと考え続けなければならなくなるのだ。そうこうするうちに、きっと二人の間に隙間風《すきまかぜ》が吹き始めることだろう。

「じゃあ、直接話そうよ。私、これから行くから、いいわね？」

「また――やめろよ、もう。何時だと思ってるんだよ」

「時間なんか、関係ないっ。電話なんかで話してるから、誤解だらけになるんじゃない。だから、ちゃんと会って話そうって言ってるのっ」

「よせよ。俺、もう寝るんだから。こんな時間から来たって、俺、出ないからな」

「行くって言ったら、行くの！」

受話器を叩き切ると、恭子は大急ぎで支度をしてアパートを飛び出した。頭がかっかと熱くて、何を怒っているのか、その理由も忘れるくらいだった。だが、とにかく一つだけ分かっていることがある。晋平に会うのだ。会って、話をしたい。そのためならば、どんな口実を使ってもかまわない、そうでなければ、この関係はこのまま駄目になってしまうに違いないと思った。

4

何度ノックをしても、応答はなかった。

恭子は髪から雨の雫《しずく》を滴《したた》らせ、背中からぞくぞくと悪寒《おかん》が駆け上がってくるのを感じながら、小さくため息をついてドアを見上げた。

――逃げたんだろうか。それとも、このまま知らん顔を決め込もうとでも？

腹の中には、まだまださっきまでの怒りが渦巻いている。こんな夜更けに、雨に濡《ぬ》れて走ってこなければならなかったのは、すべて彼のせいだと思う。だが、急に降り出した雨に濡れて、身体も冷え、そんな挑戦的な気持ちも萎《な》えそうになっていた。

――駄目。そんなことじゃ、駄目よ。

最後にもう一度、今度はだいぶ大きな音でドアを叩いた。

「――馬鹿。もう、知らないから」

つい独り言を呟きながら、腹立ち紛れにドアをがちゃがちゃいわせようとノブを握ると、だが、厚い鉄の扉に取り付けられている冷たいドアノブは、意外なほどすんなりと右に回り、カチリ、と小さな囁《ささや》きにも似た音までさせた。とっさに息を呑《の》み、頭が混乱しそうになるよりも早く、既に覚えてしまっている彼の部屋の匂《にお》いが恭子の鼻《び》腔《こう》をくすぐった。

──留守？　どうして？

中は闇《やみ》に包まれている。そっとドアを引きながら、恭子はためらいがちに玄関の三《た》和土《たき》部分を外灯の明かりを頼りに見下ろした。黒い革靴も釣り用の黄緑色の長靴も、休みの日に彼がいつも履いているスニーカーも、いつもと変わらずにそこにある。

「──晋ちゃん？」

恭子はためらいがちに部屋の奥に向かって声をかけ、それから背後を振り返った。ひょっとして誰かが立っているのではないかと思ったのだ。だがそこには、相変わらず雨の音に包まれた、アパートの通路がのびているだけだった。

「──入るよ」

もう一度囁いて、三和土に足を踏み入れ、後ろ手にドアを閉める。泥棒でもいたら恐いから、すぐに逃げ出せるように鍵《かぎ》はかけなかった。

台所の小窓から頼りない明かりが入ってくる以外、室内は薄い闇に包まれていた。その台所を、恭子は雨ですっかり濡れてしまっているストッキングの足を忍ばせて通り抜けた。奥の部屋との境の戸は閉められていて、何年前に貼《は》ったのかは知らないが、とにかくここへ来る度に目にする古い映画のポスターが、白い合板の戸板と共に立ちはだかっていた。

「――晋ちゃん？　いないの？」

おそるおそる、引き戸に手をかける。コンビニにでも行ったのだろうか。恭子と電話で喧嘩して、腹が立って飲み物でも買いに行ったとも考えられる。だが、喧嘩したのは、もう三、四十分も前のことだ。コンビニはすぐ近くにある。あそこならば、ものの十分ほどで帰ってこられるに違いない。

そっと引き戸を開けると、もともと窓がない四畳半の部屋は、本当の闇に沈んでいた。家具の配置など、大体のところは覚えているが、それでも自分の住まいとは違うから、恭子はますます不安になり、部屋の入り口に立ち尽くした。耳の奥で心臓の音が響いている。足元のカーペットに、髪から滴った雫が、微《かす》かにぽつっといって落ちたのが聞こえた。

なぜだか電気のスイッチを入れるのもためらわれて、恭子は手探りで闇の中を進んだ。鰻《うなぎ》の寝床のようなアパートは、もう一つの戸を開けて、ようやく晋平が寝室に使っている六畳間にたどり着く。

「晋ちゃん？　本当にいないの？　いるんなら、返事して」

囁きも震えた。大体、こんな夜更けに傘もささずに出かけてきた自分が馬鹿だったのだと、今さらながら、自分の軽率さを悔やまずにはいられなかった。それでも、ここまで来て引き返すことは出来ない。もしも、晋平の身に何かあったのなら、それこそ大事件だ。

本らしいものにつまずきながら、そろそろと前へ進む。闇を探っていた手が、ようやく奥の部屋との境の戸に触れた。物音を立てないように、息を殺して戸を開けると、もっと深い闇が待っていた。もう、恭子は緊張と恐怖のあまり、泣き出しそうな気分だった。ほんの数歩、部屋に足を踏み入れた時だった。ふいに、誰かが腰にしがみついてきた。

「――――！」

とっさのことで悲鳴を上げることも出来ずに、恭子はその場に倒された。頭の中が真っ白になった。

――やめてっ、恐い！　助けてっ！

叫ぼうと思うのに声が出ない。満足に抵抗することも出来ないうちに、相手の力が身体の上にのしかかり、何かが首にかかった。ぐう、という嫌な音が喉《のど》の奥から絞り出された。何が起ころうとしているのか、まるで分からない。ただ、ひたすら全身を硬くしていると、「何だ、ずぶ濡れじゃないか」という声がして、首筋に巻かれたものがするりと取れた。恭子は心臓が破れそうになりながら、かすれた声で「誰っ」と言うのがやっとだった。

「馬鹿だなあ。傘くらいさしてこいよ」

身体に被《かぶ》さっていた重みがすっと引いた。続いて、カチッという音がしたかと思うと、部屋は白い蛍光灯の明かりに包まれた。その明かりを背に受けて、晋平が妙に青白い顔で、困ったように笑っている。恭子は尻《しり》もちをついたまま、呆気《あっけ》にとられて彼を見上げていた。足も腕もがたがたと震えている。「びっくりしただろう」という声を聞いた途端、涙がこみ上げてきた。

「――ひどい！　何よ、どうして、こんなこと、するのよっ！」

震える声を張り上げると、恭子は辛抱しきれなくなって、ついに顔を覆《おお》って泣きじゃくり始めてしまった。まだ身体が震えている。馬鹿、馬鹿、と、ひたすら同じ言葉を繰り返して、恭子はわんわんと泣いた。

「泣くなよ。よその部屋に聞こえるよ」

「何よっ、晋ちゃんが悪いんじゃないようっ。こんな、こんな風に人を驚かすなんて。悪戯にしたって――！」

何と言われようと、そう簡単に泣きやむことなど出来るはずがない。絶対に泣きやむものか、黙るものかと思って泣き続けていると、ふわりと頭に何かがかかった。顔を上げると、晋平が優しい表情で恭子の髪をタオルで拭《ふ》いてくれている。

「傘もささないで――怒りん坊の恭子」

「だって、晋ちゃんが悪いんだからねっ。わけの分からないこと言うから、だから、電話じゃらちが明かないから――！」

恭子は、されるままになりながら、そんな晋平を涙で濡れた顔で睨み続けた。

「ドア、開けておいてやったろう？」

「普通に出てくればいいじゃないっ」

「だから、来るなって、言っただろう？　来たって俺は出ないよって。若い女の子が夜中にこんな真似したら、どんな恐い目に遭うか、ちょっとは分からせなきゃと思ったんだよ」

そんなことを言われても、納得出来るはずがなかった。一刻も早く、じかに会って話をしたい一心だったのに、こともあろうに暗闇で待ち伏せて首を絞めるなんて、冗談では済まされない。

「ああは言ったものの、本当に出なかったら、恭子が可哀想《かわいそう》だと思ったからさ。だから、お仕置きの方法を考えたんだ」

せっせと髪を拭いてくれながら、晋平は幼い子どもをあやすような表情になっている。確かに、晋平が本当に玄関を開けてくれなかったら、今ごろ恭子は怒りの持って行き場に困り果て、もっとヒステリックになっていたかも知れない。けれど、謝る筋合いなど、どこにもない。

「だからって、こんな驚かし方をすること、ないじゃないっ。私、死ぬかと思ったんだからっ——本当に、殺されるのかと思ったんだから！」

晋平は淋しそうな顔になって、しみじみとため息をついた。そんな情けない、悲しげな顔を見たのは初めてだったから、恭子はつい口をつぐんでしまった。

「——我儘が過ぎるんだよ、少しばかり。ガキじゃないんだからさ、どうしてもう少し冷静になれないんだ？　俺だって生身の人間なんだからさ、疲れてる時だってあるんだよ」

晋平は、ずっと年上みたいな落ち着いた表情で恭子を見て、再びため息をついている。恭子は、押し寄せる波のように、こらえてもこらえても新たな涙が溢《あふ》れてきて、少し気持ちが落ち着いたかと思うと、またすぐに泣き始めた。晋平はしばらくの間、黙って恭子が泣くのを見ている様子だったが、ようやく「ごめんな」と呟いた。

「そうだよっ、晋ちゃんが悪いっ！　こんなに恐がらせて、泣かせるなんて、絶対に男が悪いっ！」

　途端に、恭子は鼻息も荒く言ってのけた。晋平は「はいはい」と、呆れたような表情で苦笑している。

「結局最後には、こっちが謝らなきゃならないように仕向けるんだもんな。女は泣けばいいと思ってるんだから、まったく、ずるいよ」

「だって、晋ちゃんが、あんまり勝手なことを言うからじゃない。私は、いつだって一生懸命なのに、晋ちゃんなんか――」

「ああ、分かったから。とにかく、風邪ひくよ、このまんまじゃ」

　彼に服を脱がされる間も、泣いて泣いて、好き勝手なことを言い続けて、結局、恭子は晋平に抱きすくめられていた。

「寒くないか」

　彼の息が耳にかかった。恭子は涙でぐしゃぐしゃになった顔を彼の首筋に押しつけながら、「晋ちゃんの馬鹿」を繰り返し、その一方では満足し始めていた。ああ、この温《ぬく》もりが欲しかった、この場所が、何よりも好きなのだと思った。

「――困ったヤツ」

晋平は熱い息で囁いた。

「だって――晋ちゃんが悪いんだもん」

恭子は半ば熱に浮かされたような気分で、彼にしがみついたまま言った。

「我儘で、無茶をして、俺を困らせて」

「こうでもしなきゃ、またずっと会えなかったんじゃないよ」

ああ、こんな情熱的な場面が欲しかった。互いを傷つけあう寸前まで激しくぶつかりあう、こんな情景に憧《あこが》れていたのだ。恭子は目を堅く閉じ、激しさを増した雨の音を聞いていた。

5

気怠《けだる》い疲労感の中で、ついうとうととしそうになっていると「今、枕《まくら》出してやるから」という声がする。恭子は晋平のベッドの中で目を閉じたまま、うっとりと微笑《ほほえ》んで「いい」と呟いた。

「だって、それ、俺の枕」

「いいの、これが。晋ちゃんの匂いがするから」

初めの頃は、ずい分抵抗があった気がする。こうして他人の枕に頭をのせることに不快感を覚えない自分に、むしろ戸惑っていた時期もあった。けれど、こうして目を閉じていると、恭子はずっと晋平に包まれている気持ちになることが出来た。わずかに脂臭《あぶらくさ》い、けれど整髪料やシャンプーの匂いと混ざりあって、それは晋平だけの、独特の匂いだった。

「もらって帰りたいくらい」

初めてこの部屋に泊まった時も、確か恭子はそんなことを言った記憶がある。「悪趣味だな」と苦笑しながらも、それでもあの時の晋平は満更でもない顔をしていた。そうして、以来ずっと恭子は晋平の枕を使っている。

「好きなんだもん、この匂い」

小声で囁いたが、返事はなかった。うっすらと目を開けると、さっきまでごそごそと動き回っていたはずの晋平は、手洗いにでも行ったのだろうか、姿は見えなかった。

「よかった、聞かれない方が」

恭子は鼻の付け根にくしゃりと皺《しわ》を寄せて一人で笑った。雨音が激しくなったようだ。耳を澄ましていると、彼が動き回っている気配が隣の部屋から伝わってくる。やはり、雨の中を走ってきたせいだろうか、少しばかり熱っぽかった。

——でも、会えた。忙しいっていったって、こうして無理をすれば会えるのよ。

要はお互いの情熱の問題だ。恭子は頭が熱くなるのを覚えながら、うつらうつらとしていた。晋平の匂いに包まれながら、いつの間にか、ずっと二人で暮らすようになる日のことを想像していた。

——こんな私で、いい？

彼がプロポーズさえしてくれたら、恭子はそう答えようと思っている。その時こそ、徹底的に可愛《かわい》いお嫁さんになろうと思う。欠点は、もうたくさん見せた。だから、その時が来たら、彼は素直になった恭子に感激してくれるに違いない。

——晋ちゃん、いつになったら言ってくれる？　一緒に暮らそうって、いつになったら？　早く言ってくれないと、私だってくたびれちゃうよ。

半分夢見心地で寝返りを打った拍子に目が覚めた。晋平はまだ戻ってきていない様子だ。やはり熱が出てきたらしい。頭と手足が火照《ほて》ってならない。

「晋ちゃん、熱いよぅ」

ひんやりした感触が恋しくて、恭子は何気なく寝返りを打ちながら、彼の用意した枕の方に転がった。大きく深呼吸をして、その途端、恭子はぱちりと目を開いた。心臓が止まりそうだった。

「何だ、そっちで寝るのか」

ようやく戻ってきた晋平は、不思議そうな顔で恭子を見下ろしている。客用の枕に片頰を押しつけていた恭子は、急いで元の位置に転がった。壁を見つめながら、かすれた声で囁く。

「——熱が出てきたみたい。頭がね、熱くて」

「ほら、だから言わんこっちゃない」

晋平の声がすぐ後ろで聞こえ、それから背中を向けている恭子の額に手が伸びてきた。恭子は堅く目を閉じ、「大丈夫」とだけ答えた。枕から、毛布から、晋平の匂いが恭子を包み込んでくる。そして、本人が、すぐ後ろにいてくれる。

「晋ちゃん」

ごそごそと隣に滑り込んできた晋平の方に向き直り、恭子は目をつぶったまま彼に腕を伸ばして、裸の胸を押しつけた。

「まだそんな格好してるのかよ。何か着なさいってば」

「晋ちゃん、晋ちゃん」

「具合が悪くなったら途端に甘えん坊なんだからな。さっきまで、あんなに騒いでたくせに」

「晋ちゃん、大好きよ」

隣で晋平の気配が動いた。客用らしい枕が、しゃり、とわずかな音を立てる。

「ずっとこうしていたい――」

深呼吸を一つして、恭子はそっと囁いた。口にした途端、再び涙が溢れて止まらなくなった。

「困ったヤツ。今度は泣き虫に逆戻り」

晋平は、恭子の肩を抱き寄せて、大きく深呼吸をする。

「三時間くらいしか眠れないな」

それから彼は、あっという間に眠りに落ちていった様子だった。規則正しい寝息が聞こえてきても、恭子は一人で泣いていた。晋平の匂いのする枕に、涙がしみこんでいった。

6

翌週のデートの後、恭子はまた晋平のアパートに行った。その日は喧嘩《けんか》もせず、恭子は一度も彼に突っかかったりしなかった。夕食の後で「寄ってもいい？」と聞くと、彼はゆったりと微笑んで頷《うなず》いてくれた。

「ワイン、飲まない？」

帰り道で、恭子はふいに思いついたように彼を見上げた。ほとんど飲めない晋平が、良い顔をしないと分かっていながら、わざと言った。

「つき合って。私が飲みたいの」

感情的にならず、ただ「飲みたいの」と言うと、彼は少しばかり考える顔をしていたが、やがて「いいよ」と頷いた。恭子はにっこりと笑って酒屋に寄り、銘柄はよく分からないから、取りあえずあまり甘くないらしい赤ワインを買った。そして、晋平の部屋で二人は乾杯をした。ほんの少しのアルコールでも真っ赤になってしまう晋平は、恭子が初めて見るくらいに饒舌《じょうぜつ》になり、冗談を連発して、やがてすぐにあくびをし始めた。

「寝る？」

「ああ——ごめん」

首筋まで赤くなって、とろりとした目つきになっている晋平は、いつものように恭子が駄々をこねないことにも気づかない様子で、億劫《おっくう》そうにベッドに向かう。恭子は急いで押入から客用の枕を出した。その枕を胸に抱きしめながら、恭子は探るように彼を見た。

「晋ちゃん、こっちの枕じゃ、いや？」

半ばおびえ、半ば祈るような気持ちで言うと、彼は眉《まゆ》を動かして「別に」と言う。

「ああ、恭子は、俺のを使うんだもんな」

いかにも当たり前といった気安い表情で、彼は恭子が渡した枕に頭をのせた。

「おやすみ」

「――ばいばい」

そして、部屋は闇に包まれた。恭子は隣の四畳半の部屋に戻り、残りのワインを一人でゆっくりと飲んだ。

本当ならば、今すぐにでも晋平の隣にすべり込み、彼の匂いに包まれて眠りたい。そうしたって、良いのかも知れないとも思うのだ。だが、さっき抱きしめた枕の匂いが、どうしてもこびりついている。

――ばいばい。

やがて、隣の部屋からは健康そうな寝息が聞こえてきた。酒を飲んだせいだろう、軽いいびきをかいて、彼はいかにも気持ち良さそうに眠りの世界に落ちている。恭子はその寝息を数えながら、わずかに身を乗り出して闇に包まれた空間を覗《のぞ》いた。

「晋、ちゃん」

小声で呼んでみても、彼の寝息は乱れることもなかった。彼は、味わっているに違いない。客用の枕にしみこんだ匂い、恭子のものとはまったく異なる、甘く柔らかい花のような匂いを。

――私が来る度に、あなたはその匂いを嗅《か》いでいた。隣で私が寝ているのに、あなたは他の女の匂いに包まれて眠っていた。

あの時、闇の中で首を絞めたのは、あれは冗談などではなかったのだ。だからこそ、恭子は息も出来ないくらいの、本物の恐怖を味わった。闇の中で、はっきりと殺意を感じたからだ。

――それもこれも、あの枕の匂いの女のせいなんでしょう？　私といても、あの匂いのことばかり考えていたんでしょう。

目の前で赤いワインが揺れている。だいぶ酔いが回ってきていた。恭子はテーブルに手をついて、ゆっくり立ち上がった。あの枕だけは、もらって帰ろうと自分に言い聞かせながら、寝室とは逆方向の台所に向かう。薄い闇の中で、流しの傍の包丁だけが鈍く光って見えた。

ハイビスカスの森

1

その日、風間《かざま》恵一《けいいち》の顔を見たときの、萌木《もえぎ》の顔といったらなかった。

「——何で、風間くんがここにいるの」

彼女は、ぽかんと口を開けて、狐《きつね》につままれたような顔で恵一を見上げた。恵一を苗字《みょうじ》で呼ぶときには、彼女は「よそ行き」の顔で接していることになっている。恵一は「よう」と軽く手を挙げただけで、さっさと彼女の隣のシートに身を沈めた。客室乗務員が歩き回っている機内は、既に大半の客席が埋まっていた。

「よかったな、いい天気で」

「お天気のことなんか、聞いてないでしょう？　どういうことか、説明して」

萌木はオレンジ色のショートパンツをはいていた。そこから出ている白い素足を組み直して、彼女は食いつきそうな表情で恵一を見つめている。

「ほら、台風が近付いているとかいうからさ、心配してたんだ」

「だから、何で、こんなところにいるのかって、聞いてるのよ」

「俺もね、行くんだ。沖縄」

出来るだけ、さりげなく言ったつもりだった。萌木は大袈裟《おおげさ》に眉《まゆ》を上下させ、わざとらしい笑顔になって「あ、そう」と言うと、さらに険悪な表情になった。いくら突然だって、恋人に逢《あ》って、そんなに嫌な顔をすることはないではないかと、恵一は情けない気持ちになった。

「それは、偶然だこと。でもね、そこは、彩子《あやこ》の席なんだけど」

ベルト着用のランプが点灯した。客室乗務員の機内アナウンスが始まる。負けん気の強い彼女の、少年のような濃い眉の下の瞳《ひとみ》は、きらきらと輝いて見える。

「彩ちゃんは、来ない。俺が、頼んだから」

彼女の唇がきゅっと引き締まるのが見えた。恵一は、「早く離陸しろ、飛び立ってくれ」と祈るような気持ちだった。

「じゃあ、最初からこうなることに、なってたっていうの?」

恵一が頷《うなず》くのを確認すると、萌木は「まったく、何ていう人たちなのよ」と、吐き捨てるように呟《つぶや》いた。

「だましたのね」

「俺と一緒じゃ、いやなのか」

「だって、私は彩子と行くつもりだったの！」

「どうして、俺と一緒じゃ、駄目なんだよ」

「駄目だなんて、言ってない。やり口が汚いって言ってるのっ。二人で私をだまして、私が笑っていられると思うわけ？」

萌木の口調は完璧《かんぺき》に挑戦的になっている。だが、恵一もここで退《ひ》いてばかりはいられない。

「俺、何度も誘ったろう？　去年の秋から、何回も旅行しようって言ったじゃないか。その度に、萌木は生返事でさ、ちっとも時間を取ってくれなかったんじゃないか」

「だって、本当に忙しかったんだもん」

「女同士で出かける暇はあっても、俺と出かける暇はないっていうのかよ。萌木、夏前に何て言った？」

今度は萌木はぷうっと膨《ふく》れっ面《つら》になった。

「『今年の夏は、どこか行きたいね』って、そう言っただろう？　だから俺だって、萌木に合わせようと思ったから、夏休みも取らないで待ってたんだぞ」

萌木の表情が一瞬、大きく揺れて見えた。彼女と反対隣に、息を切らしながら中年の男が座ったのも気にせず、恵一は萌木の方に向き直った。

「俺だって、こんな真似《まね》はしたくなかったさ。だけど、この一年の俺たちのことを、考えろよ。いつだって『忙しい』の連発で、ちっとも落ち着いて何かを話し合う時間だって、なかったじゃないか。もう少し、ちゃんと二人で過ごせる時間が、そろそろ必要だと思ったんだ」

萌木は、口の中で小さく「だって」と呟くと、そのまま俯《うつむ》いてしまった。既に、数カ月も前から、恵一は萌木との将来を具体的に考えたいと申し出ている。それなのに、仕事が大変だからとか、今は他のことは考えられないとか、色々な理由をつけて逃げ回っている萌木に、正直なところ、恵一は苛立《いらだ》ってきていた。嫌いではない、大切な人だと言われながら、何故《なぜ》、こんな中途半端《はんぱ》な思いをさせられているのかが、どうしても納得出来なかったのだ。

「私たち、結婚の約束もしてないのよ。それなのに、旅行なんて――」

「だから、その話をしたかったんじゃないか。俺は、萌木さえその気ならって、何度も言ってるだろう？　返事を渋ってるのは、萌木の方なんだぞ」

「――だって」

「忙しかったのは、分かるよ。だから、いい機会だから、一緒に旅行したいって、俺から彩ちゃんに頼んだんだ」

気弱な表情になっていた萌木は、そこで一転して再び負けん気の強い顔に戻った。

「それにしたって、やり口が卑劣。いくら何でも、私をだますなんて」

「そういう言い方、するなよ」

「だって、私の知らないところで、二人で会ってたっていうことでしょう?」

その言葉に、恵一は内心おかしくなった。萌木は萌木なりに、焼き餅《もち》を焼いているのだ。膨れっ面のまま、「最低」と言い捨て、真っ直《まっす》ぐに前方を睨《にら》みつけている彼女の、そんなところが、恵一には愛《いとお》しく感じられる。特に今日の彼女は、いつもよりずっと幼く、初々《ういうい》しく見えて、その分だけ、素直に見えた。

「彩子も彩子よ。あの子、昨日の夜だって、電話で『思いきり焼こうね』なんて言ってたんだから。恵一くんのことだって『置いてけぼりにしちゃって、いいの?』とか言っちゃってさ。しらじらしいってば、ありゃしない」

思わず頰を緩めながら、恵一は腹の底から、サイダーの泡のように、はしゃぎたい気持ちが湧《わ》き上がってくるのを感じていた。飛行機は、いよいよ離陸滑走路に向かい始めた。

「ま、そういうわけだから。楽しく、やろうな」

萌木は「ふん」と鼻を鳴らすと、そっぽを向いてしまう。手を握ろうとすると、ぴしゃりと叩《たた》かれた。

「いい？　嫌らしいことしたら、その場で別れるからっ」

きっと振り向いて言われ、恵一は、呆気《あっけ》にとられた。確かにこれまで、二人の間に身体《からだ》の関係はない。だが、同じ宿の同じ部屋に泊まりながら、まだ手出しをするなということだろうか。

「そんな――」

「訴えることだって、出来るんだからね。夫婦だって、無理にセックスを強要したら、強姦罪《ごうかん》になるのよ」

これまでは「忙しい」「疲れている」というのが、最大の理由で、恵一はおあずけを食わされていたのだった。

「結婚までは、本当に、駄目か」

「恵一くんと結婚するなんて、私まだ言ってないもん」

楽しみの半分が減った。今度こそ、彼女と一つになれると思ってきた気持ちが急速に萎《な》えていく。

――まじかよ。まだまだ純愛路線を突っ走るわけか。

やがて、飛行機は急速に加速を始め、瞬《また》く間に上空に飛び上がった。恵一はしばらくの間、機内のモニターに映し出される東京の景色を眺め、街並みが雲間に隠れ始めるのを眺めた。この苛立ちとも、落胆ともつかない気持ちを何とか整理しなければならないと自分に言い聞かせる。とにかく数時間後には、輝く陽の光と青空とが待っている。生まれて初めての、萌木と過ごす休暇が、今ようやく始まったのだ。

「まさか、那覇《なは》に着いたらすぐにとんぼ返りするなんて言わないよな?」

「変なこと、しないって誓える?」

怒りのためか、それとも不安に駆られてか、彼女の瞳はさらに輝きを増し、今にも泣き出しそうにさえ見えた。

「――誓ったら、帰らないか」

「――やっとの思いで休みを取って、高いお金を出して沖縄まで行くのに、とんぼ返りなんて、そう簡単に出来るわけないでしょ」

彼女特有の言い回しだと思った。悔しそうに、拗《す》ねた表情で言う萌木を見て、恵一は決心することにした。急ぐことはない。こう見えても萌木は萌木なりに、結婚を夢見ているに違いないのだ。それならば、彼女の気持ちを大切にしてやればよいことだと思った。

「まあ、今回は萌木の水着姿で我慢するか」
諦《あきら》めた笑顔で言うと、萌木はぱっと頬を赤らめ、「馬鹿《ばか》」と言いながら、恵一の頬をぴしゃりと叩いた。「痛てえっ」と反射的に言ったものの、さらりとした手の感触があっただけで、痛みなどは、まるでなかった。

2

紙パルプ企業の営業部に勤務する恵一は、取引先との会議の席上で萌木と知り合った。全体に少年のような雰囲気をまとった彼女は、秀《ひい》でた眉とわずかに大きめの口元が印象的で、寸分の隙《すき》もないほどにきっちりとした身だしなみをしていた。文具メーカーの企画部社員として、彼女は精一杯に肩肘《かたひじ》を張っている感じがした。

「どこに行くか、分かってるんでしょうね？」

那覇までの機内、ずっと熟睡していた彼女は、空港に降り立つなり別人のように生き生きとした表情になった。すべては、彼のために一肌脱いでくれた萌木の親友から聞いてある。まずは、ここでエアーコミューターに乗り換えて、真っ直ぐに離島に向かうのだ。そこからさらにボートに乗り換えることになる。目的地は慶良間《けらま》諸島、座《ざ》間味《まみ》の海だった。

「ああ！　遠くに来たっていう感じがしてきたわ」

九人乗りの小さな飛行機から海を見下ろしながら、萌木はすっかりはしゃいでいる。その横顔は、とても三十を目前に控えた女性とは思えないほどに初々しく、また、会社にいるときの彼女とも別人のように見えた。

――頑張り屋の、子鹿《こじか》みたいなヤツ。

それが、恵一が初めて彼女に会ったときの印象だ。かなり勝ち気なことは確かだったが、どこかに脆《もろ》さを感じさせる。本人は、負けるものかと精一杯なのだろうが、にこりと笑うと、恵一よりも一歳年上とは思えないほどに幼な気になってしまう。そんなアンバランスなところが、恵一の興味をひいた。そして、幾度か仕事で顔を合わせるうちに、食事を共にするようになり、ごく自然に惹《ひ》かれ合ったのだ。

「飛行機、怖かったんでしょう」

慶良間空港に着いたところで、ようやく息を吐き出した恵一に、萌木は余裕のある笑みを浮かべて言った。生意気そうな、自信に満ちた彼女を見ながら、恵一は気弱に「帰りは船にしようよ」と言った。

「駄目。移動には時間をかけたくないの。短い夏休みなんだから、めいっぱい遊ばなきゃ。それこそ、台風でも来たら、船で戻るしかないけど」

空港のある島からは、さらに小さなボートに乗って座間味に向かう。珊瑚礁《さんごしょう》に浮かぶ小さな島々は、まるで時の止まった白昼夢の世界のように美しい光景を作り出していた。

「いつもなら、必死で社内を駆け回ってる時間なのに——別の私になったみたい」

羽田で会ったときの、不機嫌な顔など嘘《うそ》のようだった。ひたすら歓声を上げ、何にでも感激している萌木を眺めながら、恵一はまたもや、果たして自分の欲望を抑えられるものだろうかと不安になっていた。ただでさえ、これまでだって今の時代では信じられないくらいに清い交際を続けてきたのに。

——ヘビの生殺しじゃないかよ。

恵一の思いも知らず、座間味のペンションに着くなり、萌木はすぐに「泳ごう」と言った。日暮れまで、まだ数時間ある。宿の主人に教えられて浜に向かうと、萌木はまたもや歓声を上げた。

「夢みたい！」

言うが早いか、もうTシャツを脱ぎ捨てて、彼女は海に向かって走っている。恵一は、彼女の後を追いながら、「これが新婚旅行だったら」と思わずにいられなかった。

「焼けるぞ！　シミだらけになったら、どうするんだよ」

「平気よ！　こんな綺麗《きれい》な海に、日焼け止めなんて流せない！」

「嫁にいけないからなっ」

「そうしたら、恵一くんに、もらってもらうっ！」

平気な顔で言い放つ彼女を波間に眺めながら、恵一は、やれやれとため息をついた。まあ、いいだろう。それなら、思いきり汚く日焼けでもして、泣きついてくればいい。そんなことを考えながら、恵一も海に飛び込んだ。夜になって、変な気を起こさないためにも、さんざん体力を消耗させて、疲れ果てて眠るのがいちばんだという気持ちもあった。

そして、二人の休暇が始まった。恵一の心配は、むしろ杞憂《きゆう》に終わったと言っていいと思う。とにかく、朝早くから海に行き、昼寝もせずに動き回り、さんざん泳ぎ回って夕方を迎えるのだ。筋肉が震えるほどの疲労に加えて、陽に当たり、生白かった皮膚が真っ赤になるほどに焼けたせいもあって、夜はおとなしく眠る以外に考えつくことなど、まるでなかった。大して旨《うま》いともいえない夕食を勢いでかき込み、風呂《ふろ》を使うと、自然に瞼《まぶた》が重くなる。そして、夢も見ないで眠るうち、気がつけば自然に翌日の朝が来ているという具合だった。

「ああ、ずっとここで暮らしたいなあ」

座間味に着いて二日目には、萌木は早くもそんな感想を洩《も》らすようになっていた。泳がないときには島内を歩き回り、珍しい植物や飛び交う蝶《ちょう》などを眺めて過ごす。その間、萌木はいつも上機嫌だった。普段は、都会がいちばん似合うような顔をしている彼女が、化粧もせずにはしゃいでいる姿は、実に新鮮に見えた。

「なあ、少しは考えてくれてるのか」

「何を？」

「だから、俺のこと」

「考えてる、考えてる」

「で、答えは？」

「後でね。ねえ、それより午後からは反対側のビーチに行かない？」

何度か話を持ちかけても、萌木はいつもそんな返答しかしてくれない。どうして、それほどまでにじらすのだろうかと考えながら、恵一は、やるせない気持ちのままで過ごしていた。それでも、恵一に対してすっかり警戒心を解き、安心しきって楽しんでいる萌木を見ていると、「まあ、いいか」という気がしてくる。そして、たった三泊の滞在など、瞬く間に過ぎ去ってしまった。これが残された唯一《ゆいいつ》のチャンスだと思っていた最後の夜でさえ、恵一が風呂から上がったときには、萌木はもう眠ってしまっていた。その様子には、まるで警戒心というものが感じられない。

――本当に、安心してるのか。

そう考えると、無闇《むやみ》に手出しは出来なくなる。ここまで安心させておいて、最後に襲うような真似をしたら、それこそ本気でふられることだろう。

「俺って、いいヤツだよなあ。それとも、馬鹿なのかな」

一人で夜更《よふ》けの浜辺に出て、恵一は最後の夜をぼんやりと星を眺めて過ごした。流れ去る雲が闇の中でも白く、とても速く感じられた。こんな星空の下でプロポーズをしたかったのにと思うと、それだけが心残りだった。

3

「台風が接近しているため、船は当分、動きません」

その朝も、恵一は島内放送で目覚めた。既に今日で三日、同じ島内放送で起こされていた。薄く目を開けると、隣の布団《ふとん》は早くももぬけの殻になっている。

――またか。

布団の上で、大きく伸びをした後、恵一はゆっくりと起き出した。ペンションのサンダルを引っかけて港へ行くと、案の定、風に髪をなびかせて、立ち尽くしている萌木の後ろ姿がある。島々の浮かぶ湾内は、比較的、波も穏やかで、のんびりとして見えるのだが、沖を見れば前日と同じ場所に貨物船が停泊したままだった。沖はかなりうねっているのだろう。だから、外国航路の貨物船まで避難しているのだ。頭の上を、猛スピードでいくつもの白いちぎれ雲が飛んでいく様は、さながら映画のワンシーンのようだった。

「今日も、足止めみたいだな」

萌木の隣に立って呟くと、彼女は顔にかかる髪を指で押さえながら、心底憂鬱《ゆううつ》そうな顔で恵一を見上げてきた。

「どうしよう。これで、一週間も会社を休むことになる」

数日前までの、輝くような笑顔は影をひそめ、日焼けさえも定着してきた萌木の顔は、朝から不機嫌そのものだった。

「あと一日、停滞してくれてれば、よかったんだけどな」

それまでずっと沖縄の南方海上に停滞していた台風が、恵一たちが帰る日になって、急に動き出したのだった。お蔭《かげ》で、エアーコミューターどころか船までも欠航してしまい、島は完全に孤立した状態になっていた。埠頭《ふとう》につけたままで波が荒れては、船が破損する危険がある。だから、沖縄本島から来た船も、貨物船同様に入江から離れて停泊していた。

「いくら何でも、本当にクビになっちゃうかも」

「大丈夫だよ。とにかく、さっさと来て、さっさと行っちまってくれない以上は、どうすることも出来ないんだから」

「いやよ、台風なんか。逸《そ》れてくれなきゃ、絶対に困る」

萌木は、口を尖《とが》らせて沖の貨物船を睨みつけている。苛々とした様子で、一日に何度も東京と電話連絡をとっている彼女の頭からは、もはや沖縄の気候も風土も吹き飛んでいる様子だった。恵一にしても、会社には連絡を入れているのだが、移動出来ないのならば仕方がないではないかという諦めがある。こうなったら、予想外に延びてしまった休暇を、思いきり楽しんでしまおうと思う。それなのに、隣にいる萌木が日に日に不機嫌になっていくのでは、たまったものではなかった。

「やっぱり、来るんじゃなかった」

「そういう言い方、するなって。しょうがないよ、台風なんだから」

「私は晴れ女なんだからねっ。誰かさんがいけないんだ」

その台詞《せりふ》も聞き飽きていた。恵一は、「はいはい」と言いながら、萌木についてペンションに戻った。健康的な生活が、旺盛《おうせい》な食欲ばかりを呼んでいる。だが、朝晩の食事の献立も、ほとんど変わらないのだから、これでは飽きるというものだ。

「とにかくさ、九時になったら東京に電話して、事情を説明してさ」

「言われなくたって、分かってる」

ペンションに戻ると、萌木は真っ先にテレホンカードを買い、電話に向かう。その表情は、日焼けが似合わないほどに厳しく、よそよそしいものになっていた。重苦しい雰囲気の中での朝食が済むと、恵一は一人で部屋に戻り、敷きっ放しの布団にごろりと寝転がった。萌木は、またどこかに電話をしている。

「二人揃《そろ》って、こんなに会社を休んでるっていうことが分かってごらんなさいよ。私たちのことが、知れ渡る可能性だって、あるんだからね」

「俺は、一向に構わないけど」

電話から戻ってくると、萌木の表情は一層厳しさを増していた。そんな顔を見ているのも嫌だから、恵一はマンガ雑誌に視線を戻してしまった。

「ちょっと。会社のことが心配じゃないの？」

「だって、俺が経営してるわけじゃ、ないもの」

「信じられない。自分の責任っていうものが、あるじゃない。私は、そんな呑気《のんき》な仕事はしてないんだから」

それだけ言うと、萌木はまたもや部屋から出ていった。やがて、廊下の突き当たりから「もしもし」という声が聞こえてくる。

——結婚しても、こんな具合なのかな。

ふと、そんな考えが頭をよぎる。せっかく休暇が延びたのだから、プロポーズするチャンスはいくらでもあるはずなのに、あんな剣幕の萌木を見ていると、今度は恵一の決心が鈍りそうだった。

「ああ、半日でも早く那覇に戻っていれば、よかったんだ。そうすれば、ゆっくりお買い物でもして、予定通りに帰れたのに」

「でも、あのときは台風のことなんか、誰も気に留めてなかったんだから」

「本当は、今日は大事な企画会議があるはずだったのよ。私、発表しなきゃならないことがあったのに」

「萌木がいなきゃ、仕事にならないんだったら、皆、待っててくれるだろうよ」

「そんなに、甘くないの。私の代わりなんか、いくらでもいるんだから」

電話をかけて戻ってくれば、萌木はねちねちと文句ばかりを言い続けた。恵一は何を答えるのも面倒になって、ただごろ寝をしてマンガを読むしかなかった。「呑気ねえ」という、嫌味たっぷりの声がする。べったりと蒸し暑い空気が、二人の間に澱《よど》んでいる気がした。つい数日前の、明るく弾《はじ》けるような笑顔が、今となっては恨めしくさえ思われた。そんな空気を振り払うように跳ね起きると、萌木は途端に不安そうな顔で「どこ、行くの」と言った。

「泳いでくる」

「台風が、来てるのに？」

「萌木の文句より、台風の方がましだからさ」

水着とタオルだけを持つと、恵一はペンションを出た。風が強かった。ビーチサンダルで白い砂を蹴《け》りながら歩くうち、背後からぱたぱたと小走りについてくる音がする。そして、再び萌木の文句が始まった。

「だいたい、同じ場所にじっとしてるから、こんなことになったんだわ」

「その計画は、彩ちゃんと立てたんだろう？」

「でも、彩子は昨日の電話で『恵一くんがそうしたいって言ったから』って、言ってたもん」

「ああ、ああ、じゃあ、俺が悪いっていうのかよ」

「台風が来てるって分かっていながら、沖縄に行こうなんて言うのがいけないんだ」

「計画したときには台風なんか、来てなかったじゃないかっ」

いずれにせよ恵一の責任にしたいらしい。恵一は、久しぶりに腹の底から煮えくり返るような怒りがこみ上げてきた。女だと思うから、それも大切な相手だと思うからこそ、こっちは何を言われても我慢してきたのに、台風のことまで自分のせいにされたのでは、たまったものではない。

「大体、恵一くんが――」

「うるせえなあっ。そんなに帰りたいんだったら、泳いで帰れ！」

ちょうど、さとうきび畑の真ん中の小さな十字路だった。つい立ち止まって、恵一は大声を張り上げてしまった。小柄な萌木は、一瞬大きく目を見開いて、信じられないという表情になった。その瞳に、みるみるうちに涙がこみ上げてくる。ひときわ強い風が吹き抜け、さとうきびがざざっと音をたてた。

「――もう、いいっ！」

きっとした顔で恵一を睨みつけると、萌木はすたすたと一人で歩き始めてしまった。白く乾いた細い道を、彼女は浜辺とは反対の方向に向かって歩いていく。

「勝手にしろっ！」

恵一は、その後ろ姿に、もう一度怒鳴った。こちらだって、情けなくて泣きたい気分だった。彼女には話していないが、恵一だって東京に電話する度に、課長から「とんだ長期休暇になったねえ」などと嫌味は言われつつあるのだ。

「こっちの気も知らないで。何だよ、一人でキャリアぶりやがって。そんなに仕事が大切ならな、仕事と結婚すりゃあ、いいんだ。仕事と沖縄に来て、仕事と泳げ。馬鹿野郎っ！」

湿った強い風が吹き抜けていく。その風に向かって、恵一は思いきり大声を張り上げた。みるみる小さくなっていく萌木の後ろ姿は、そんな恵一の言葉が届いたか届かないか、もう、豆粒ほどになっていた。

恵一は、自分もくるりと踵《きびす》を返すと、そのまま浜辺に向かって歩き始めた。ふと、この数日で、初めて一人で行動することに気づいた。だが、こっちの頭も、かっかと熱くなっている。一体、自分がここまで我慢しなければならない理由がどこにあるのか、もう分からなくなりそうだった。

――旅行は正解だったよな。こんなに我儘《わがまま》な女だと思わなかった。

白い道が向こうから、一瞬にして黒く染まってきたかと思うと、雲の流れとともに、恵一の頭上にも激しい雨が打ちつけてきた。ざあっという音が全身を包み、数メートル先も水煙で見えなくなる。それでも、恵一は走りもせずに歩き続けた。黒い雲は、次の瞬間には頭上から飛び去ると分かっている。そして、青空が見え、陽が注ぐ。それが、南国の台風だった。

「東京に着いたら、こっちから、別れてやるさ。馬鹿野郎っ」

そうだ。軽率にプロポーズなどしなくてよかった。自分にとっては台風さまさまだ。雨に降られながら、萌木にさんざん悪態をつき、恵一は波の荒くない入江に一人で飛び込んだ。浜辺からだいぶ離れて、一人でぷかりと浮いていると、少しずつ頭が冷えてきた。同時に、今度は何とも情けない気持ちになってくる。

――相性が悪いのかな。このままじゃあ、俺が疲れるのは、目に見えてる。

ほんの数日前までのことが、幻のように思い出された。海の色、空の色から、群れ飛ぶ蝶や南国の花々の一つ一つにまで歓声を上げていた萌木の、あんなに生き生きとした姿を見たのは、初めてのことだった。東京で仕事をしているときの彼女が、いかに無理をして、緊張して暮らしているのか、恵一は改めて発見した思いだった。あんな笑顔を、ずっと見ていたい、出来ることならば、自分の力で、いつもあんな表情をさせていてやりたいと、恵一は内心で誓いすら立てたのだ。

「それなのに、俺の気も知らないで」

すぐ隣の布団に寝ていながら、おやすみのキスしか出来ない気持ちが、彼女などに分かるはずがない。それもこれも、萌木が大切だからこそ、耐え忍んでいるということが、彼女には分かっていないのだ。

——それとも、俺一人の思い込みだったのか。

そんな不安が否応《いやおう》なしに頭をもたげてくる。泳いでは浜に上がり、雨が降れば木陰に避難して、恵一は何時間も、ただ一人で浜辺で過ごした。こんな気分のときに、少し軽めの女の子でも見つけたら、声でもかけてしまいそうだと思っていたのだが、浜辺には恵一の他は人っ子一人いなかった。

——最初の旅が、別れの旅かよ。

昼食は、すっかり通い慣れた感のある、よろず屋のようなコンビニまがいの店で適当に買ったものを食べた。ペットボトル入りのミネラル・ウォーターをがぶ飲みして、再び浜に戻り、時折の通り雨に全身をさらしながら寝転ぶ自分が、いかにも愚かに思えてならなかった。

少し、うとうとすると、すぐに雨が顔を叩く。雨がやむまで海に入り、やむと浜に上がる。その間隔が、少しずつ狭まり、風雨も激しさの度合いを増してきた。入江の内側さえ波が荒くなり始めてきたから、結局、恵一は重苦しい気分のまま、宿に戻ることにした。二人であの狭い部屋にいなければならないのは、何とも気の滅入《めい》るものだと思う。だが、そうなったらペンションの親父《おやじ》さんと四方山話《よもやまばなし》でもすればよい。

4

「あらあら、まあまあ。こんな日まで、泳いだの」

ずぶ濡《ぬ》れになってペンションに戻ると、おばちゃんが「お帰り」と心配そうな顔で出てきた。

「これから、いよいよひどくなるよ。もう今日は、外に出ない方がいいよ」

「あいつは、帰ってきてます？」

「あいつって。一緒じゃないの？」

背後から、ごうっという雨の音が押し寄せてきていた。恵一は、額から雫《しずく》を垂らしながら、しばらくの間、おばちゃんを見つめた。さとうきび畑の真ん中で別れてから、何時間が過ぎているだろう。

「困ったねえ、風も強くなってきたっていうのに。どこに、行ったかね」

「どこって――」

にわかに胸騒ぎがしてきた。白い道を一人で歩いていく萌木の後ろ姿が、奇妙なほどにはっきりと思い出された。

「捜してきますっ」

言うが早いか、恵一は再びペンションを飛び出していた。狭い島のことだから、見つけ出すのには時間はかからないだろう。だが、さっきまで頭上をすっ飛んでいた白い雲は、まったく消え去り、黒々とした大きな雲ばかりが、地面に垂れ下がりそうなほどにもくもくと迫ってくるのを見ると、さすがに心配になってくる。南国の台風が、まさに島全体を呑《の》み込もうとしていた。

あっという間に土砂降りになってしまった島内を、歩き回っている人の姿など、まるで見あたらない。痛いほどの雨に顔を打ちつけられながら、恵一はさとうきび畑の間を歩いた。さっきまで、白く乾いた道だったはずなのに、今は濁った雨水の流れる細い川になりつつある。すっくと立っていたさとうきびたちは、風雨に叩かれて、早くもなぎ倒されそうだ。

大粒の雨が無数に皮膚を打つ。歩いているうちに、恵一は身体の奥底から、不思議な恍惚感《こうこつかん》のようなものが湧き上がってくるのを感じた。

——あの、馬鹿。

——嵐《あらし》だ。嵐だ。

もともと、台風は嫌いではない。甚大《じんだい》な被害を受ける土地の報道に接すると、そんなことを言うのは不謹慎きわまりないとは思うのだが、どういうわけか、心が浮き立ってしまうのだ。

——もっと降れ、もっと吹け。

幼い頃か、またはもっと以前の、自分がこの肉体を持つ前に、こんな雨の中で踊り狂ったことがあるような気がしてくる。何も考えず、ただひたすらに、雨水の中を走り回ったことがあるのではないかと思う。遺伝子が、それを記憶している。雨音が、確実に自分の内に眠っている野性を呼び起こそうとしていた。息苦しささえ覚えるほどの暴風雨の中を歩きながら、恵一は、不思議なくらい明るい、はしゃいだ気分になり始めていた。

濁流の小川と化している道は、島を一望出来る丘につながっていた。そこに小さなあずまや風の展望台があったことを思い出して、恵一は、萌木は間違いなく、そのあずまやで雨宿りをしていることだろうと推測した。

——結局は、こうやって俺に面倒をかけるんじゃないか。

身体の奥底から、いつになく荒々しい気持ちが呼び覚まされてくる。激しい雨の中を歩きながら、恵一は、萌木を抱きたいと思っていた。彼女がどんなに抵抗しようと、この雨の中で、思いきり抱きしめたい。

——ひっぱたいてでも、言うことを聞かせてやる。これ以上ぐずぐずと、文句なんか言わせない。

道の両脇《りょうわき》はハイビスカスばかりになってきた。恵一よりもよほど丈の高いハイビスカスが、やはり激しい雨に打たれて、赤い大きな花を狂ったように揺らしている。膝《ひざ》下《した》まで泥を跳ね上げながら、恵一は小高い丘を登った。やがて、ハイビスカスの枝の間から、展望台が見えてきた。だが雨で煙っているせいで、人がいるかどうかまでは見分けがつかない。

「萌木！　いるか！」

恵一は、大声を出しながら石段を上がった。顔も手も足も、雨に打たれて痺《しび》れていた。だが、誰も顔を出さない。返事もない。もしかすると、行き違いになっただろうかと考えながら、ようやく展望台に着くと、耳に届く雨音が変わった。今度は、屋根を叩く激しい音が加わったのだ。

「――萌木」

じんじんと痺れた顔のまま、恵一は、そこでうずくまっている萌木を発見した。

「おい――大丈夫かよ」

恵一は、さっきまでの荒々しい気分をすっかり殺《そ》がれて、小さな背中におずおずと歩み寄った。ビーチサンダルがきゅっきゅっと鳴る。その音に気付いたのか、萌木は、ようやく顔を上げた。だが、目の焦点が合っていない。日焼けしていても、すっかり血の気が退いていると分かる顔で、彼女は虚《うつ》ろに宙を見た。

「――恵一、くん」

言った途端に、彼女はわっと泣きながら、恵一にしがみついてきた。

「な――どうしたんだよ」

「怖い！　怖いようっ」

幼い子どものような声だった。反射的に、恵一の心臓は、きゅっと縮みあがった。自分の腕の中で激しく泣いているのが、本当に萌木かどうか、信じられないような気持ちだった。

「どうした――うん？」

展望台も、大した雨宿りの役には立っていなかった。雨は横殴りに降り続き、波飛沫《しぶき》のように二人を襲ってくるのだ。

「迎えに来てやったろう？　もう、大丈夫だから、な」

「顔が、血だらけの顔が、皆でこっちを見てる」

彼女は泣きながら展望台のまわりを指さした。ハイビスカスの花々が、雨に打たれて大きく揺れている。鮮やかな赤い花は、確かに見ようによっては、そう見えないこともない。

「血だらけの顔が、笑ってる。皆で、笑ってる！」

彼女は激しく肩を震わせた。恵一は、すっかり当惑していた。こんな彼女を見たことがない。少しでも身体に触れられることに、極端なほどに敏感な彼女が、今、自分にしがみついていることさえも信じられなかった。彼女の唇からは色が失《う》せ、瞳《ひとみ》は恐怖のためにすっかり視点が定まらなくなっていた。

「台風は、台風は、いやなの！」

「分かったから。だから、もっとひどくならないうちに、戻ろう」

そんなことをしても無駄だと分かっていながら、恵一は自分の身体で彼女を雨からよけようとしていた。そのとき、萌木の声がすぐ耳元で「台風が来ると、つかまえに来る」と聞こえた。

「萌木――？」

「――血だらけの顔が、追いかけてくる。私を、つかまえに来る！」

萌木は、一点を見つめたまま、なおも言い続けている。恵一は、背筋をぞくぞくとするものが這《は》い上がってくるのを感じながら、とにかく萌木を立たせようとした。だが、彼女は腰が抜けたように動こうとしない。

「いやっ！　よそに行くのは、いやっ！」

再び泣きじゃくりながら、萌木はいやいやをするように激しく首を振った。恵一は、一瞬、彼女が芝居をしているのではないかと思った。自分を一人にさせた腹いせに、恵一を困らせるつもりではないかとも思った。だが、芝居にしては少しばかり真に迫りすぎだ。

「危ないんだよ。いよいよ、台風が来るんだから。これからが本番なんだ。だから、早くペンションに戻らなきゃ！」

とにかく、力ずくでも連れて帰るより他に方法がない。だが、二の腕を強く摑《つか》んでも、濡れているせいで滑ってしまい、萌木はなおも動こうとしない。

「そんなにいやなら、血だらけの顔と一緒にいるかっ！」

思わず怒鳴ると、萌木は凍りついたように動かなくなった。そして、さらに激しく震え始めた。

——何なんだ、どういうことなんだ。

こうなったら、もう彼女を背負うしかないと判断して、「ほら」と背中を向けて腰を落とすと、泣き声が一瞬やみ、おずおずと、柔らかい重みが加わってきた。

「ちゃんと、摑まってろよ」

恵一はかけ声と共に立ち上がり、歩き始めた。前が見えないほどの雨に打たれ、濁流に変わった道を、足を滑らせないようにゆっくりと下り、ハイビスカスの森を抜ける間、萌木は恵一が息苦しくなるほどに強くしがみついている。

「逃げて、逃げて！　追いかけてくるから」

「大丈夫だってば。どうしちゃったんだよ、一体！」

荒れ狂う台風の中を、とにかく恵一は歩き続けた。台風は好きだ。心を浮き立たせるものがある。だが、さっきまでの猛々《たけだけ》しい気持ちはなりをひそめ、とにかく、自分の背中にしがみつき、泣き続けている萌木を無事にペンションに連れ帰ることだけしか、考えられなかった。

5

「台風は――嫌い」

目を覚ました萌木は、恵一に気付くと、再びしがみついてきた。やっとの思いでペンションにたどり着いたと思ったら、彼女は、そのまま気絶するように倒れ込んでしまったのだ。彼女が眠っている間に、風雨はいよいよ激しさを増してきていた。

ばらばら、ばらばらと雨の当たる音が響いてくる。地の底から唸《うな》り声を上げるように、不気味な海のうねりが響いてきた。ごうっと風が鳴る度に、恵一の腕を摑む萌木の手に力が加わる。

「大丈夫だよ。さっき、宿の親父さんが、建物は全部点検して歩いたし、じきに通り過ぎるから。そうすれば、帰れるじゃないか。早ければ、明日には帰れる」

恵一は、ようやく乾いた萌木の髪をゆっくりと撫《な》でながら穏やかに微笑《ほほえ》んでみせた。だが萌木は怯《おび》えた目で恵一を見上げるばかりで、嬉《うれ》しそうな顔もしない。

「――いやだったのに。台風だけは、いやだったのに」

思い詰めたように呟《つぶや》き、萌木は改めてぎゅっと目をつぶった。その口元から「どうして、こんなことを忘れてたんだろう」という言葉が洩れた。

「こんなこと？」

あぐらをかいたままで、彼女に向かって前屈《まえかが》みになる姿勢は、そう長く続けていられるものではなかった。恵一は、そっと姿勢を動かすと、萌木に添い寝をする姿勢をとった。そして、今度は萌木の頭の下に腕を入れる。彼女は、情けない表情で薄く目を開けただけで、抵抗しなかった。

「――どんなことを、忘れてたの」

耳元で囁《ささや》きながら、恵一の心臓はわずかずつ速く打ち始めていた。額にかかった髪を払ってやっても、萌木はおとなしく、されるままになっている。

「――だから、私、男の人がいやだった。怖くて、怖くて、たまらなかった」

萌木は静かに呟いた。そのひと言は、恵一のはやりかけていた気持ちを鎮《しず》めるのに十分だった。

「台風のときって、皆、おかしくなるのかな」

恵一は自分の胸の内を見透かされているような気持ちになりながら、黙っていた。彼女が何を言おうとしているのかが分からない。どんな返答をすればよいのか、見当がつかないのだ。

「あの、ハイビスカスを見たときに、私、思い出したの」

「血だらけの顔が笑ってるって、言ってたよね」

恵一の二の腕に載せられた萌木の頭がわずかに揺れる。

「そう見えたの」

彼女の肩に回した手に力を込めて、恵一は「そう」と言っただけだった。また長い沈黙の後で、彼女はやっと「あのね」と言う。そして、大きく深呼吸をした後で、ぽつり、ぽつりと幼い頃の話を始めた。彼女が記憶する限りでの、いちばん古い台風の思い出だった。

「——水が出るときって、本当に突然なのよ。じわじわと押し寄せてくるんじゃなくて、本当に、あっという間に水かさが増えてね」

萌木が四、五歳のとき、静岡の彼女の故郷はかなり大きな台風の直撃を受けたことがあるという話だった。幼かった萌木は、台風が珍しくて、日中は自宅の二階の窓から、看板が吹き飛ばされてきたり、濁った水が道路を埋め、川のように奔流する様を見ていたという。

「大人たちは大変だった。でも、お祭りのときみたいな賑《にぎ》やかさがあって、私は何だか浮き浮きしてたな」

萌木の幼い頃の話を聞いたのは、初めてに近かったかも知れない。恵一は、幼かった萌木が瞳を輝かせている様を思い浮かべながら、相槌《あいづち》を繰り返した。

「夕方になって、雨はもっとひどくなった。水かさも増えて、家の前に積んであった土嚢《どのう》も、もうすぐ乗り越えそうな感じだったわ。それで、私と妹は『坂上の家』に預けられることになったの」

坂上の家というのは、別に萌木の親戚筋《しんせきすじ》というわけでもないらしい。とにかく、高台にあって安全なので、近所の子どもたちはまとめてその家に預けられたという話だった。夜になる前に握り飯を食べさせられると、萌木は二歳下の妹や他の子どもたちと、蒸し暑い部屋に寝かされた。

「途中のことは覚えてないの。ただ、目が覚めたら、隣の部屋から明かりが洩れてて、私は起きて襖《ふすま》に近付いた——男の人がいたわ」

「誰だった」

「知らない——お酒を飲んでた。浴衣《ゆかた》の袖《そで》を肩までたくし上げて、あぐらをかいて、太い腕と、毛むくじゃらの足が、鬼みたいに見えた。そして、大声で何かを話してるんだけど、その声は、台風よりも怖く聞こえた」

萌木は、一つ深呼吸をした。恵一は、黄色い光に導かれて、襖の陰に立つ幼女の姿を思い浮かべていた。

「──私、見ちゃったの」

萌木の声が鼻にかかり、掠《かす》れた。

「その男が、同じ部屋にいた女の人を押し倒したの。女の人が『やめて』って言ったのに、その男は何か怒鳴って、そのうち、テーブルの上でグラスとビール瓶が倒れて──」

恵一は、萌木の肩を抱く手に力を込めた。萌木も、恵一の胸元にぎゅっとしがみついてくる。そして、喘《あえ》ぐような声で、その後の記憶を話し始めた。

食器の割れる音がしたという。女はピンク色のエプロンをしていた。激しく抵抗するうちに、男を突き飛ばした。男はバランスを失い、どこかに頭を打ちつけた。ごん、という鈍い音が、今も萌木の耳に残っているという。

「男は、唸りながら立ち上がったわ。そして、急に、くるりと振り返ったの。そして、私のことを、はっきりと見た。その顔が、血で真っ赤に染まってた。私、怖くて怖くて、動けなかった──」

恵一は、思わず萌木の肩を抱き寄せた。自分自身も全身に鳥肌が立っているのが分かった。

「——忘れてた。そんなことがあったたっていうこと——私、まるっきり。それから、どうなったのかも、何も覚えてない」

　自分自身の奥底に眠っていた記憶に驚き、怯え、萌木は、すっかり当惑しているようだった。恵一は、どんな相槌を打てばよいのかも分からなくなって、ただ黙って彼女を抱き寄せていた。

「でも、あれは夢じゃない。絶対に。きっと、何かすごい事件になったんだと思う。だから私、ずっと台風が嫌いだった。無理にでも忘れたんだわ。きっと、そうよ」

　再び泣きじゃくりながら、萌木は苦しげに言った。

「いつだって、台風が怖かった。そんなこと、すっかり忘れてたんだけど——とにかく怖かった。男の人の怒鳴り声と台風だけは、絶対にいやだった——だから、何とかして帰りたかったのよ」

　恵一の頭は目まぐるしく回転し続けていた。何と言ってやるのがいちばんよいのかが分からない。ここで、慰めるのは簡単だと思う。そうか、そんな大変な思い出があったのかと、彼女をなだめるのはたやすいことだ。だが、そうしたところで、何の解決になるだろう。

「——電話、してくる」

急に立ち上がると、背後から声にならない叫びのようなものが追いかけてきた。だが、恵一は振り向きもせず、二人にあてがわれた六畳間を飛び出した。「待って！」と、今度ははっきりとした声が聞こえた。それでも、恵一は立ち止まることが出来なかった。

6

翌日、那覇行きの船が出た。台風は、小さな島を一晩中翻弄《ほんろう》し、そして、去っていった。嘘《うそ》のようにからりと晴れた空の下で、一週間以上も滞在することになったペンションの主人夫婦は、恵一たちを小さな港まで見送りに来てくれた。

「今度は、新婚さんでいらっしゃい」

手を振りながら言われて、恵一は、思わず萌木と顔を見合わせ、頭をかいた。

「私、いやだからね、新婚旅行でも足止めくらうなんて」

船が出航すると、すぐに萌木が恵一の脇腹を突っついて言った。恵一は、にやにやと笑いながら、彼女の日に焼けた膨《ふく》れっ面《つら》を見た。昨日、さんざん泣いたせいだろう、まだ瞼《まぶた》が腫《は》れているが、晴れ晴れとした、いい顔をしている。

いる。


「――それにしても、ひどい親だわ。何ていうところに、子どもを預けたのかしら」

ふいに思い出したように、彼女は呟いた。その表情は、もういつもの萌木に戻って

「でも、よかったじゃないか。大事件の目撃者じゃなかったんだから」

昨日、恵一は彩子に電話をしたのだった。そして、彩子から萌木の実家に電話をしてもらった。ことの真相を確かめなければならない。その、血だらけになった男の件を、きちんと解明しなければ、萌木は一生かかっても、心を開いてくれないだろうと思ったからだ。


「何も、そんな台風の夜に夫婦喧嘩《げんか》することなんか、ないじゃないねえ。よその子を預かっておきながら」

萌木が預けられたという、「坂上の家」の夫婦は、今も健在だということだった。子ども好きでお人好《ひとよ》しの夫婦だが、亭主は少しばかり酒癖が悪い。今は他の場所で商売をしているそうで、「あの台風の晩は、特にすることもなかったから、早くから飲み始めていたらしい」ということだそうだ。


「飲んでるときに怪我《けが》をすると、びっくりするくらいに血が出るものなんだよな」

「それにしたって、流血騒ぎになるような夫婦喧嘩なんて。お蔭で私は台風恐怖症に

なって、一生お嫁にもいかれないところだったんだから」

台風の翌朝、子どもを引き取りに行った萌木の母は、額に絆創膏《ばんそうこう》を貼《は》った亭主から、蠟燭《ろうそく》を探していて荷物が落ちてきたと説明され、さらに、萌木が珍しく夜泣きをしたと聞かされたことで、よく覚えているとのことだった。

彩子からの報告を聞いた恵一は、部屋で震えていた萌木に、それらの話をしてやった。にわかには信じられないという顔をしていた萌木は、自分でも実家に電話をした。電話口で「そうなの？」「なんだ」を連発していた彼女の表情はみるみる明るくなり、最後には「結婚しようと思ってる人と一緒にいる」と言って電話を切った。隣で聞いていた恵一は、足元から震えが上ってくるのを感じた。

「なあ、いつ萌木のご両親にご挨拶《あいさつ》に行こうか」

風になびく髪を指で押さえながら、萌木はにっこりと微笑んだ。

「当分は、無理ね。東京に戻ったら、きっと殺人的に忙しくなるもの」

「何だよ、また？」

「当たり前でしょう？　こんなに長く休んじゃったんだから。恵一くんだって、せっせと働いて、少しは出世してくれなきゃ、困るんだからね。私、子どもが出来たら、仕事やめるわよ」

「おい、今から子どものことなんか――」

「決めたの。幼稚園に入るまでは、絶対に人に預けないで育てようって」

大袈裟《おおげさ》に落胆するポーズを取りながら、恵一は今度は自分が膨れっ面になった。

「まだ、出来るようなことも、してないじゃないかよ――」

「当たり前じゃない。ここまで大切にしたんだもの、ずっと大切にするんだわ」

これで、怖いものなしになってしまった彼女は、ますます御しにくくなることだろう。いっそのこと、彼女に贈る婚約指輪は、ハイビスカスのデザインにしてやろうか、などと考えながら、恵一は遠ざかる島影を眺めていた。台風の余波の残る海は、まだまだ波が高かった。

最後の花束

第一章

1

その当時の僕と来たら、縦から見ても横から見ても、まるで中途半端《はんぱ》な存在だった。どこをとっても曖昧《あいまい》で、これが僕なのだと感じられることなど、何一つとしてないのだ。自分が考えていることがよく分からなくて、何を考えたら良いのかも分からない。顔も身体《からだ》も、声だって、形が定まらなくてぼやけている。「若い時はそんなものさ」と人にはよく言われたが、そんな言葉は何の慰めにもならなかった。何しろ、今日ここにどうにか「僕」という人間の姿をして存在しているということさえ恥ずかしく、その意味さえ分からないのだ。

僕は、自分を捨てられた子猫のように感じていた。

小さくて、ひ弱で、何にでも怯《おび》えて、そのくせ少しでも興味をひかれるものが見つかれば、夢中になって追い掛けてしまう。けれど、それもすぐに飽きて、またきょろきょろとし始める。往《ゆ》きすぎる人々は、僕を可愛《かわい》いと言い、ひとしきり玩具《おもちゃ》にして遊ぶが、やがてそれぞれの現実に戻っていく。僕は結局は捨て猫のままで、最後には取り残される。そんなことを繰り返しているのが僕だった。

その当時、僕が毎日見るものといえば、だらしのない酔っ払い客と、陰で悪口を言いながらも、その酔っ払いと絡《から》み合うお姉さんたち、表情を殺して半ば眉《まゆ》をひそめたままフライパンを握るコック、笑顔の向こうで何を考えているのか分からないボーイに、眼差《まなざ》しだけでなぜだか僕を哀れむ出入りの業者。隣に死体が転がっていたって驚かないだろうと思うくらい、自分だけの世界に浸っているか、逆に必要以上にぎらぎらとした敵意を辺り構わず剝出《むきだ》しにしているバーテン。それに、一人一人の見分けがつかないくらいに同じに見える街を往く人々だった。

僕は、けばけばしい照明と喧《やかま》しい音楽の満ちた世界で、いつでも一時凌《しの》ぎの面白いことと、少しの間でも僕を玩具にして遊んでくれる人を探していた。

ゴミを出しに来たついでに、ネオンも届かないビルの谷間で、覚えたばかりの煙草《たばこ》を吸いながら、ぼんやりとする時だけ、僕はほんの少し感傷的になって、静かに何かを考えたい気分になった。時折は埃《ほこり》をたっぷり吸いこんだ雨が降っていた。そんな時に限って、僕は捨ててきた故郷のことを思い出した。こんな都会の谷間にも、僕の故郷と同じ雨が降ることが、どうにも不思議だった。だけど、故郷に降りそそぐ雨と、この雨とは、絶対に違うものなのだと思っていた。

そんな思いも煙草を吸い終わると同時に、一緒にもみ消される程度のものだった。何しろ、何を考えれば良いのかも、僕には分からなかったのだ。

「一本、ちょうだい」

最初に声をかけてきたのは、絵梨佳《えりか》の方だった。隣のビルの、深夜営業の喫茶店に勤めていた絵梨佳は、僕より一つ年上の、十七歳だった。

2

絵梨佳は、僕から二、三度もらい煙草をした後で、ある夜新しい煙草を一箱買ってきた。

「いいよ、そんなの」

「借りを作るのは嫌いなのよ」

絵梨佳は大人びた口調で、そう言いながら煙草の箱を差し出した。

「もう、どれくらいここにいるの」

「俺？」

「決まってるでしょ」

「――三カ月くらいかな」

「家出？」

「――おまえは」

「おまえなんて呼ばれたくないわ。第一、きっとあんたより私の方が年上よ」

「じゃあ、俺だって『あんた』なんて呼ばれたかあ、ねえよ」

僕が口をとがらせて言い返すと、絵梨佳はしばらくの間僕の顔を見て、それから声をたてて笑った。薄汚れたビルのシルエットだけが浮かび上がっている夜の街で、その声は不釣り合いなくらいに明るく響いた。ホステスの笑い声みたいに癇《かん》に障《さわ》らない、もっと柔らかくて優しい声だった。

絵梨佳は僕と同じくらいの身長だった。けれど、胸も腰も、もう立派な大人に見えて、その分僕よりも大きく感じられた。並んでいるだけで、圧倒されるような迫力があった。

「それで？　家出なんでしょう？」

「――だから、おまえは、どうなんだよ」

「絵梨佳よ」

「――絵梨佳――は、どうなんだよ。家出だろう?」

僕は、女の子の名前を呼び捨てにしたのは、その時が生まれて初めてだった。何だか気恥ずかしくて、発音するのが難しかった。

「家出なんて、人聞きの悪い言い方はしてもらいたくないわ。私のはね、独立っていうの」

「じゃあ、俺もそうだな。独立したんだ」

僕の答えに、絵梨佳はにやりと笑った。僕も、にやりと笑い返した。

ちょうど絵梨佳の店の裏口が開いて、絵梨佳を呼ぶ声だけが飛び出した。絵梨佳は「はあい」と返事をして、裏口に向かってから、くるりと振り向いた。薄汚れた空気の中でも、絵梨佳の髪が輝いているのが分かった。

「あんた、何時に終わるの?」

「俺? 十二時」

「じゃあ、一緒に帰らない? 私も、同じ頃に終わるから。ここにいるわ」

僕が口を半開きにしたまま、頷《うなず》くか頷かないうちに、絵梨佳は裏口の向こうに消えてしまっていた。

そして、僕は絵梨佳と付き合うようになった。

3

絵梨佳は、大久保の方のアパートに住んでいた。店の寮ということになっていて、少し前までは、同僚のウェイトレスと二人で住んでいたのだそうだが、その同僚は少し前に店をやめてしまったという話だった。

その辺りの事情は僕も同じようなもので、店で借りているアパートに、先輩のバーテンと暮らしていた。三上《みかみ》という、シンナーのやりすぎで前歯が四本とも差し歯になってしまっている先輩は、僕よりも三つ年上で、暴走族から寿司《すし》屋の見習いに入り、それ以降も職を転々としている男だった。僕は、三上が好きではなかった。

都会のど真ん中にいながら、それまでの僕の生活は、三上と一緒のアパートと店の往復がほとんどだった。他に出掛けるといえば、コンビニエンス・ストアーとコイン・ランドリー程度のもので、ゲーム・センターにもパチンコ屋にも興味は湧《わ》かなかった。映画も観《み》ない、買物にも行かない、もちろん散歩などもしない。補導でもされたら面倒だと思っていたし、人混みに出るのが億劫《おっくう》だった。店にいる間は、僕はマスコットみたいに扱われ、客の玩具になり、元気一杯に動き回っていたけれど、その分、昼間は一人でぼんやりしていた。三上は、帰って来ない日もあったし、店も遅刻したり無断欠勤したり好い加減なものだったけれど、僕は三上が何をしていようと、何の興味も覚えなかった。

けれど、絵梨佳と知り合うことで、僕の生活はがらりと変わった。

絵梨佳は、次から次へと新しいことを思いついて僕を誘う。僕が愚図愚図と考える暇も与えず、僕の手を引っ張ってぐいぐいと出掛ける。だから、僕は急に毎日が忙しくなった。

「ねえ、今度のお休みにさあ、うちでご飯食べない？」

「料理なんか出来るの」

僕が聞くと、絵梨佳は得意そうに顎《あご》をしゃくって見せる。

「当たり前でしょ。これでも小さい弟と妹の為《ため》に、毎日料理してたんだから」

「可哀相《かわいそう》な弟達だなあ」

「こんな優しいお姉ちゃんはいなかったんだからね」

絵梨佳は、家庭のことも、家出の理由もはっきりとは話さなかったし、それは僕も同じだった。それが、僕らの間の無言のルールだった。この街に暮らしている人間は、互いに自分たちの背負っているものを話したがらない。

僕らは新しい家族みたいに、二人だけで絵梨佳のアパートで食事をすることが多くなった。それは、故郷の味とは違っていたが、僕らの食卓の味だった。

僕らは半分姉弟のように、手を握りあって眠ることもあった。手のひらから伝わる絵梨佳の温《ぬく》もりは僕を安心させた。

「あんたは、他の男と違うわ」

ぽつりと絵梨佳が言ったことがある。僕はその言葉を聞いた時に、心臓がぎゅっと縮むのが分かった。

「大人になってもさあ、今のまんまでいてよね。変な色男にならないで、カッコイイ大人になって」

「色男？」

「そうよ、よくいるじゃない。顔はいいんだけど頭は空っぽで、そのくせ『俺はカッコイイんだ』って、自信満々で歩いてる奴《やつ》よ」

「俺、頭良くないから」

「そんなことないって。少なくとも馬鹿《ばか》って感じはしないわ。それに、今のまんまだったらハンサムだからって女をだますような奴にはならないと思う。そんな奴になったら最低よ」

いつも明るい絵梨佳が、そんな言い方をする時だけは急に大人びて、少しだけ淋《さび》しそうにも見えた。僕は何と答えたらいいのかも分からなくて、どきどきする自分の鼓動を聞きながら、ただ絵梨佳の手を握っていた。この手をずっと握ってたいと僕はいつも願っていた。絵梨佳の手を握っていれば、絵梨佳さえ傍にいてくれれば、大丈夫だという気持ちになれた。

化粧をしていない時の絵梨佳は、店に出る時よりもずっと子どもに見えるのに、なぜだか表情だけはずっと大人びていて、落ち着いて見えた。僕は、絵梨佳の表情を見ていて、ひょっとしたらおふくろというものは、こんな感じのものなのだろうか、などと考えたりもした。

僕は、おふくろの顔を覚えていない。

何しろ、ひょっこりと田舎に戻ってきたかと思うと、祖母の泣き喚《わめ》く声も聞かずに僕を産み落とし、またどこかへ出て行ってしまったという話しか聞いたことがないのだ。祖母は、その話を何十回となく僕に聞かせ、自分の不運な人生を嘆いてばかりいた。僕は母親の若い頃の写真を見たことがあったが、セーラー服を着て、薄ぼんやりとした笑顔を浮かべている娘の顔を見せられても、何も感じることはなかった。小さな雑貨屋を営んでいた祖母は、いつも愚痴っぽく、薄汚く、貧乏臭かった。

「絵梨佳も、いつかは子どもを産むのかな」

僕がぽつりと言うと、絵梨佳は驚いた顔をして、それからにっこりと笑ったものだ。

「そりゃあ、いつかはね。女だもの。お母さんになる時が来るよ」

「――ふうん」

ほんの少し前までは顔も知らなかった娘と、手をつなぎながら天井を見上げている自分が、僕は不思議でたまらなかった。ましてや、先のことなど分かるはずがない。どこに本当の自分がいるのか分からない。だけど、ここにこうしている自分も、偽物《にせもの》ではないらしい――そんなことをぼんやりと考えていた。

「これから、どうなっちゃうのかな」

「大人になるよ」

僕の中にはいつも小さな苛立《いらだ》ちと不安とが渦を巻いていた。そして絵梨佳は、いつでも僕よりもずっと遠くを見つめているように見えた。

「どんな大人」

「今考えたって、しょうがないよ。その時になったら考えればいいんじゃない」

「その時に考えるんで、遅くないのかな」

「――あんた、考えすぎよ。なるようにしかならないんだからさ、人生なんて」

「そうかな」

「必死で働いて作り上げたと思ったって、何かあったらすぐに崩れてなくなっちゃうことだってあるんだからね。それが人生よ」

「――じんせい」

「そうよ。人生よ」

「――分からねえな」

「だから、それでいいじゃない」

僕たちは、時折そんな難しいことを言い合った。ふと、一学期間だけ通った高校のことを思い出すのは、そんな時だった。僕は、もしかしたら、もっと勉強したかったのかも知れない。

だけど、それを振り捨ててきたのは僕自身なのだ。僕は、学校に通うのが恐《こわ》かった。毎日のように誰かに付け回され、からかわれ、屈辱を味わわなければならない、それが恐ろしかった。だから、やめたのだ。今更どうすることも出来ない。そう、絵梨佳の言葉通り、「なるようにしかならない」のだと思うより仕方がなかった。

「あんた、もっと強くならなきゃ、駄目かも知れないわねえ」

ため息をつく僕に向かって、絵梨佳は言ったことがある。

「おどおどし過ぎるわ。自分で考えてることがあるくせに、最初から諦《あきら》めてるみたいな感じがする」

「いいんだよ、俺はこのままで」

「そんなふうに思ってないくせに」

手をつないで並んで寝転がりながら、横から見ると、絵梨佳は黒い艶《つや》やかな髪を四方に散らして、真っすぐに天井を見上げている。僕の視界に入るのは、丸い額、長いまつげに縁取られて大きく見開かれた瞳、それほど高くはないが、形の良い可愛い鼻、わずかに産毛《うぶげ》が光って見える鼻の下と、比較的薄い唇、まるい顎。それらを一まとめにしている柔らかな曲線は、やがて白い首へ、そして呼吸する度に微《かす》かに上下に動く胸へとつながり、絵梨佳の全身を柔らかく包み込んでいる。

僕は咽《のど》の奥がからからに乾いてくるのを感じながら、それでも絵梨佳の手を離さなかった。

「あんたにとっては、その顔が失敗を招くかも知れないわ。ハンサムだから、女を泣かす男になるかも知れないなあ」

急に絵梨佳の口元の曲線が崩れて、言葉が洩《も》れ出て来た。僕は慌《あわ》てて目をそらし、しっかりと握りあっている二人の手を見た。絵梨佳の手は、僕の手よりも日焼けしていて、おまけに荒れていた。

「俺、絵梨佳のこと泣かしたことなんか、ないじゃないか」

「まだ分からないわよ。男は変わるんだから」

奇妙に突き放す言い方をする時の絵梨佳の横顔を、僕はただ見つめているより他なかった。僕は、絵梨佳が大好きだったけれど、その気持ちをどこまで大切に持っていれば良いものなのか分からなかった。

絵梨佳が好きで、絵梨佳の傍にいたくて、そして、手をつないでいるだけで満足で、それなのに、そうしていればいるほど、僕は自分の中で何かが大きく引き千切られそうになるのを、感じていたのだ。

4

「おい、お坊ちゃま」

店休日の夜のことだった。

いつもは留守がちの三上が、その夜は珍しくアパートにいて、腰から下はこたつに入って、寝転がりながらテレビを見ていた。すっかり寒くなって、他に暖房器具のないボロアパートは、夜には余計に冷え込んだ。

「今夜も、お出かけかい」

寝そべって、片手で頭をささえていた三上は、頭だけを捻《ひね》って僕を見上げた。狭い額にいびつな皺《しわ》が数本寄って、ただでさえ悪相の顔を余計に悪人に見せる。

「ああ——ちょっと」

三上は僕を「若だんな」とか「お坊ちゃま」とか呼んだ。

「見せつけてくれるよなあ、休みのたんびにスケのところに入り浸るなんてよ」

隠しておきたいと思っても、狭いアパートに二人で住んでいれば、大概のことはわかってしまう。僕も、三上が少し前まで、どこかのスナックに勤めている人妻と付き合っていたことを知っていたし、その人妻が三上を袖《そで》にして、他の不倫相手の元に走ったことも知っていた。三上は、人妻に振られて以来、ずっと苛ついていて、何かと言うと僕を目の敵にした。

「俺に見せ付けるのが、そんなに楽しいか、え?」

「——別に」

何かというと言い掛りを付けてくるのは三上の癖だから、僕はその夜もいい加減なところでやり過ごしてしまおうと思っていた。三上は小さな目を陰険そうに光らせて、僕の方を向いたまま、むっくりと起き上がった。

「なあ、せっかくの休みなんだからよ、俺も仲間に入れてくんない？」

「――え」

僕がきょとんとしていると、ピンクのスウェット・スーツを着た三上はにやりと笑ってにじり寄ってくる。

「たまにはよ、刺激のあることをして遊ばねえかっていうことよ」

「遊ぶって――」

三上は声を出さずに、空気だけを洩らしてへらへらと笑う。僕はシンナーは一度しかやったことがないが、その時だけで、これならば脳味噌《のうみそ》も骨も溶けても不思議ではないと思った。三上の、めりはりのない口元からのぞいた前歯は、他の黄ばんだ歯とは違う色で、奇妙に行儀良く並んでいる。

都会の片隅に溜《た》まっている人間は、どれも同じに見えるかも知れないが、こうして中に入ってみれば、実にさまざまな人間がいた。そして、三上は、このままではヤクザにでもなるしかないと思わせるような、本当のチンピラだった。

「二人だけで、いちゃいちゃするのもよ、飽きるだろうっていうことだよ」

「ああ――一緒に飯食うだけですから」

僕が答えると三上は、にやにやと笑いながら、僕から三十センチ程のところまで顔を近付けてきた。僕も仕方なく曖昧な笑顔を返そうとして、一瞬目をそらした時、ふいに襟首を摑《つか》まれた。とっさのことで、僕は何の抵抗も出来ず、作りかけていた笑顔を凍らせた。目の前には、さっきまでの笑顔をひっこめて、顎に力を込めて斜めに突き出し、目を細めながら僕をにらみ付けている三上の顔があった。

「なあ、モノは相談だよ。あのスケとよ、俺にもよ、一回やらせろよ、お?」

「――離せよ」

大柄な三上に半分吊《つ》り上げられた形のまま、僕は掠《かす》れた声を絞りだした。

「てめえばっかりいい目に遭ってねえでよ、な？　俺はお前の先輩だろう？　イッパツくらいやらせたっていいじゃねえか」

「――離せったら！」

僕は両手で三上の握り拳《こぶし》を外そうともがいた。けれど、力でかなうはずがなかった。もがいているうちに、三上の空いている方の手が僕の顔にパンチを浴びせた。

「よせよっ！　顔は殴るな！」

その途端、僕は自分の顔が傷つけられることに、異常な程の恐怖を感じた。

「てめえっ！　俺の言うことが聞けねえっていうのかよ、え?」

そこで僕は今度はねじ伏せられ、赤茶けた畳に顔を擦《こす》りつけられた。襟首をつかまれて、ぐいぐいと畳に顔を押し付けられる度に、頬骨が擦れて熱くなる。波打つこたつ布団《ぶとん》の隙間《すきま》から、赤外線の赤い光が見えた。

「顔はよしてくれ、やめろよっ！」

僕は必死になって怒鳴った。殴られたところが熱く痺《しび》れている。口の中が切れたらしく、血なまぐさい匂《にお》いが口の中に満ちている。じたばたともがくうち、ふいに首の後の力が抜けたと思った瞬間に、今度は目の前に光る刃物が見えていた。僕は息を呑《の》んで、その刃物を見つめた。耳元で、三上のささやく声が聞こえた。

「何も、おめえのスケを横取りしようなんて、思ってやしねえよ。な？　てめえのスケが、他の男から見てもいい女に見えるんだから、喜ばなきゃならねえんだぞ。おめえが普段やってることを、俺にも一度やらせろって言ってるだけだよ」

三上の息が耳にかかる。僕は背筋にぞくぞくするものを感じながらも、冷たく光るナイフの刃先から目をそらすことが出来なかった。

「俺、何もしてないっすよ。絵梨佳に、何もしてないっす」

僕が泣きそうになりながら言うと、冷たく滑らかな感触の刃物が僕の頬に触った。僕は瞬《まばた》きも出来ずに息を呑んだ。

「か、顔だけはやめてくださいよっ」

咽《のど》から擦れた声を絞りだすと、三上の息が再び耳にかかった。

「なあ、お坊ちゃま。その綺麗《きれい》なお顔を切ったっていいんだぜ。下らねえ言い訳はいらねえよ」

「——でも、俺、本当に」

「折角こうして一緒に暮らしてるんだからよ、仲良くしようぜ、な？　ガキのおめえにスケがいて、俺にいねえっていうのは、不公平だと思わねえか？　いいじゃねえか、減るもんじゃねえんだから」

「だ、だって」

「おう？　それとも、このまま顔を切られてえか？　顔の傷は消えねえぞ、十六や七のガキが、顔に斜めの傷作って歩いてたら、もう、二度とまともにはなれねえよな。うまくすりゃあ、結構二枚目のやさ男になれるところが、それだけでおしまいだ」

僕の背中に馬乗りになっている三上の重みで、背中の骨がきしむ。肺が圧迫されて、息が苦しかった。三上の熱い息がかかる度、僕は踵《かかと》から背中まで這《は》い上がってくる感触の為《ため》に身を震わせそうになった。けれど、ナイフがあるから動けない。頭の中で、絵梨佳の笑顔が少しずつ遠退《とおの》いていった。

「な？　どうってこたあ、ねえんだよ。スケとイッパツやらせるのと、てめえの顔をズタズタにされるのと、どっちが大変かくらい、考えなくても分かることだ」

顎が畳に擦れて、ひりひりとしてきた。三上の膝《ひざ》に挟み込まれて、おかしな格好のままで痺れ始めている腕が、絵梨佳の手のひらを探そうとした。絵梨佳の、乾いて荒れた手のひらの感触を思い出そうとした。

5

あまり冷たくない雨が降っていたと思う。霧雨の中を、僕は安物の黒いジャンパーの袖を三上に摑《つか》まれたままで、絵梨佳のアパートに向かった。三上は、スウェットの上に革ジャンを羽織っている。そのポケットには、さっきまで僕の頰に貼《は》りついていたナイフが潜んでいる。僕は、殴られたところを鏡で確かめたいと思いながらも、それも出来ずに三上と歩いた。心の中で、絵梨佳が留守でいてくれることを願っていた。何かの都合で、遅番も出なければならなくなったとか、そんなことが起きていることを祈った。そして、もしも今日うまく三上から逃げることが出来たら、二人で相談して、店をやめてしまおう。大丈夫だ、都会にはこんなにも店が多い。どこだって、仕事くらいありつけるに決まっている。

「ノックしろよ、ほら」

だが、絵梨佳の部屋には電気がついていた。僕は絶望的な気分になって、合板の貼られた扉を見つめていた。扉の脇《わき》の台所の窓が湯気で曇って、室内の暖かさと何かの料理の温もりを思わせる。僕は三上に言われるまま、拳骨《げんこつ》を作って、扉をノックした。

ドアを開けた絵梨佳は、僕の顔を見て瞬間顔を強《こわ》ばらせ、それからきつい表情で僕の背後に立っている三上を見上げた。

「へへ、夕飯に誘われてね、一緒に来たんだ」

三上は、僕の肩を掴みながら、少しずつ自分も前に進み出る。絵梨佳はもちろん三上の顔を知っていたし、僕からも色々な話を聞いていた。

「何で?」

絵梨佳はきつい表情で三上を見返している。

「これ、三上さんがやったんですか」

僕の顔をちらりと見、絵梨佳は再び三上をにらむ。

「はは、違うってばよ。こいつ、お坊ちゃまだからさ、からまれたんだ。俺が通りかからなかったら、もっとやられてたんだぜ、な?」

僕は背中をど突かれて、アパートの狭い三和土《たたき》に足を踏みいれた。絵梨佳の目が僕に真偽を問いただす。けれど、僕は殴られた顔を見られたくない一心で、うつむいてしまった。

「そしたらよ、こいつがね、あんたの料理は最高だから、一緒に食いにきてくれって言うもんだからさ」

僕は、黙ってスニーカーを脱ぐと、そのまま絵梨佳の部屋に上がった。小さなこたつの上には、二人分の食事の支度が出来ていた。部屋の片隅の石油ストーブは赤々と燃えて、上に乗せられている薬缶《やかん》から白い湯気が立ち昇っている。

「——でも、二人分しか用意してないもん」

「いいんだよ、折角来たんだからよ」

三上は、そのまま強引に上がり込んでしまった。僕は、殴られたところを指でそっと撫《な》でながら、そっぽを向いていた。殴られたのは、何もこれが初めてではなかった。小学校の時も中学の時も、殴られることは多かった。けれど、ナイフを突き付けられたのは初めてだった。

「へへへ、見ろよ、すっかり拗《す》ねちまってらあ。せっかくの二枚目が台なしになっちまったもんなあ」

「バカねえ、誰にやられたのよ。ドジ」

三上の言葉を信じたらしい絵梨佳が僕の顔を覗《のぞ》き込む。

「あーあ、ひどい顔」

その言葉を聞いた瞬間、僕は頭に血が昇った。

「放っといてくれよっ！」

脱いだばかりのスニーカーに足を突っ込んで、玄関を乱暴に開けると、僕は外に飛び出した。そのまま通りまで走り出て、ひりひりとする顔に冷たい雨と風を受け、どれくらい走ったことだろう。

ようやく絵梨佳と三上を二人きりにしてきたことに気付いた時には、高田馬場の駅が見えていた。

——ああ、俺はいったい何をしているんだ！　こんなことをしている場合じゃないじゃないか。

やっとそのことに気付くと、今度は心臓が違う感じでどきどきし始めた。

僕は走ってきた道を、逆に走りだした。がらがらにすいている西武線が僕を追い越して行く。窓から投げ掛けられる光に照らし出されながら、僕はこんな惨《みじ》めな気持ちになったことはないと思った。形さえはっきりしないけれど、とにかく僕の手の中にあった何かが、たった一つの何かがなくなりそうだということだけは分かった。

ようやく絵梨佳のアパートに着いた頃には、僕は全身が湿っていた。

ちょうど絵梨佳の部屋の前に二、三人の人影があった。僕は張り裂けそうな心臓のままで、扉に駆け寄った。

「ど、どうかしたんですか」

「悲鳴みたいなものが――」

アパートの住人らしい、一目見てホステスだと分かる女が顔を強張《こわば》らせている。僕はとっさに扉の方を見た。今、扉の向こうは静まりかえっている。僕は、何も考えずにドアノブに手をかけた。

「絵梨佳っ！」

「来るな！」

ドアを開けた瞬間、聞こえてきたのは絵梨佳の悲痛な叫び声だった。それでも僕は扉を開き、スニーカーを脱ぎ捨てて、手前の台所と奥の部屋を仕切っている暖簾《のれん》を掻《か》き分けた。

「来るなあっ！」

僕は、息を呑んで立ち尽くした。

ついさっきまで、楽しい食事の風景を待ち望んでいたはずの部屋は、見るかげもなくなっていた。こたつは引っ繰り返り、その上の食器も何もかもが散乱し、プリントのカーテンは半分引き千切られ、部屋じゅうのものが散乱する中に、三上が仰向けになって、目を見開いたまま倒れている。胸からは真っ赤な血が流れていた。

「絵梨——」

そう呼ぼうとして、僕は今度こそ本当に凍りついた。絵梨佳は両手で顔を覆《おお》ったまま、口から呻《うめ》き声を出してうずくまっている。横の、赤々と燃えていたストーブはすでに黒くなっていた。そして、その上に乗っていたはずの薬缶は畳の上に転がり、飛び散った湯が畳に沁《し》みこみきれずにあたりをひたひたと濡《ぬ》らしている。

「大変だ、救急車！」

僕の後ろから誰かの声がした。さっきの野次馬の誰かだろう。

「熱い——痛いよう、痛いよう」

絵梨佳の口から、ようやくそれだけの言葉が洩れた。

「絵梨佳——」

僕は、頭がくらくらしながらも、地獄みたいになってしまった部屋に踏み入ろうとした。

「来ないでよっ！　来るなっ！」

だが、絵梨佳の叫びを聞いた途端に、僕の足は止まってしまった。

「火傷《やけど》なの？　そうなのね？」

僕の脇を擦り抜けて、中年の女が絵梨佳に走り寄った。絵梨佳の口から嗚咽《おえつ》とも苦痛の呻きともつかない、獣のような声が洩れた。

「火傷は早く手当てしなきゃあ、駄目なのよ。早く、早く、救急車！」

中年の女が叫ぶ。いつの間に集まったのか、扉の外は黒山の人だかりで、誰もが口々に何かを叫んでいた。僕は、誰かが通り抜ける度に背中を押され、身体をふらつかせた。何がどうなっているのか分からなかった。何か、たいへんなことが起きた。何か、とても僕の力の及ぶことではないことが起きたことだけは分かったが、いったいどういうことなのか、全然分からなかった。遠くでサイレンの音が聞こえたと思う。見知らぬ誰かが僕の腕をつかんで、アパートの外に連れ出してくれた。ようやく、外の空気に触れた途端に、とめどもなく涙が出てきた。足の震えが止まらなかった。

「あの子、学生じゃないわねえ」

誰かの声が聞こえた。三上に殴られたところだけが、僕とは別の生きものみたいに、どくどくと脈打っていた。

第二章

1

店は北向きなのですが、通りを挟んでガラス張りのビルが建っていますから、陽の光が反射して、店の中はいつも明るく照らされています。直接日光が入り込むよりも、不思議な安定した明るさに満ちますから、私は結構気に入っていました。

「今日はご機嫌ですね」

「そう？　いつもと変わらないいつもりだけど」

少しずつ陽射《ひざ》しが強くなるのが分かる季節でした。十五坪ばかりの私の店は、店の中程に段差を作り、奥を少し高くして、手前にはマホガニーの小さなテーブルセットを置いてありました。一目見ると、小さな喫茶店のような感じです。これは、お待ちになるお客さまへの心配りでもあり、店のディスプレイにも役立つ工夫でした。

「朝からずっと、鼻歌なんか歌っちゃって」

助手のいずみが、悪戯《いたずら》っぽい表情で私の顔を覗き込むので、私はついつい笑顔になります。

「やっぱり何かあったんだ。教えてくださいよ」

二十歳を過ぎたばかりのいずみは、専門学校を出たばかりの娘です。

「ねえ、先生ったら」

いずみは私を慕っていて、何かというとまとわりついてきます。いかにも子どもっぽいしつこさは、時には私を苛立《いらだ》たせますが、今日の私は、それにもついつい微笑《ほほえ》みを返してしまいます。

「あ、分かった。高田《たかだ》さんのことでしょう?」

私は否定も肯定もせず、ただ笑っていました。向いのビルから反射する光が私の顔を明るく照らしているのが分かります。

「先生ったら!」

いつまでも焦《じ》らしていると、やがていずみはふくれっつらになって、地団駄を踏んで見せます。

「分かった、分かったわ」

私はついに観念して、正面からいずみを見なければなりません。私だって、本当は誰かに話したくて、むずむずしていたというのが正直なところなのです。

「プロポーズされたの」

「えーーやったあ！」

いずみは大きな声を出して、私に抱き付いてきました。

「すごいすごいっ！　おめでとうございます！」

私はいずみに抱き付かれて、身体《からだ》を揺すられながら、一緒に笑顔になっていました。

「再来《さ》週ね、内輪だけで婚約披露パーティーをするの。いずみちゃんも、来てくれるわね？」

「私も呼んでもらえるんですか？　わあ、素敵だわあ」

いずみはニキビの多い顔を上気させて、もううっとりとした顔になっています。

その時、カラン、と扉の上に取り付けてある鈴が鳴りました。私達は同時に「いらっしゃいませ」と言いながら振り返りました。山根《やまね》さんでした。去年の開店当初からのお客さまで、週に一度は必ず寄ってくださる方です。

「山根さん、あのねあのね」

「いずみちゃん」

「いいじゃないですか、おめでたいことなんだもの」

「何かあったの？」

「先生がね、結婚するんですって」

「まあ、本当?」

山根さんは、とても痩《や》せて小柄な方で、ハイネックの服をトレードマークのように着ていらっしゃいます。おまけにいつでも大きくて真っ黒いサングラスをかけているのです。ですから、私は山根さんが初めて店においでになった時からすぐに覚えてしまいました。どんなに暑い季節でも、黒か紺のハイネックのニットをお召しになって、痩せた小さなお顔には不釣合いなくらいの大きなサングラスは、一瞬どきりとする程異様に見えます。夜お目にかかってもサングラスを外していたことがないので、私は目がお悪いのかも知れないと思っていました。

お話してみると、掠れた低い声ではありますが、ゆっくりとした口調は優しいものでした。お歳《とし》も私とあまり違わないようでしたから、やがて少しずつ打ち解けて、当り障《さわ》りのない世間話などもするようになりました。

「結婚は、もう少し先なんですけれど」

「再来週、婚約披露パーティーをするんですって」

いずみは、誰かれ構わずに何でも話してしまうところがありますから、私は時々ひやりとさせられるのですが、山根さんとは、この一年少しの間に随分親しくなっていたので、まあ構わないだろうと判断しました。

「すごく、豪華なお話みたいね」

「なんて言ったたって玉の輿《こし》ですもの。おまけに美男美女の取り合わせでしょう？　何だか、芸能人のカップルみたい」

「素敵な方なの？」

「すっごい、ハンサムなんですよ。ねえ、先生？」

山根さんの口が微かに動いて、私はそれを微笑みと解釈しました。これまでにも何度か浮かべたことのある表情でした。何しろ、目元の表情がまるで分かりませんから、判断する材料は声の雰囲気と口元の表情だけなのです。

「いずみちゃん、コーヒーを淹《い》れてきて」

お時間のあるお客さまにはコーヒーをサービスして、その間にお気に召した花をアレンジするのが私の店のやり方です。ゆったりとした気持ちで花を選んでいただくのが、一番良いというのが私の考えでした。

「今日は、バスケットでアレンジしていただける？」

それから私は山根さんのお好みの花を選び、可愛《かわい》い丸いバスケットを選びました。

「希《のぞみ》さんって、失礼ですけれど、お幾つだったかしら？」

「二十六です」

「じゃあ、適齢期というか、ちっとも不思議な年齢ではないわね——そう、二十六になられるの」

山根さんは静かな声でゆっくりと話します。余計なことは言わず、人の心にも、無理に入り込もうとはしない人でした。私は、なぜだか山根さんと話していると、心がゆったりとして、リラックスするのが分かります。

「山根さんは、ご結婚なさらないの？」

「そうねえ、どうかしら」

「あ、もしかしたら、もうご結婚なさってるとか？」

「まさか。独身よ」

山根さんのことは、私は何も存じ上げていません。毎週店に寄って下さるということ以外、はっきりとしたお住まいもお仕事もご家族も年齢も、何も知りません。そんな必要もないのです。

春の風が吹き抜けて、埃《ほこり》っぽいけれど、やはり心ときめくものを感じさせます。色々な思いが頭に去来して、思わず私は笑顔になってしまいました。

「こんなことを言うと、おかしいんですけれど」

山根さんはいずみが淹れてきたコーヒーをゆっくりと飲みながら、サングラスの顔を私に向けています。

「私って、ウェディングドレスにものすごい憧《あこが》れがあるんですよね。純白のウェディングドレスが着てみたくて仕方がなかったの」

私の店は、山根さんのように普通のお花を買って帰る方は、実はとても少ないのです。フラワー・アレンジメントの店としてオープンしていますから、ブーケやバスケットなどを作るのがメインの仕事でした。結婚式の時に花嫁さんが持つお花や、パーティー用の盛り花などを、主に手懸けていたのです。普通の生花店のように、店の入り口に仏花や、サービス品として、売れ残った花を簡単にセロファンで包んで置いておくということもしていません。特別な日の為に、特別にコーディネイトされる花を手懸けるのが私の仕事でした。

「仕事柄、しょっちゅう花嫁さんは見ますけど、花嫁さんが羨《うらや》ましいっていうよりも、あのウェディングドレスが羨ましくて」

女が一番美しく見える姿は、花嫁衣装を身につけた時に違いないと私は堅く信じていました。

「先生のウェディングドレス姿って、素敵だろうなあ」

いずみが、うっとりした表情でつぶやきます。実は、私も自分でそう思っていました。私の頭の中では、もう大体のデザインさえ出来上がっていました。あまりごてごてとさせず、むしろシンプルな、すっきりとした感じにしたい。背中も胸元も大きくあけて、出来れば、ストラップも付けずに、身体の線がはっきりと出るように、そして胸元にはダイヤモンドを光らせたい。そんな姿を私はもうずっと前から想像していたのです。その姿は、きっと自分でもうっとりする程美しいに違いないと、私は信じていました。

やがてバスケットが出来上がりました。春らしくローダンセを可憐《かれん》に使って、ミモザの花を散らし、水仙の甘い香りが満ちているバスケットです。

「これは、希さんへのプレゼント。おめでとう」

山根さんは、私からバスケットを受け取り、お会計を済ませると、あらためてそのお花を私に差し出しました。私は驚いて山根さんを見てしまいました。サングラスの下の口元がほころんで見えます。

「こんなお仕事をしていたら、なかなかご自分にはプレゼント出来ないものでしょう？　だから」

私は感激して思わず涙が出そうになりました。いかにもさり気ない、山根さんらしい気の配り方が、心に沁みます。

「それで？　挙式はいつの予定なの？」

「六月にしようと思ってるんですけれど。今、教会を探しているんです」

「私も、出席させてくださる？　希さんのドレス姿が見たいわ」

「ええ、是非！　ああ、よろしかったら、再来週のパーティーにも、いらしていただけないかしら」

私は自分でアレンジして、自分に贈られたバスケットを抱きしめながら、笑顔で山根さんを見つめました。山根さんはこっくりとうなずいてくださいました。水仙の甘い香りがバスケットから広がっています。

これは、私の勘なのですが、あまり満ち足りた人生を歩んでいない感じの山根さんが、普通の女性のようにおかしな嫉妬心《しっとしん》を抱かずにいて下さることが私はとても嬉《うれ》しかったのです。何しろ私は女性の嫉妬にはずいぶん嫌な思いをさせられて来ていますから、自然に身構えてしまうところがあったのですが、こといずみと山根さんにはそういったものは感じられませんでした。

私のフィアンセの高田耕平《こうへい》は、私よりも五歳年上でした。実は、私が二十五という年齢で店を構えることが出来たのも、耕平の援助があったからです。当時、都内に支店をたくさん持っている大きな生花店のチーフとして、結婚式のブーケを専門に扱っていた私は、毎日のように契約している結婚式場に出掛けていました。耕平とは、そこで知り合ったのです。

2

耕平は、話を聞いてみると、若い頃は色々と無茶なこともしていたようです。私達は互いに、あまり昔のことは話しません。互いの履歴や過去にこだわるなんて、下らないことだというのが私達の考えでした。一つだけ分かっていることは、耕平にはもはや両親はおらず、結婚を反対するような親戚《しんせき》もいないということでした。

彼は、アイディアの宝庫のような頭脳の持ち主でした。二十代の前半で、パーティーの企画と演出の会社を始め、それが当たって、私が知り合った頃には、輸入小物の店からエスニック料理の店まで、ありとあらゆる業種に手を伸ばしていました。

最初は、純粋にビジネスとしてのお付き合いでした。

「下心もないのに出資なんかするはずがないだろう？」

耕平は、私にプロポーズした後で、そんなことを言って笑いました。

けれど、耕平は他の男性とは違って、いやらしい部分がまるでなかったのです。交際を始めて三カ月程過ぎた頃、私が新婚初夜まで自分の身体は大切にしたいと言った時も、耕平はあっさりと承諾してくれました。

「見かけによらず、古風なところがあるんだな」

笑いながら耕平がそう言ってくれた時に、私は耕平とならば一緒になっても良いと思ったのです。

ですから私達は婚約してからもなお、まだ二人で朝を迎えたこともなければ、ベッドをともにしたことさえありませんでした。

婚約披露パーティーは、三月末の日曜日の夕方、耕平の懇意にしているレストランを借り切って行ないました。私は、人々の祝福の言葉に囲まれて、夢見心地でした。

その日は、私は意識的に地味なスーツを選びました。その方が、六月のウェディングドレスの私が鮮烈に人々の心に残るだろうと思ったからです。私がこんなにも憧れているウェディングドレスの姿を、他の人たちの心にも刻みたい。かつて見た花嫁の中で、一番美しいと言われたかったのです。

パーティーの間じゅう、手伝いも兼ねて呼んでいたいずみは、はしゃぎっぱなしでした。私にバスケットをプレゼントしてくださった山根さんも、借り切ったレストランの片隅で、相変わらずハイネックの服とサングラスのまま口元をほころばせてくださっていました。

「神様って、不公平だと思うわ。あんなに素敵な人同士をくっつけちゃうんだもの。こっちまで回ってこないはずよねえ」

正直にそんな感想を洩《も》らす人がいて、私は思わずはにかむ素振りを見せるのを忘れそうになった程でした。

一生のうちで一番、誰よりも美しく見える日の為《ため》に、私はこの残された時間の中で、最高に自分を磨き上げなければと考えていました。生涯の夢をかなえる為に、最高のウェディングドレス姿を披露する為に、私は自分自身にさえ、厳しい条件を課していたのです。

「今日から、秒読みに入るんですね」

いずみは瞳《ひとみ》を輝かせて私にささやきかけてきます。私は余裕のある笑みを浮かべることを忘れませんでした。

「まだ三カ月も先のことよ」

「三カ月なんて、あっという間ですったら。お店に掲示板を作ろうかな。あと、何日っていう」

「オリンピックみたいじゃないの」

あと三カ月。その間に、どこまで今以上に自分を磨くことが出来るだろうか。私は、有頂天になりながらも、目まぐるしく頭を働かせていました。

3

パーティーの翌日、私は店に出る前に、さっそく青山のオートクチュールの店に寄り、生地の見本や、さまざまなデザイン画を借り出して来ました。

午後になってから店に着きました。店は、郊外の閑静な高級住宅街にあります。わざと都心を避けたのは、もちろん予算の都合もありましたが、地元の裕福な奥さま方に可愛がられる店にしたかったからです。私のような仕事は、派手な宣伝よりも少数のお得意様からの口コミが一番効果的で確実なものです。

「昨日はお疲れさま」

店に着いて、普段通りに店を開けていてくれたいずみに声をかけると、いずみが机の上を指差しました。

「さっき、届いたんです」

それは、白い花だけを使った花束でした。濃い紺色のリボンがついていて、何とも淋《さび》しい感じのする花束です。

私は眉《まゆ》をひそめながら花束に近付きました。花屋を開いている私に、しかも店に花束を贈る人というのは、どういう神経の持ち主なのだろうかと考えました。それも、何とも陰気な花束をです。

「どなたから?」

「さあ——カードが添えてありますけど」

いずみも陰気な花束を見下ろしながら、不安げな表情になっています。私は、小さな封筒に入れられたカードに手をのばしました。

「——素敵な貴男《あなた》へ——」

カードには、それだけが書かれていました。ひょっとしたら花屋の店員が書いたものかも知れないので、筆跡から送り主を思い浮かべることは出来ません。

私は、ため息をつきながら、カードを封筒にしまい込みました。

「お祝いにしちゃあ、変なセンスですよね」

いずみも口元をとがらせています。

「第一うちにお花を贈るなんて、普通は考えないわ」

「そうですよねえ。持ってきたお花屋さんも、やりにくそうな顔してましたもん」

アレンジとしては平凡なもので、普通の生花店ならば、二五〇〇円というところでしょうか。

「『貴男』っていう文字を使っているから、耕平さんに届けるつもりだったんじゃないかしら」

「だったら、高田さんのオフィスに届ければいいのに。もっとも、こんなにセンスが悪かったら、嫌われちゃうかも知れないけど」

ひょっとしたら、嫌がらせかも知れないと思います。誰でも幸福になりたいものだし、美しくなりたいものだし、自分が持っていないものを持っている人間を憎むものです。私は人に嫉妬されるのは慣れていました。

「気にすることないわ。ばらして、他のお花とあわせて飾ってちょうだいな。お花に罪はないんだから」

私が言うと、いずみは素直に紺色のリボンを解き始めました。私にしても耕平にしても、外には敵が多いはずですから、いちいち気にしていては疲れてしまいます。

「彼から電話があっても、話さないでちょうだい」

小さなことにこだわっている時間はありません。私は、いずみが花束をばらすと同時に、そんな花束の存在も、カードに書かれたメッセージも忘れてしまいました。

それから二、三日すると、今度は細長い小さな箱が店に届きました。開けて見ると、あまり趣味が良いとは言えないネクタイが入っていました。そして、添えられているカードには、先日と同じ「素敵な貴男へ」というメッセージが書かれていたのです。

「やだなあ、誰からだろう」

私の横からネクタイを覗き込んでいたいずみが、気味の悪そうな声を出しました。

「この前の花束を贈ってきた人と、同じ人ですよね。やっぱり趣味が悪いんだ」

これには、どういう意味があるのだろう。私はようやく少しだけ真剣に考え始めました。心からの贈り物だろうか、それとも嫌がらせだろうか。パーティーの翌日にあの花束が届いたということは、私達の婚約を知っている誰かからということだろうか。パーティーに来ていた誰かが贈っているのだろうか。

「今度こそ、高田さんにあててのプレゼントですよね」

私は、ネクタイを箱ごとごみ箱に投げ捨てました。

「あっ、いいんですか?」

「彼に、こんな悪趣味なネクタイは締めさせられないわ。第一、どなたからの贈り物かも分からないんだもの、気味が悪いじゃない？」

「どうして、直接高田さんに贈らないんでしょうね」

私も、そのことが引っ掛かっていました。何の意味があるのか分からないけれど、決して心からの善意で贈りつけている物ではないということだけは感じました。

「いちいち気にすることはないよ」

その日の晩、先日の花束の件とあわせて耕平に話すと、耕平はいとも簡単にそう答えただけでした。

「心当たりはないの？」

「そんな悪趣味なネクタイを贈ってくるっていったら、どこかのホステスか誰かかも知れないけどな」

耕平は、いつも吸っている煙草《たばこ》に手をのばしながら、ゆったりと微笑みます。

「ああいう連中は、得意客にそういうものを贈るじゃないか」

「でも、なぜ私の店へ贈ってくるの？」

「陰でこそこそしてると思われたくないからじゃないか？　気にするなよ」

そう言われてしまえば、それ程の悪意があるものとも思えなくなり、その話題はそれきりになりました。耕平の言う通り、陰でこそこそと贈り物をされるよりも、私のもとへ贈られる方が良いのかも知れないという気になりました。つまりは、私を耕平の妻として、認めているということです。それならばそれで良いではないかと思ったら、簡単にごみ箱に放り込んでしまったことを、少し申し訳なく思いました。

「もしも心当たりがあったら、今度はちゃんとお名前を書いて贈ってくださるようにって、言って」

私が言うと、耕平はにやりと笑いました。

「礼状でも出すつもりか？」

「そうよ。高田耕平内って書いてね」

4

翌週にも贈り物は届きました。

今度は一目で安物と分かる、カフスとネクタイピンです。相変わらず、添えられているメッセージは「素敵な貴男へ」となっており、送り主は書かれていません。私は、その趣味の悪さに思わず失笑してしまいました。いずみも一緒になって笑っています。

心がこもっているかどうかは知らないけれど、あまりにもちゃちで、人を小馬鹿《こばか》にしているとしか思えないのです。

「こんなカフスをしていたら、ちっとも『素敵』だと思われないわねえ」

「相当、ダサい人なんでしょうねえ」

「いずみちゃん、良かったら差し上げるわよ」

「やめてくださいよ。私にだってセンスの欠片《かけら》くらい、ありますから」

私達はそんなことを言い合って笑いました。

ところがその翌週になると、今度は合成皮革のベルトが届いたのです。そして、メッセージは「素敵な貴男へ」から「貴男にはこれがお似合い」に変わっていました。もう、私は笑えませんでした。善意の贈り物だと思おうとしていたのに、その可能性は私の頭の中から完全に消えました。これは、明らかに嫌がらせでしかありません。

「どうして先生に送ってくるんでしょうね。高田さんに直接送れば良いのに」

いずみも、さすがに青ざめた表情になっています。私は唇を噛《か》んでベルトを握りしめていました。目まぐるしく、さまざまな考えが浮かびます。頭の中で、必死にあらゆる人の顔を思い描きました。いったい誰がこんなことをしているのか、それだけは突き止めなければならないと思いました。

エアコンの音が微《かす》かに聞こえる、花々に満ちた店内で、私はどれくらい黙っていたでしょう。

「あ、いらっしゃいませ」

鈴の音がして、いずみが慌《あわ》てたような声を出すまで、私はぼんやりとしていました。

「どうしたの？　二人とも、何だかつまらなそうな顔して」

山根さんでした。サングラスの顔を私といずみに向けて、小首を傾《かし》げています。私は他に相談する相手もいないこともあって、思わずすがるような思いで山根さんを見ました。

「嫌になっちゃうの、どうしよう」

「珍しいわねえ、希さんが、そんな声を出すなんて」

山根さんは、珍しく春らしい黄色いハイネックのニットを着て、小首を傾げたまま立っています。

「聞いてくださる？」

「私がうかがっていい話なの？」

山根さんは、いつでも控えめで、決して人の心に立ち入ろうとしない。だからこそ、私は山根さんが好きなのです。

「聞いても何もお力になれないと思うけど」

「ううん。聞いてくださるだけでいいんです。何だか、恐《こわ》くなってきちゃったの」

私は、山根さんのサングラスの顔を見つめました。私の言葉に山根さんは小首を傾げたままで、小さく頷《うなず》いてくださいました。

第三章

1

あの騒ぎの中で、結局呆然《ぼうぜん》と立ち尽くしていただけの僕は、その後二度と絵梨佳に会わなかった。

僕の耳には、絵梨佳の「来るなっ！」という声がこびり付いていた。そして、その声を思い出すと、必ず同時に血の海と頬の痛みもよみがえって来た。

後から聞いた話では、三上はポケットにひそませていたナイフで、僕にもそうしたように絵梨佳を脅したが、絵梨佳は激しく抵抗して、何かの拍子で三上が落としたナイフで、逆に三上を刺したということらしかった。絵梨佳は無我夢中で三上の心臓を一突きし、力いっぱいナイフを抜いた瞬間に尻餅《しりもち》をついて、ひっくり返ってしまった。その時に頭だか腕だかが石油ストーブにぶつかって、煮え立った薬缶《やかん》が引っ繰り返ったのだ。

「別にお前の責任じゃないけどな」

生まれて初めて連れて行かれた警察署で、僕は刑事にそう言われた。

「話を聞いてりゃあ、悪いのは三上っていうことになるんだが、事件から見れば、三上が被害者っていうことになるんだからな。不思議なもんだ」

僕は、絵梨佳のことを聞く勇気すら出なくて、ただ黙ってうつむいていた。あれこれと聞かれた挙げ句、無理遣《や》り手を引っ張られて拇印《ぼいん》を押させられた。金の、菊の形をした朱肉入れが妙にけばけばしく、警察のくすんだ雰囲気には不釣り合いに見えた。

そして、僕は故郷に連れ戻された。

戻ってみると、家出する前とほとんど変わらない風景の中に、すっかり老《ふ》けこんだ祖母がいた。

「血は争えないっていうから」

祖母は口の中でぶつぶつとそんな言葉を繰り返し、久しぶりで会った僕を見ても、驚きもしなければ喜びもしなかった。

僕は不貞腐《ふてくさ》れたままで、柱時計の音が響く、田舎臭い部屋で寝転んでばかりいた。ここにこうしている自分と、毎晩ネオンの瞬《またた》く都会のど真ん中で夜中まで歩き回っていた僕とが、同じ僕だという気がしなかった。昔、ビルの谷間に降る雨と、ここに降る雨は違うものだと思ったことがあったが、こうして故郷にいると、流れている時間そのものが都会とは違っている感じがした。

道を歩いていて、昔の同級生などに会っても、高校の制服を着た連中は、僕をちらりと見るだけで声もかけては来なかった。昔は僕と擦れ違う度に僕をからかい、何かとちょっかいを出そうとしていた奴《やつ》らが、いつの間にかずっとガキっぽく見えるようになり、こそこそと僕を避ける。僕よりもずっと成績の悪かった奴が、明らかに落伍《らくご》者《しゃ》を見る目で行き過ぎる。誰もが怯《おび》えた目で僕を見た。気晴らしに表に出る度、僕は逆に苛立って帰ってきた。

「別に、俺が何かしたってわけじゃないじゃないかよ」

「お前の目つきが、そう思わせるんだよ。まっとうに生活しているものの目じゃない。都会の垢《あか》に汚れた目だ。子どものくせに」

祖母は吐き捨てるように言った。

僕は、その度に不貞腐れて自分の部屋にこもってしまった。

「いつまでもフラフラしてたら、ろくでなしにしかならないんだよ」

乱暴に閉めた襖《ふすま》の向こうからそんなことを言われても、僕には何を言い返すことも出来なかった。僕だって、このままでは、中途半端《はんぱ》な人間にしかなれないだろうという思いは、ずっと前から抱いていた。

「絵梨佳——」

僕は、たった一つ違いの絵梨佳に頼りきっていたのだと、ようやく気付いた。絵梨佳さえ傍にいてくれれば、僕はまともな大人になれる、自分の中の迷いを振り切れると思っていた。ずっと、絵梨佳と一緒にいたかった。

その一方で、ほっとしている僕がいることも発見しなければならなかった。思っていたよりも悲しくはないのだ。むしろ、絵梨佳と一緒にいる時には、伸びるまい、伸ばすまいと思っていたものが、すくすくと僕の中で育っていくのが分かった。僕は自由だと、僕の中で声がする。僕の心は何かに向かって伸びようとしていた。

けれど、今度は僕は簡単には動かなかった。今のまま家出を繰り返しても、無駄な努力を重ねるだけだということは、分かっていた。おぼろげながらも、僕は人生について、かなり真剣に考え始めていた。

もうすぐ春になるという矢先に、祖母が死んだ。癌《がん》だった。僕には何も言わなかったけれど、祖母は自分が癌におかされているということを、もうずっと以前から知っていたらしい。

「何をするんでも、百回考えてからにしなさいよ」

祖母は、小さくしぼんだ身体を病院のベッドに横たえて、初めて涙を流した。

淋しい葬式を終えて、さて、これからどうしようと思っている時に、都会の匂《にお》いを撒《ま》き散らして、男が二人やってきた。

「実は、五年ほど前から、何度もうかがっていたのですが」

祖母は、この場所で四十年近く「鏡や」という雑貨屋を営んでいた。縫い糸からロウソク、線香、化粧品、シャベル、スコップから植木鉢に油紙まで、ありとあらゆるものを扱っていた。中には、僕が幼い頃から、ずっと埃を被《かぶ》ったままのゴムホースまでがあった。

「先祖代々の土地を手放されるのは、ご決心のいることだとは存じますが」

男たちは、自分の息子程度の僕に、馬鹿《ばか》丁寧な口調で話し掛けてくる。

「僕は、祖母の遺志は継ぐつもりです。死ぬ間際《まぎわ》に聞かされています」

「は、それはもう、たった一人のお祖母《ばあ》さまだったんですから、当然のことです」

東京で、いつでも、ただ小耳に挟んでいただけの大人の会話が、こんな時に役立つとは思わなかった。まるで誰かに教わったみたいに、そんな言葉がすらすらと出た。

そして結局、僕はその二週間後には、契約書に判を押していた。ふと、警察署で拇印を押させられた時のことを思い出した。あの時、もしも僕が印鑑を持っていたら、拇印を押さずに済んでいたのだろうか、などと思った。

2

「彼にどんな過去があろうと、関係ないじゃない、そうでしょう?」

私が深々とため息をついていると、山根さんは落ち着いた声でゆっくりと話し掛けてくださいます。目の前には、今日届いたばかりの荷物がありました。今度は、ゴムのサスペンダーが入っていました。

もう五月も末にさしかかっていました。私は仕事の合間を縫って、着々と挙式の準備をすすめていました。けれど、花束から始まった贈り物は、ずっと続いていたのです。これまでにも、安物の蝶《ちょう》ネクタイ、ハンカチ、使い捨てのパイプに靴下と、考えられるかぎりの男物の品が届いていました。最初は「素敵な貴男へ」だったメッセージは、次には「貴男にはこれがお似合い」になり、ついには「貴男にはこれで十分」

になっていました。荷物が届く度に、運送会社や郵便局、デパートなどに送り主を確かめようとしましたが、どうしても分かりません。

「もう、情けなくなってきちゃって。何だか気力が続きそうにないわ」

「でも、高田さんは男らしいじゃない？　慌てて言い訳をするような男よりも、ずっとましだと思うけど」

私は日増しにナーバスになり、いずみに八つ当りしてしまうことさえありました。いずみは、贈り物が届く度に私が青ざめるのを知っていますから、一生懸命に私を慰めようとしてくれるのですが、もともとがさつな娘なので、そんなことをされると私は余計に苛立《いらだ》ってしまうのです。

「心当たりは探してみたって言ってるんでしょう？」

私が初めて相談を持ちかけた時から、山根さんは週に二、三度は店に顔を出してくださるようになりました。他に相談できる相手もいない私のことを、昔からの友人のように慰めてくださるのは、山根さんだけでした。

「このまま、式を挙げちゃっていいのかしら」

私が弱気になって呟《つぶや》くと、山根さんはサングラスの顔をまっすぐに私に向けます。

「何言ってるのよ。ウェディングドレスを着るのが、一生の夢だったんでしょう？

こんな下らない中傷で挫《くじ》けたら駄目よ」

「夢だったわ、本当に夢だったの——ウェディングドレスさえ着られたら、もう思い残すことはないくらい」

私が正直に言うと、山根さんの口元がゆっくりといつもの微笑みに変わります。

「いったい、いつ頃からそんなにウェディングドレスに憧れていたの?」

「そうねえ——子どもの頃から憧れていたことは憧れていたのよね。でも、本気で着たいと思うようになったのは、十八か十九か——それくらいになってからだと思うわ」

私は、自分でもほんの少し遠くを見る目つきになったのが分かりました。

本当は、私の中の大きな不安を、全《すべ》て曝《さら》け出してしまいたいという思いがあるのです。その場しのぎで、何とか気持ちを紛らわそうと、山根さんに愚痴をこぼしてみたり、いずみに八つ当りをしたりしていますが、そんなことを繰り返しても、私の中の不安は一向に消えてなくならないのです。

だからこそ、私は口先では耕平に不安を訴えもしますけれど、それ以上に強いことは言えない。本当は耕平に食ってかかることが出来れば、そんなに楽なことはないのでしょうが、こうも繰り返して贈り物が届けられると、私の思いはどんどん違う方向へ進んでしまうのです。

贈り物は、耕平にではなく、私の手元に届くのです。

3

六月になりました。第一日曜日は大安で、初夏のまばゆい陽射《ひざ》しが街じゅうにあふれていました。

「綺麗《きれい》――」

鏡の向こうのいずみが、ため息混じりにうっとりと私を眺めます。私も、黙って鏡に映る自分の姿を見つめていました。

二十歳の頃から、丁寧に伸ばし続けている髪を、後ろですっきりと編みこんで、顔の輪郭をはっきりと出した今日の私は、自分でも驚く程に美しく見えます。髪にも花などは飾らず、ドレスもすっきりとしたデザインのものにしたのは正解でした。胸元は、下品にならない程度にふくらみの部分までがドレスからのぞき、白く輝く肌には、耕平からのプレゼントのダイヤモンドのネックレスが光っています。

「このまま、ケースに入れて飾っておきたいくらいだわ」

いずみはなおもうっとりとした表情でそんなことを言います。私は微かにほほえんで見せました。

嫌がらせの贈り物も最後まで続いたけれど、それ以上に何かが起きるということはありませんでした。

やはり、思い過しだったのかも知れないと、私は先週くらいになってから、ようやくそう思うことが出来ました。

白いタキシードを着た耕平が顔を出して、眩《まぶ》しそうに目を細めました。

「本当にこの人が僕の女房になるのかな、ねえ？」

彼は半分照れたような、驚いたような顔でいずみに向かって言いました。手袋を握りしめたままで、前からも後ろからも私を見回します。

「こりゃあ、嫉妬されるのも無理もないよな」

「あなたもよ。素敵な花婿《はなむこ》さんだわ」

私が言うと、耕平は「それは、どうも」とおどけて礼を言います。私が人生で一番待ち望んだ日に、私の隣に立つ男は、やはり誰もが羨むに違いないと思わせる程、タキシードが似合っています。

その時、控え室の扉をノックする音がしました。

いずみが「はあい」と返事をして扉を開けると、山根さんが入ってきました。

山根さんは、やはりハイネックのデザインの礼服にいつものサングラスのまま、しばらくの間私を見つめて、それから耕平を見ました。

「山根さん、本当に色々とご心配をおかけして、ありがとうございました」

私は思わず立ち上がって、山根さんに近付きました。この三カ月の間、もしかしたら耕平よりも、いずみよりも私の気持ちを汲《く》んで、あれこれと話を聞いてくださったのは、山根さんでした。

「ねえ、私の投げるブーケ、山根さんが受取ってくださいね。今度は山根さんに幸せが来る番よ」

私は、昨日自分の手で作ったブーケに手を伸ばしながら、山根さんに微笑《ほほえ》みかけました。

「これは、私からの贈り物よ」

山根さんの掠《かす》れた声が、今日に限ってははっきりと、そのくせ震えて聴こえました。

「え？」

私は微笑みを浮かべたままで、私よりも大分小柄な山根さんに向かって屈《かが》みかけました。その途端でした。

「これよ！」

顔から剝出《むきだ》しになっている首筋、胸にかけて、一瞬のうちに熱いものが走りました。私は思わず顔を抑えて、その場にうずくまりました。鼻をつく、いやな匂いがして、顔が叩《たた》かれているのとも引っ張られているのとも違う痛みで息も止まりそうになりました。どこかで鋭い悲鳴が上がり、乱暴に扉を開く音がしました。

「何をするんだ！」

耕平の怒鳴る声がします。

「何が花嫁よ！　何がウェディングドレスなのよ！」

叫んでいる声が誰の声か、一瞬分かりませんでした。

「あんた、馬鹿じゃないのっ。こいつはねえ、女なんかじゃないわ。れっきとした男よ、どんなに誤魔化しても、男だわ！」

私は顔の痛みに耐えきれず、呻《うめ》き声を上げながら、床の上に倒れこみました。

「今日の、この日を待っていたのよ」

荒い息遣いと共に、掠れた声が言いました。

「そんなに顔が大切なら、顔を傷つけられた人間の気持ちが分からないはずがないじゃないのっ！　あんたのお陰で、私がどんな思いをしたか、どんな人生を歩んで来なければならなかったか、思い知らせてやるのよ！」

私は、肩で息をしながら、必死になって顔をあげ、手袋をした指の間から、叫んでいる声の方を見ました。

山根さんが、サングラスを外して私を見下ろしていました。目のまわりが、ひどい火傷《やけど》の跡で、ひきつれていました。

「分からないの？　ははは、そりゃあ、そうかも知れないわよねえ？　あんたはあの頃よりもずっと背も伸びて、ずっと綺麗になった。私は、あんたとは違う意味で、命がけで何度も整形を繰り返して、やっとここまでになったのよ。あんたの知ってた頃の私は、今よりもずっと健康で太っていて、第一、声だって違っていたわよね。昔の面影なんか、どこにもありゃあ、しないかも知れないわよね！」

顔が痛くて、私は何も考えることが出来ませんでした。

「三上を刺さなきゃならなかったのも、こんな顔になったのも、元はと言えば、全部あんたのせいじゃないのっ！　この、オカマ野郎！」

「絵梨佳――」

私は咽《のど》から絞りだすように、やっとその名前だけを発音しました。「来るなっ！」

と叫び、ストーブの前でうずくまっていた絵梨佳の姿がありありと浮かびます。

「――絵梨佳！」

「そうよ、私よ。さあ、見なさいよ、あんたがやったことを、見なさいよ！」

山根さんは、礼服の背中のファスナーに手をかけ、それからハイネックの襟元を大きく引き下げました。ケロイド状になった喉《のど》から胸までが指の間から見えました。

私は呻き声を上げ、床にうずくまりました。混乱した頭の中で、血の海の中でうずくまっていた絵梨佳の姿が蘇《よみがえ》りました。ああ、絵梨佳と二人で、手を握りながら天井を見上げていたのは、あれはいつのことだったでしょうか。

「あんたの一生の夢だったウェディングドレスを、私はもう絶対に着れないのよ。女の私がよ！　何もかも、あんたの責任じゃないのっ！」

私は頭の中に真っ赤な血の海を見ながら、目の前に広がる純白のドレスを見ていました。

4

私は、女に生まれてきたかった。

幼い頃から祖母の目を盗んでは、店に置いてあるリボンを髪に結わえたり、こっそり化粧をしたりする時の嬉《うれ》しさといったら、ありませんでした。

「お前、本当は女なんじゃないのか？」

「男のくせに、お人形さんみたいな顔してる」

「へへ、男おんなだな」

そんなことを言われて傷つきながらも、心のどこかでは友達の言葉を肯定していました。そして、自分の美しさに自信を持っていました。十二の時に、年上の男の子に無理に犯された時、私ははっきりと自分が普通の男の子とは違うのだと知りました。私は、その中学生に犯されたことが嬉しかったのです。

家出して上京してからも、私の中には迷いがありました。もう少し成長したら、まともな男になれるのかも分からないし、出来ることならば、正常な男になる努力をするべきなのかも知れないと考えていました。絵梨佳が傍にいてくれれば、絵梨佳を男として愛することが出来れば、自分はおかしな誘惑から逃れることが出来るかも知れないとも思いました。

やがて、ニューハーフだの、オカマだのと呼ばれる人たちは、なかなか水商売から足を洗えないものだと知りました。手術を受けるのにも費用がかかるし、一度整形手術を受けたとしても、ようやく獲《え》た美しさを維持していく為には、やはり相当な金額がかかるのです。そして、私達には特有の匂いのようなものがあり、仲間同士、肩を寄せあって生きていくのが一番なのだということも分かりました。

ある時、店に来たゲイバーのママさんがぽつりと言っていたことがあります。

「そのへんを歩いてる娘はさあ、努力しなくたって、生まれた時から女なのよね。でも、私達は努力して女にならなきゃいけないの。そんな苦労は、普通の人には分からないわよ」

ママは私が同じ種類の人間だと分かっていたのかも知れません。

「おまけにさ、高いお金払って手に入れた女の身体《からだ》を売り物にするんだもの、つくづく因果だと思うわ。何たって、これで手術の跡が崩れてごらんなさいよ、私達は男でも女でもない、中途半端なおばけになっちゃうのよ。女の身体を維持する為なら、どんなことでもするわよ。まあもっとも、見られるのが嬉しいからやってんだけど」

自分をニューハーフと知っていて愛してくれる男が良いのか、それとも本当の女として愛されたいのか——ママはその辺で随分悩んだことがあると言いました。私は、自分は本当の女として愛されたいと思いました。女に生まれ変わりたいのだと思いました。

私は祖母の土地を売り払ったお金で、海外で性転換手術を受けて日本に戻り、以来、一度も盛り場をうろつかず、ひたすら真面目《まじめ》な、本当の娘として生活して来ました。誰一人として私の過去を知る人はいませんでした。

私は毎日自分の身体を鏡に写して、上から下までゆっくりと眺めるだけで満足でした。周囲から、レディーとして扱われるだけで幸福になれました。女として求愛され、女として抱かれる嬉しさは、たとえようもないものでした。もちろん、一度か二度は、自分が男であることがばれないかという心配から、ホテルに行ったこともあるのです。でも、誰一人として、私が男だと気付いた人はいませんでした。

私はホルモン注射とシリコンのお陰で生まれ変わった女の身体を維持する為に必死で働き、マッサージを欠かさず、女としての幸福を得る為の努力を続けて来ました。

5

「と、とにかく、水だ、水！」

誰かの怒鳴る声が聞こえます。私は、うずくまったままで、泣き声とも呻《うめ》き声ともつかない声を洩《も》らし続けました。

「いい気味よ、いい気味だわ。あんたは、その、自慢の美貌《びぼう》もなくすのよ。もう、男でも女でもない。ただの化物になればいいんだわ！」

焦《こ》げ臭い、いやな臭《にお》いの向こうで、私が作った、最後の花束の香りが微《かす》かに漂っていました。

解説

香山二三郎

本書は副題通りの短編傑作集だが、テーマ別のアンソロジーでもあって、初回はいわば「若い女性の狂気」編。ミステリー系を中心に様々な作品が収められている。

筆者はミステリーの短編というと、小説ではなく、つい昔の海外ドラマを思い浮かべてしまう。それというのも、テレビ放送の歴史とほぼ並行して育ってきたからだろう。

日本のテレビ放送が始まったのは一九五三年二月（民放は同年の八月）、当初はスポーツや舞台の中継番組が中心だったようだが、やがて海外ドラマも放映されるようになる。ＮＨＫＢＳオンラインの「ＢＳコラム」によると、その草分けは五六年五月から始まった『空想科学劇場』（原題 Science Fiction Theater）というＳＦのアンソロジーで、一話完結の三〇分ものだったとか。当時はまだ家庭にテレビが普及していなかったし、筆者も記憶にないのだが、その後の『ヒッチコック劇場』や『ミステリー・ゾーン』（原題 The Twilight Zone）になると、うろ覚えながらも映像が浮かんでくる。こちらも一話完結の三〇分ものだったが、ミステリーのみならずＳＦやホラー系の内容もあって、結構怖かった記憶がある。

本書には、昔の海外ドラマとはまた違った意味で多彩な作品が収められているが、各編ごとに趣向が凝らされていて、どれも切れのある落ちが待ち受けているという点では共通している。全一一編、どの作品から読んでも大丈夫であるが、ここは便宜上収録順に紹介していくとしよう。

冒頭の「くらわんか」は大阪が舞台。元キャバ嬢の季莉は、東京の店にいたときの上客、ぷぅさんこと風間と再会する。彼女はミュージシャンの卵である恋人について大阪まできたのだが、程なく破局。かつてセフレだったぷぅさんとの仲が復活するが……。再会の場は、寿司屋なのに小さなコロッケも出すという付加価値の高い料理屋。季莉自身、料理上手ということもあって、やけぼっくいに火が付く男女関係小説であるとともにグルメ小説としての趣もある。ふたりの関係も円満に続くのかと思いきや、さにあらず、思いもよらない結末が待っている。

そう、一見身の回りにあふれていそうな日常描写が一気に反転するのが本書の特徴なのだ。

続く「祝辞」は結婚式がテーマ。敦行は婚約者の摩美から「親よりも、姉妹よりも大切な存在」だという友人長坂朋子を紹介される。彼は小姑《こじゅうと》のごとく口うるさい女だったらどうしようと恐れるが、実際の朋子はキャリアウーマンらしい大人の女という感じだった。だが数日後、摩美から朋子の体の具合が悪いという知らせが入る。摩美の結婚がやはりショックだったのか、医者から心理的な原因だという診断が下されたらしいが……。人生で冠婚葬祭ほどドラマチックな催しものはないだろう。単純なトラブルはもちろん生死に関わる刃傷沙汰《にんじょうざた》だって起こり得るのだ。本書の敦行と摩美は果たして無事挙式をまっとう出来るのか。

「留守番電話」の主人公野村康裕は就職が決まって会社の寮に入ることに。家財道具も新品ばかりだったが、自分では買った覚えのない留守番機能付きの電話がまぎれ込んでいた。電話がほしかった彼はそれをちゃっかり我がものに。会社では、隣席の先輩社員・中根さんから「のんちゃん」呼ばわりされ、いじられまくる康裕だったが、やがて留守番電話に短いメッセージが入り始める。携帯電話やスマートフォンが主流になった今日、部屋に電話機を持たない若者が増えているという。だがミステリーやホラーの演出道具として、電話機ほど使い勝手のいいものはないだろう。誰からかかってくるのかわからない謎《なぞ》めいた電話——その正体は……。

「青空」は、これといって取り柄のない娘・太田早苗が高校の担任の奨《すす》めで短大の保育科に進学、そのまま幼稚園に就職する。だが、子どもたちは自分が考えていたような無邪気で可愛《かわい》い存在ではなかった。特に九月に編入してきた杉森巧太。母親は不幸を一身に背負ったかのような草臥《くたび》れた女だったが、巧太も目つきの悪い、妙に大人びた子供だった。案の定、彼の暴走が始まるが……。というわけで、こちらの題材は〝恐るべき子供たち〟。わずか五歳にして、人間の悪意を凝縮したかのような振る舞いを続ける巧太の恐怖。

　後味の悪い話ばかりではない。**「はなの便り」**は、黒木岳彦がバレンタイン・デー以来、一〇日ぶりのデートに出ようとしたとき、相手の優香子から今日は逢《あ》えないという連絡が入る。約束を守れと詰め寄る彼に、彼女は実家の用事だと泣いてわびた。だが翌日から電話にも出なくなってしまう。自分はふられたのか。疑惑を募らせる彼はやがてアパートに押しかけるつもりで電話をかけると、従姉《いとこ》という女が出てきて愛想のないハスキー声で優香子は実家に帰っているというのだが……。突然愛想が悪くなり、姿を消してしまった年上の恋人。いったい何が起きたのか、岳彦ならずとも忌《い》まわしい想像に駆られるところだが、やがて意外な真実が。

　ちょっと腰がくだけるかもしれない「はなの便り」の後は、収録作中最短の**「薬《や》缶《かん》」だ。瑞恵は友人の妙子と久しぶりに会うが、夫に対して「殺そうなんて考えたことはないけれど、死んでくれたらなあって思うわ」という彼女の言葉に驚く。別に夫との仲が悪いわけではない。にもかかわらず、妙子は毎日同じような生活が続くことに倦《う》んでしまったのだという。帰宅した彼女を待っていたのは、トランクス一枚でナイター中継を見ている夫の姿。彼女はいつものように夕食の準備を始めるが……。友人との不穏な会話が、それまで考えたこともなかった彼女の衝動に火をつける。ラストの一行が恐ろしい。

「髪」の主人公は朝から前髪の手入れに余念のないOL斉藤芙紗子。彼女は会社の同僚からも羨《うらや》ましがられる美髪の持ち主だった。彼女はそれを武器に、営業部の小宮山の気を引けないかとうかがっていた。やがて美髪を皆に見せつけるチャンス、クリスマス・パーティの日がやってくるが……。高校生までは癖っ毛だった芙紗子。美容師のおかげでストレート・ヘアを手に入れたものの、その自慢の奥にはコンプレックスが潜んでいた。それはやがて、あることをきっかけに激しい妬《ねた》み、嫉《そね》みとなって燃え上がることに。

「おし津提灯《ちょうちん》」もまた、妬み、嫉みをめぐる話だが、出だしのシーンからはとてもそんなテーマは読み取れない。藤島新平は東京の下町で提灯店を営んでいる。秋祭りも終わって、間もなく出産を迎える妻・久仁子といつものように暮らしていたが、そんなある日、松原という女性が訪ねてくる。新平の年上の幼馴染《おさななじ》・静恵だった。若いときから苦労を重ね、芸者をしてきた静恵はようやく店を持てることになった。新平はその店の提灯を作ることに。静恵の割烹《かっぽう》料理屋は新平たちにはちょっと敷居が高かったが、それが縁で静恵はしょっちゅう店に現われるようになる。提灯の蘊蓄《うんちく》を交えながら繰り広げられる下町人情譚《たん》――本編の印象をひと言でいえばそうなるが、和気藹々《あいあい》としたその人間関係の底には黒々としたものも流れていたのである。

妬み、嫉み話はまだ続く。続く「枕香《まくらが》」は恭子と晋平というカップルをめぐるお話。お互い純情を装《よそお》っていたふたりだが、付き合い始めると本性が現れた。恭子は本当はいいたいことをいうタイプ、我がままで甘えん坊でもあった。仕事で忙しい晋平が連絡を怠ると、つい怒って喧嘩《けんか》になってしまう。すぐまた仲直りしてはいたけど、出張が重なり何週間も逢えないとなると堪忍袋の緒も切れる。彼女はついにアパートに押しかけるが……。よくある痴話喧嘩のようだけれども、ふたりのバランスはいつしか狂っていた。彼女の五感がそれを察知、話は残酷な結末へと向かっていく。

「ハイビスカスの森」の舞台は沖縄。風間恵一は何度旅行に誘っても応じない恋人・萌木をだまし、まんまと沖縄に旅立つことに成功。慶良間《けらま》諸島・座間味《ざまみ》の海。美しい自然の中で和解したのもつかの間、台風の接近で島に閉じ込められたのがきっかけで喧嘩再発、さらに台風が迫る中、萌木が行方不明になるが……。それがきっかけで彼女の意外なトラウマが明るみに。トラベルミステリーかと思いきや、サイコサスペンス趣向の恋愛ものへと転じる。

ラストの「最後の花束」は都会の片隅で棲息《せいそく》していた家出少年と家出少女が出会い、絆《きずな》を深めていくが、少年のヤクザな同僚が彼女にちょっかいを出そうとしたことから悲劇が。章が変わると、フラワー・アレンジメントの店を営む「私」の結婚が決まり、披露宴に向けて準備を進めていくが、ある日不審な花束が届く。まったく関係のなさそうなふたつの章はいったいどう関係するのか、「祝辞」とはまた異なるヒネリ技を効《き》かせたサプライズ編だ。

以上一一編。どれも、読み始めたらページを繰る手が止まらなくなる話ばかり。寝際《ねぎわ》だったら、眼が冴《さ》えてかえって眠れなくなる危険もあるのでご用心。

本書からスタートした〝乃南アサ短編傑作劇場〟は今後もサスペンスを中心に様々なテーマで巻を重ねていく予定である。乞《こ》うご期待！

（平成二七年八月、コラムニスト）

底本一覧

くらわんか	「yom yom」二〇一五年夏号（第三十七号）、新潮社
祝辞	『夜離れ』二〇〇五年、新潮文庫
留守番電話	『花盗人』一九九八年、新潮文庫
青空	『トゥインクル・ボーイ』一九九七年、新潮文庫
はなの便り	『悪魔の羽根』二〇〇四年、新潮文庫
薬缶	『花盗人』一九九八年、新潮文庫
髪	『夜離れ』二〇〇五年、新潮文庫
おし津提灯	『氷雨心中』二〇〇四年、新潮文庫
枕香	『夜離れ』二〇〇五年、新潮文庫
ハイビスカスの森	『悪魔の羽根』二〇〇四年、新潮文庫
最後の花束	『花盗人』一九九八年、新潮文庫

乃南アサ著
いつか陽のあたる場所で
あのことは知られてはならない――。過去を隠して生きる女二人の健気な姿を通して友情を描く心理サスペンスの快作。聖大も登場。

乃南アサ著
すれ違う背中を
福引きで当たった大阪旅行。初めての土地で解放感に浸る二人の前に、なんと綾香の過去を知る男が現れた！　人気シリーズ第二弾。

乃南アサ著
いちばん長い夜に
前科《マエ》持ちの刑務所《ムショ》仲間――。二人の女性の人生を、あの大きな出来事が静かに変えていく。人気シリーズ感動の完結編。

乃南アサ著
女刑事音道貴子
凍える牙
直木賞受賞
凶悪な獣の牙――。警視庁機動捜査隊員・音道貴子が連続殺人事件に挑む。女性刑事の孤独な闘いが圧倒的共感を集めた超ベストセラー。

乃南アサ著
女刑事音道貴子
花散る頃の殺人
32歳、バツイチの独身、趣味はバイク。かっこいいけど悩みも多い女性刑事・貴子さんの短編集。滝沢刑事と著者の架空対談付き！

乃南アサ著
女刑事音道貴子
鎖（上・下）
占い師夫婦殺害の裏に潜む現金奪取の巧妙な罠。その捜査中に音道貴子刑事が突然、犯人らに拉致された！　傑作『凍える牙』の続編。

乃南アサ著
女刑事音道貴子
未練

監禁・猟奇殺人・幼児虐待——初動捜査を受け持つ音道を苛立たせる、人々の底知れぬ憎悪。彼女は立ち直れるか？ 短編集第二弾！

乃南アサ著
女刑事音道貴子
嗤う闇

下町の温かい人情が、孤独な都市生活者の心の闇の犠牲になっていく。隅田川東署に異動した音道貴子の活躍を描く傑作警察小説四編。

乃南アサ著
女刑事音道貴子
風の墓碑銘《エピタフ》（上・下）

民家解体現場で白骨死体が発見されてほどなく、家主の老人が殺害された。難事件に『凍える牙』の名コンビが挑む傑作ミステリー。

乃南アサ著
しゃぼん玉

通り魔を繰り返す卑劣な青年が山村に逃げ込んだ。正体を知らぬ村人達は彼を歓待するが。涙なくしては読めぬ心理サスペンスの傑作。

乃南アサ著
駆けこみ交番

閑静な住宅地の交番に赴任した新米巡査高木聖大は、着任早々、方面部長賞の大手柄。しかも運だけで。人気沸騰・聖大もの四編を収録。

乃南アサ著
ボクの町

ふられた彼女を見返してやるため、警察官になりました！ 短気でドジな見習い巡査の真っ当な成長を描く、爆笑ポリス・コメディ。

乃南アサ著

6月19日の花嫁

結婚式を一週間後に控えた千尋は、事故で記憶喪失に陥る。やがて見えてきた、自分の意外な過去――。ロマンティック・サスペンス。

乃南アサ
園田寿著

犯　意

犯罪、その瞬間――少し哀しくて、とてもエキサイティング。心理描写の名手による傑作クライムノベル十二編。詳しい刑法解説付き。

乃南アサ著

涙（上・下）

東京五輪直前、結婚間近の刑事が殺人事件に巻込まれ失踪した。行方を追う婚約者が知った慟哭の真実。一途な愛を描くミステリー！

池内紀
川本三郎
松田哲夫編

日本文学100年の名作

第1巻
1914-1923
夢見る部屋

新潮文庫創刊以来の100年に書かれた名作を集めた決定版アンソロジー。10年ごとに1巻に収録、全10巻の中短編全集刊行スタート。

池内紀
川本三郎
松田哲夫編

日本文学100年の名作

第2巻
1924-1933
幸福の持参者

新潮文庫100年記念アンソロジー第2弾！1924年からの10年に書かれた、夢野久作、林芙美子、尾崎翠らの中短編15作を厳選収録。

池内紀
川本三郎
松田哲夫編

日本文学100年の名作

第3巻
1934-1943
三月の第四日曜

新潮文庫100年記念、全10巻の中短編アンソロジー。戦前戦中に発表された、萩原朔太郎、岡本かの子、中島敦らの名編13作を収録。

池内紀
川本三郎
松田哲夫 編

日本文学100年の名作
第4巻 1944―1953
木の都

小説の読み巧者が議論を重ねて名作だけを厳選。日本文学の見取図となる中短編アンソロジー。本巻は太宰、安吾、荷風、清張など15編。

池内紀
川本三郎
松田哲夫 編

日本文学100年の名作
第5巻 1954―1963
百万円煎餅

名作を精選したアンソロジー第5弾。敗戦から10年、文豪たちは何を書いたのか。吉行淳之介、三島由紀夫、森茉莉などの傑作16編。

池内紀
川本三郎
松田哲夫 編

日本文学100年の名作
第6巻 1964―1973
ベトナム姐ちゃん

新潮文庫100年記念刊行第6弾。好景気に沸く時代にも、文学は実直に日本の姿を映し出す。大江健三郎、司馬遼太郎らの名作12編。

池内紀
川本三郎
松田哲夫 編

日本文学100年の名作
第7巻 1974―1983
公然の秘密

新潮文庫100年記念、中短編アンソロジー。高度経済成長を終えても、文学は伸び続けた。藤沢周平、向田邦子らの名編17作を収録。

池内紀
川本三郎
松田哲夫 編

日本文学100年の名作
第8巻 1984―1993
薄情くじら

心に沁みる感動の名編から抱腹絶倒の掌編まで。田辺聖子の表題作ほか、阿川弘之、宮本輝、山田詠美、宮部みゆきも登場。厳選14編。

池内紀
川本三郎
松田哲夫 編

日本文学100年の名作
第9巻 1994―2003
アイロンのある風景

新潮文庫創刊一〇〇年記念第9弾。吉村昭、浅田次郎、村上春樹、川上弘美に吉本ばなな――。読後の興奮収まらぬ、三編者の厳選16編。

池内紀
川本三郎 編
松田哲夫

日本文学100年の名作 第10巻
2004-2013 バタフライ和文タイプ事務所

小川洋子、桐野夏生から伊坂幸太郎、絲山秋子まで、激動の平成に描かれた16編を収録。全10巻の中短編アンソロジー全集、遂に完結。

司馬遼太郎著

司馬遼太郎が考えたこと 1
—エッセイ 1953.10〜1961.10—

40年以上の創作活動のかたわら書き残したエッセイの集大成シリーズ。第1巻は新聞記者時代から直木賞受賞前後までの89篇を収録。

司馬遼太郎著

司馬遼太郎が考えたこと 2
—エッセイ 1961.10〜1964.10—

新聞社を辞め職業作家として独立、『竜馬がゆく』『燃えよ剣』『国盗り物語』など、旺盛な創作活動を開始した時期の119篇を収録。

司馬遼太郎著

司馬遼太郎が考えたこと 3
—エッセイ 1964.10〜1968.8—

「昭和元禄」の繁栄のなか、『国盗り物語』『関ケ原』などの大作を次々に完成。作家として評価を固めた時期の129篇を収録。

司馬遼太郎著

司馬遼太郎が考えたこと 4
—エッセイ 1968.9〜1970.2—

学園紛争で世情騒然とする中、『坂の上の雲』の連載を続けながら、ゆるぎのない歴史観をもとに綴ったエッセイ65篇を収録。

司馬遼太郎著

司馬遼太郎が考えたこと 5
—エッセイ 1970.2〜1972.4—

大阪万国博覧会が開催され、日本が平和と繁栄を謳歌する時代に入ったころ。三島割腹事件について論じたエッセイなど65篇を収録。

司馬遼太郎著

司馬遼太郎が考えたこと　6

―エッセイ 1972.4～1973.2―

田中角栄内閣が成立、国中が列島改造ブームに沸く中、『坂の上の雲』を完結して「国民作家」と呼ばれ始めた頃のエッセイ39篇を収録。

司馬遼太郎著

司馬遼太郎が考えたこと　7

―エッセイ 1973.2～1974.9―

「石油ショック」のころ。『空海の風景』の連載を開始、ベトナム、モンゴルなど活発に海外を旅行した当時のエッセイ58篇を収録。

司馬遼太郎著

司馬遼太郎が考えたこと　8

―エッセイ 1974.10～1976.9―

'74年12月、田中角栄退陣。国中が「民族をあげて不動産屋になった」状況に危機感を抱き『土地と日本人』を刊行したころの67篇。

司馬遼太郎著

司馬遼太郎が考えたこと　9

―エッセイ 1976.9～1979.4―

'78年8月、日中平和友好条約調印。『翔ぶが如く』を刊行したころの、日本と中国を対比した考察や西域旅行の記録など73篇。

司馬遼太郎著

司馬遼太郎が考えたこと　10

―エッセイ 1979.4～1981.6―

'80年代を迎えて日本が「成熟社会」に入った時代。『項羽と劉邦』を刊行したころの、シルクロード長文紀行などエッセイ55篇を収録。

司馬遼太郎著

司馬遼太郎が考えたこと　11

―エッセイ 1981.7～1983.5―

ホテル＝ニュージャパン火災、日航機羽田沖墜落の大惨事が続いた'80年代初頭。『菜の花の沖』を刊行、芸術院会員に選ばれたころの55篇。

司馬遼太郎著

司馬遼太郎が考えたこと 12
—エッセイ 1983.6〜1985.1—

'83年10月、ロッキード裁判で田中元首相に実刑判決。『箱根の坂』刊行のころの日韓関係論や国の将来を憂える環境論など63篇。

司馬遼太郎著

司馬遼太郎が考えたこと 13
—エッセイ 1985.1〜1987.5—

日本がバブル景気に沸き返った時代。『アメリカ素描』連載のころの宗教・自然についてのエッセイや後輩・近藤紘一への弔辞など54篇。

司馬遼太郎著

司馬遼太郎が考えたこと 14
—エッセイ 1987.5〜1990.10—

'89年1月、昭和天皇崩御。『韃靼疾風録』を刊行、「小説は終わり」と宣言したころの、遺言のように書き綴ったエッセイ70篇。

司馬遼太郎著

司馬遼太郎が考えたこと 15
—エッセイ 1990.10〜1996.2—

'95年1月、阪神・淡路大震災。'96年2月12日、司馬遼太郎は腹部大動脈瘤破裂のため急逝。享年72。最終巻は絶筆までの95篇。

新潮社ストーリーセラー編集部編

Story Seller

日本のエンターテインメント界を代表する7人が、中編小説で競演！　これぞ小説のドリームチーム。新規開拓の入門書としても最適。

新潮社ストーリーセラー編集部編

Story Seller 2

日本を代表する7人が豪華競演。読み応え満点の作品が集結しました。物語との特別な出会いがあなたを待っています。好評第2弾。

新潮社ストーリーセラー編集部編
Story Seller 3
新執筆陣も加わり、パワーアップしたラインナップでお届けする好評アンソロジー第3弾。他では味わえない至福の体験を約束します。

新潮社ストーリーセラー編集部編
Story Seller annex
有川浩、恩田陸、近藤史恵、道尾秀介、湊かなえ、米澤穂信の六名が競演！　物語の力にどっぷり惹きこまれる幸せな時間をどうぞ。

髙村　薫著
神の火（上・下）
苛烈極まる諜報戦が沸点に達した時、破天荒な原発襲撃計画が動きだした――スパイ小説と危機小説の見事な融合！　衝撃の新版。

髙村　薫著
黄金を抱いて翔べ
大阪の街に生きる男達が企んだ、大胆不敵な金塊強奪計画。銀行本店の鉄壁の防御システムは突破可能か？　絶賛を浴びたデビュー作。

帚木蓬生著
白い夏の墓標
アメリカ留学中の細菌学者の死の謎は真夏のパリから残雪のピレネーへ、そして二十数年前の仙台へ遡る……抒情と戦慄のサスペンス。

帚木蓬生著
ヒトラーの防具（上・下）
日本からナチスドイツへ贈られていた剣道の防具。この意外な贈り物の陰には、戦争に運命を弄ばれた男の驚くべき人生があった！

帚木蓬生著

三たびの海峡

吉川英治文学新人賞受賞

三たびに亙って〝海峡〟を越えた男の生涯と、日韓近代史の深部に埋もれていた悲劇を誠実に重ねて描く。山本賞作家の長編小説。

帚木蓬生著

閉鎖病棟

山本周五郎賞受賞

精神科病棟で発生した殺人事件。隠されたその動機とは。優しさに溢れた感動の結末——。現役精神科医が描く、病院内部の人間模様。

帚木蓬生著

空《くう》の色紙

妻との仲を疑い、息子を殺した男。その精神鑑定をする医師自身も、妻への屈折した嫉妬に悩み続けてきた。初期の中編3編を収録。

高橋由太著

新選組ござる

実家は拝み屋。ご先祖様はぬらりひょん。源義経に憑かれた少年が沖田総司を守るため、最強人斬りと対決する。書下ろし時代小説。

高橋由太著

新選組はやる

妖怪レストランの看板娘・蕗が誘拐された！蕗を救出するため新選組が大集結。ついでに妖怪軍団も参戦で大混乱。シリーズ第二弾。

高橋由太著

新選組おじゃる

沖田総司を救うため、江戸城に新選組が集結。ついでにぬらりひょんがお仲間妖怪を引き連れ参戦、メチャクチャに！シリーズ完結。

新潮文庫最新刊

垣根涼介著
迷子の王様
—君たちに明日はない5—
リストラ請負人、真介がクビに!? 様々な人生の転機に立ち会ってきた彼が見出す新たな道は——。超人気シリーズ、感動の完結編。

白川　道著
神様が降りてくる
孤高の作家・榊の前に、運命の女が現れた。二人の過去をめぐる謎はやがて戦後沖縄の悲劇へと繋がる。白川ロマン、ついに極まる！

村田沙耶香著
タダイマトビラ
帰りませんか、まがい物の家族がいない世界へ……。いま文学は人間の想像力の向こう側に躍り出る。新次元家族小説、ここに誕生！

池波正太郎著
獅子
幸村の兄で、「信濃の獅子」と呼ばれた真田信之。九十歳を超えた彼は、藩のため老中酒井忠清と対決する。『真田太平記』の後日譚。

夢野久作著
死後の恋
—夢野久作傑作選—
謎の男が、ロマノフ王家の宝石にまつわる奇怪な体験を語る「死後の恋」ほか、甘美と狂気の奇才、夢野ワールドから厳選した全10編。

越谷オサム著
いとみち　三の糸
津軽弁のドジっ娘《こ》メイド、いとは女子高生。バイトに恋に（?）励む彼女に、受験という試練が。眩しくきらめく青春物語、卒業編！

新潮文庫最新刊

河野裕著
凶器は壊れた黒の叫び
柏原第二高校に転校してきた安達。真辺由宇と接触した彼女は、次第に堀を追い詰めていく……。心を穿つ青春ミステリ、第4弾。

王城夕紀著
青の数学2
—ユークリッド・エクスプローラー—
夏合宿を終えた栢山の前に偕成高校オイラー倶楽部・最後の1人、二宮が現れる。数学に全てを賭ける少年少女を描く青春小説、第2弾。

白洲正子著
ほんもの
—白洲次郎のことなど—
おしゃれ、お能、骨董への思い。そして、白洲次郎、小林秀雄、吉田健一ら猛者と過ごした日々。白洲正子史上もっとも危険な随筆集！

池田清彦著
世間のカラクリ
地球温暖化、がん治療から大麻取締法まで、人気生物学者が最新知見を駆使して、国民を騙す権力のペテンに切り込む痛快エッセイ。

井上雪著
廓のおんな
—金沢 名妓一代記—
七歳の時、百円で身売りされた娘はやがて東の廓を代表する名妓に。花街を生きた女の真実を移りゆく世相を背景に描く、不朽の名著。

廣末登著
組長の娘
—ヤクザの家に生まれて—
生家は博徒の組織。昭和ヤクザの香り漂う河内弁で語られる濃厚な人生。気鋭の犯罪社会学者が聴き取った衝撃のライフヒストリー。

新潮文庫最新刊

「選択」編集部編
日本の聖域《サンクチュアリ》 ザ・タブー
大手メディアに蔓延する萎縮、忖度《そんたく》、自主規制。彼らが避けて触れない対象にメスを入れる会員制情報誌の名物連載シリーズ第三弾。

読売新聞水戸支局取材班著
死刑のための殺人
—土浦連続通り魔事件・死刑囚の記録—
自死の手段としての死刑を望み、9人を殺傷する凶悪事件を起こした金川真大。彼は化け物か。死刑制度の根本的意味を問う驚愕の書。

水戸岡鋭治著
電車をデザインする仕事
—ななつ星、九州新幹線はこうして生まれた！—
JR九州「大躍進」の秘密は乗客をワクワクさせる「物語力」にあった！ 未だかつて無いものを生み出すデザイナーの仕事の流儀とは？

S・ブラウン
長岡沙里訳
コピーフェイス
—消された私—
私は別の女として生きることになった。あの恐怖の瞬間から……飛行機事故が招いた運命の捩《ねじ》れを描くラブ・サスペンスの最高傑作！

村上春樹著
職業としての小説家
小説家とはどんな人間なのか……デビュー時の逸話や文学賞の話、長編小説の書き方まで村上春樹が自らを語り尽くした稀有な一冊！

宮本輝著
満月の道
流転の海 第七部
昭和三十六年秋、熊吾の中古車販売店経営は順調だった。しかし、森井博美が現れた。やがて松坂一家の運命は大きく旋回し始める。

最《さい》後《ご》の花《はな》束《たば》
乃南アサ短編傑作選

新潮文庫　の - 9 - 41

平成二十七年十月一日発行
平成二十八年十一月五日五刷

著者　乃《の》南《なみ》アサ
発行者　佐藤隆信
発行所　株式会社新潮社
郵便番号　一六二—八七一一
東京都新宿区矢来町七一
電話　編集部(〇三)三二六六—五四四〇
読者係(〇三)三二六六—五一一一
http://www.shinchosha.co.jp

価格はカバーに表示してあります。
乱丁・落丁本は、ご面倒ですが小社読者係宛ご送付ください。送料小社負担にてお取替えいたします。

印刷・錦明印刷株式会社　製本・錦明印刷株式会社

© Asa Nonami 2015 Printed in Japan

ISBN978-4-10-142554-2 C0193